Introduction à
l'économie internationale

5ᵉ édition

Jean-Pierre Bibeau
avec la collaboration de
Catia Corriveau-Dignard

Introduction à
l'économie internationale

5e édition

gaëtan morin
éditeur

Catalogage avant publication de la Bibliothèque nationale du Canada

Bibeau, Jean-Pierre, 1949-

Introduction à l'économie internationale

5e éd.

Comprend des réf. bibliogr. et un index.
Pour les étudiants de niveau collégial.

ISBN 2-89105-857-7

1. Relations économiques internationales.   2. Économie politique.   3. Finances internationales.   4. Histoire économique.   5. Pays en voie de développement – Conditions économiques.   6. Relations économiques inter-nationales – Problèmes et exercices.   7. Économie politique – Problèmes et exercices.   I. Titre.

HF1359.B52   2003   337   C2003-941459-0

Illustration de la couverture : *Métropolis* (émail d'art)
Œuvre de **Lilyanne Huguet-David**

Artiste de réputation internationale, Lilyanne Huguet-David expose ses œuvres depuis 30 ans. Elle a participé à des salons et à de nombreuses expositions en Europe et en Amérique du Nord. Son art s'inscrit dans le refus de l'agres-sivité du monde contemporain et représente une humanité empreinte de tolérance et de solidarité. Dans ses œuvres, l'artiste exprime ses sentiments à travers les mouvements infinis des cycles de la vie et des saisons.

En 1977, Lilyanne Huguet-David a remporté le Prix d'excellence de l'école du Musée des beaux-arts de Montréal et le Prix d'excellence en art de l'émail. En 2001, dans le cadre du concours international du CAPSQ, elle a gagné le Grand Prix du jury toutes catégories. Elle a également été invitée au Symposium des arts du lieutenant-gouverneur du Québec, l'honorable Lise Thibault.

Les œuvres de Lilyanne Huguet-David sont exposées en permanence à la galerie Studio 261 de Montréal, à la Maison de l'artisan de Saint-Césaire et dans son atelier de Candiac.

Révision linguistique : Renée-Léo Guimont

Consultez notre site,
www.cheneliere-education.ca
Vous y trouverez du matériel
complémentaire pour plusieurs
de nos ouvrages.

Gaëtan Morin Éditeur ltée
7001, boul. Saint-Laurent
Montréal (Québec)
Canada H2S 3E3
Tél. : (514) 273-1066

Nous reconnaissons l'aide financière du gouvernement du Canada par l'entremise du Programme d'aide au dévelop-pement de l'industrie de l'édition (PADIÉ) pour nos activités d'édition.

Gouvernement du Québec – Programme de crédit d'impôt pour l'édition de livres – Gestion SODEC

L'éditeur a fait tout ce qui était en son pouvoir pour retrouver les copyrights. On peut lui signaler tout renseignement menant à la correction d'erreurs ou d'omissions.

Imprimé au Canada 2 3 4 5 6 ITG 10 09 08 07 06

Dépôt légal 1er trimestre 2004 – Bibliothèque nationale du Québec – Bibliothèque nationale du Canada

À Mariette et Jean-Georges, coauteurs de l'auteur
À Christiane et Jasmine

REMERCIEMENTS

Je remercie mes collègues du Département d'économie du Collège Montmorency pour leur contribution au développement de certains thèmes, mes collègues du collégial que j'ai côtoyés lors de quelques rencontres du Comité pédagogique d'économie pour leurs suggestions pertinentes, et le service des périodiques du Collège Montmorency. Je remercie également Mme Catia Corriveau-Dignard pour sa contribution aux chapitres 2 et 11.

Jean-Pierre Bibeau

INTRODUCTION

L'économie internationale est un sujet vaste qui touche des domaines d'activité très variés. Son champ d'études concerne des pays et des régions qui se différencient par le niveau de développement, la structure économique, les régimes politiques, les conditions de vie et les habitudes sociales et culturelles. Étudier une réalité aussi complexe oblige à choisir les aspects les plus importants et à les regrouper selon des caractéristiques particulières, ce qui nous a amené à diviser cet ouvrage en quatre parties, intitulées «Quelques concepts de base», «L'économie mondiale en perspective», «Pays développés et économies en transition vers le marché» et «Les pays en développement». ● La première partie est réservée à la présentation de concepts de base et d'outils d'analyse économique essentiels à l'étude de l'économie internationale. Le **chapitre 1** présente la notion de production brute (produit intérieur brut et produit national brut), principal élément de la comptabilité nationale; on y trouve aussi un résumé des types de politiques dont disposent les gouvernements pour agir sur le cycle économique, ainsi qu'une brève description du fonctionnement de l'économie de marché. Ces concepts reviennent systématiquement dans les trois autres parties de l'ouvrage. ● La deuxième partie décrit certains aspects majeurs de l'économie mondiale et leur évolution depuis 1945. Dans le **chapitre 2**, nous abordons la mondialisation de l'économie et ses effets économiques, sociaux et politiques. Le **chapitre 3** présente l'évolution de la production, la croissance économique et les facteurs qui déterminent ses fluctuations. Le **chapitre 4** a pour objet la comptabilité des paiements internationaux, soit la balance des paiements, le taux de change d'une monnaie et le marché des changes. Les **chapitres 5** et **6** décrivent le système monétaire de Bretton Woods, de son origine en 1944 jusqu'à son effondrement en 1971. Sa chute a débouché sur une «crise» du système monétaire international, marquée par une restructuration des zones monétaires autour de quelques monnaies : dollar, yen, mark et, désormais, euro ; le régime des changes fixes a cédé la place à celui des changes flottants, les banques centrales n'étant plus les seuls maîtres du marché des changes. Les nouvelles règles de fonctionnement devraient provenir du système lui-même. Dans le **chapitre 7**, nous résumons les principales théories du commerce international et nous présentons l'évolution des échanges internationaux depuis les années 1960. Après avoir exposé les principes du libre-échange et du protectionnisme, nous décrivons les principales organisations œuvrant dans ce domaine, en particulier le GATT, devenu l'Organisation mondiale du commerce. Le chapitre se termine par une présentation des formes d'associations économiques internationales, dont l'Accord de libre-échange nord-américain, et la future Zone de libre-échange des Amériques. Le **chapitre 8** concerne le phénomène des firmes multinationales et les mouvements internationaux de capitaux. Nous y présentons les principales caractéristiques de l'investissement direct à l'étranger et certaines théories explicatives sur l'exportation de capitaux. ● **La troisième partie porte sur l'étude de quelques importants pays développés et des économies en transition vers le marché (ex-pays socialistes).** Dans le **chapitre 9**, nous jetons un regard sur les plus importantes économies et, surtout, sur la rivalité entre les États-Unis, le Japon et l'Union européenne. Nous présentons le changement survenu dans le rapport des forces économiques entre ces pays. Le **chapitre 10** est consacré à la plus importante communauté internationale du monde, l'Union européenne. Nous y observons son progrès depuis son origine jusqu'aux perspectives ouvertes par la création du marché unique et l'apparition de l'euro. Le **chapitre 11** décrit l'économie et la politique de l'ex-URSS et de la Chine ainsi que des pays de l'Europe centrale et orientale. Analysant les changements qui s'y manifestent depuis la fin des années 1980, nous présentons les solutions susceptibles de s'y imposer et les problèmes amenés par la transition vers l'économie de marché. ● **Enfin, la quatrième partie est consacrée aux pays en développement.** Le **chapitre 12** relate le cheminement historique de ces pays : du colonialisme à l'insertion de ces derniers dans la division internationale du travail, le développement de ces pays a été entravé par les diverses formes de dépendance qu'ils ont dû subir. Les conditions de vie y demeurent fort précaires et, à l'exception d'un nombre restreint d'États appelés «nouveaux pays industrialisés», la plupart de ces peuples restent encore majoritairement confinés à la production agricole. Représentant l'activité dominante, l'agriculture n'y est pas très productive. Quant à l'industrie, elle occupe une place de plus en plus importante, surtout dans les nouveaux pays industrialisés. Le **chapitre 13** a pour objet le commerce extérieur des pays en développement. La majorité demeure spécialisée dans l'exportation de produits de base, dont les prix ont tendance à diminuer par rapport à ceux des produits manufacturés. Cette situation est nuisible au développement de ces pays ; l'une des pistes de solution consiste dans une plus grande diversification de leurs économies. Dans le **chapitre 14**, nous nous penchons sur l'un des problèmes majeurs de l'économie mondiale, l'endettement des pays en développement, tandis que dans le **chapitre 15** nous exposons quelques théories du développement. ● La **conclusion** de cet ouvrage dégage quelques grandes tendances de l'économie internationale : la mondialisation de l'économie, la création de plusieurs zones et pôles monétaires, les problèmes cruciaux du sous-développement, le chômage dans les pays industrialisés et la détérioration de l'environnement à l'échelle planétaire.

N. B. : Tout au long de cet ouvrage, les mots ou expressions suivis d'un astérisque renvoient au glossaire placé à la fin du livre.

Avertissement : Dans cet ouvrage, le masculin est utilisé comme représentant les deux sexes, sans discrimination à l'égard des hommes et des femmes et dans le seul but d'alléger le texte.

TABLE DES MATIÈRES

QUATRIÈME PARTIE Les pays en développement 291

PREMIÈRE PARTIE

Quelques concepts de base

CHAPITRE **1** Concepts macroéconomiques et lois du marché

OBJECTIFS

APRÈS AVOIR LU CE CHAPITRE, L'ÉLÈVE SERA EN MESURE :

- de définir et d'utiliser les éléments de comptabilité nationale suivants : produit intérieur brut et produit national brut, revenu par habitant ;
- d'établir, à l'aide de ces derniers, des comparaisons internationales ;
- de calculer la croissance économique en valeur et en volume ;
- de décrire le cycle économique et ses phases ;
- de montrer le rôle des politiques macroéconomiques dans chacune des phases ;
- de décrire le fonctionnement de base d'une économie de marché et de le distinguer de celui d'une économie à planification centrale.

Le premier chapitre de cet ouvrage présente la notion de production brute. Le produit intérieur brut (PIB) et le produit national brut (PNB) sont les éléments de base de la comptabilité nationale. Ils sont couramment utilisés pour établir des comparaisons internationales, la croissance du PIB/PNB mesurant la performance économique d'un pays.

Ce chapitre décrit aussi le caractère cyclique de l'économie de marché ainsi que les types de politiques dont l'État dispose pour influer sur la marche de l'économie. Il se termine par une exposition des lois élémentaires du marché, suivie d'une brève présentation des économies à planification centrale.

1.1 ● La production brute

L'étude de l'économie internationale nécessite la connaissance de concepts de base. L'un des plus importants est la production brute, c'est-à-dire la valeur monétaire de l'ensemble des biens et des services produits dans l'économie au cours d'une période donnée, généralement un an. On distingue **deux concepts de production** : le **produit intérieur brut (PIB)**, qui est la valeur monétaire des biens et des services produits à l'intérieur des frontières géographiques d'un pays, et le **produit national brut (PNB)**, qui est la valeur monétaire des biens et des services produits par les citoyens d'un pays. Ainsi, la valeur de production ou la rémunération d'un citoyen canadien travaillant aux États-Unis sera incluse dans le PNB canadien, mais aussi dans le PIB américain ; de même, la rémunération du citoyen américain travaillant au Canada sera calculée dans le PIB canadien et dans le PNB américain.

Il existe **trois méthodes de calcul de la production brute**, soit :
- l'approche basée sur les dépenses ;
- l'approche basée sur les revenus ;
- l'approche basée sur la valeur ajoutée.

La figure 1.1 permet de réviser les concepts acquis dans le cours Économie globale.

1.1.1 L'approche basée sur les dépenses

Calculer la valeur de la production par l'approche basée sur les dépenses consiste à additionner toutes les dépenses engagées pour la production de biens et la prestation de services au cours de la période considérée. Celles-ci comprennent les dépenses des ménages en biens de consommation et en services, les dépenses d'investissement des secteurs privé et public, les dépenses courantes des gouvernements et la variation des stocks ; il faut y ajouter les dépenses en exportations et soustraire les dépenses en importations. Cette méthode de calcul est illustrée au tableau 1.1.

1.1.2 L'approche basée sur les revenus

L'approche basée sur les revenus consiste à additionner les revenus de toutes les personnes qui ont participé à la production des biens et à la prestation des services pendant la période considérée. Cette somme inclut les salaires et les traitements, les soldes et les allocations des militaires, les bénéfices des sociétés, les intérêts et les divers revenus de placement, les revenus nets des entreprises agricoles et ceux des entreprises individuelles non agricoles incluant les loyers, les impôts indirects moins les subventions, et enfin l'amortissement (la dépréciation du capital physique). Il faut y ajouter les paiements nets de revenus de placement aux non-résidents. Le tableau 1.2 illustre cette approche.

Tableau 1.1 PIB canadien calculé à partir des dépenses, 2001

	(en M $)
Dépenses personnelles en biens et services de consommation	620 777
Dépenses publiques en biens et services	231 066
Dépenses d'investissement (formation brute de capital fixe)	189 926
Variation des stocks (inventaires)	− 6 040
Exportations de biens et services	473 000
Importations de biens et services	− 416 498
Écart statistique	15
PIB	**1 092 246**

Source : Statistique Canada, *CANSIM II,* [en ligne : www.statcan.ca].

Tableau 1.2 PIB canadien calculé à partir des revenus, 2001

	(en M $)
Salaires, traitements et autres revenus du travail	568 864
Bénéfices des sociétés avant impôts	128 354
Intérêts et revenus divers de placements	53 238
Revenus nets des agriculteurs	2 972
Revenus nets (loyers compris) des entreprises individuelles	
non agricoles	66 551
Réévaluation des stocks	21
Impôts indirects moins subventions	127 947
Amortissement et autres ajustements	144 315
Écart statistique	− 16
PIB	**1 092 246**

Source : Statistique Canada, *CANSIM II,* [en ligne : www.statcan.ca].

Figure 1.1   Réseau de concepts : l'économie globale

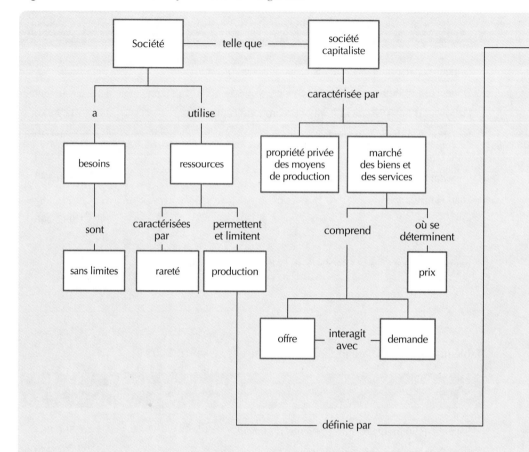

Source : R. Campeau, J.-P. Bibeau, P. Murphy et J. Shewchuck, *Démarche d'intégration en sciences humaines*, Boucherville, Gaëtan Morin Éditeur, 1997, p. 72-73.

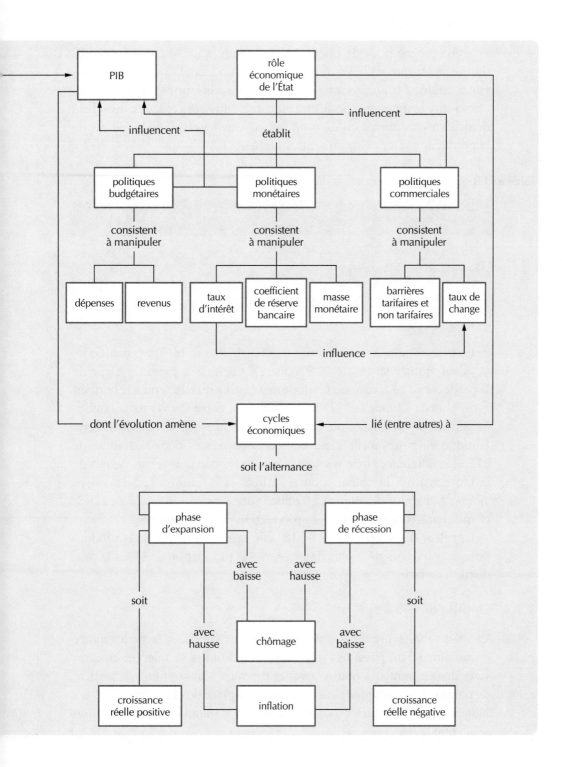

1.1.3 L'approche basée sur la valeur ajoutée

La troisième méthode de calcul est plus complexe. Elle consiste à additionner, à chaque stade de transformation d'un bien, la valeur que l'activité a ajoutée à la matière première nécessaire à la fabrication de ce bien, c'est-à-dire la différence pour une industrie entre ses ventes et ses achats de matières premières ou de produits intermédiaires. Prenons le cas de la production d'un pain, présenté au tableau 1.3.

Tableau 1.3 Calcul de la production d'un pain

Étape	Valeur des ventes	Valeur ajoutée
Production primaire de blé (ferme)	50 $	50 $
Fabrication de farine (meunerie)	125 $	75 $
Fabrication de pain (boulangerie)	275 $	150 $
Total des ventes	450 $	
Valeur ajoutée totale (revenu total)		275 $

Ce tableau indique qu'une ferme vend pour 50 $ de blé à une meunerie ; la valeur ajoutée ici est de 50 $, puisqu'il s'agit de la première étape de la production. La meunerie fabrique de la farine qu'elle vend à la boulangerie pour la somme de 125 $; la différence entre ses ventes à la boulangerie et ses achats de blé constitue la valeur ajoutée. La boulangerie fabrique du pain qu'elle vend aux consommateurs pour la somme de 275 $; la différence entre ses ventes aux consommateurs et ses achats de farine constitue la valeur ajoutée. Ainsi, si on additionne la valeur ajoutée à chacune des étapes, on obtient une production totale de 275 $, ce qui représente la valeur de la production de l'économie.

La valeur des ventes est de 450 $; elle excède la valeur de la production, car on a compté à plus d'une reprise la production de blé et la production de farine.

1.1.4 L'utilité du PIB/PNB

La valeur monétaire de la production permet d'évaluer la performance économique d'un pays. Les responsables politiques se réfèrent aux travaux des économistes pour choisir et défendre leurs options en matière de politique économique ; le PIB y tient une place de choix avec d'autres indicateurs, tels le taux de chômage, le taux d'inflation, la construction résidentielle, etc.

Dans le cadre des relations économiques internationales, le PIB mesure la dimension économique des pays. Ainsi, le PIB canadien correspond approximativement au dixième du PIB américain. Les organismes internationaux, tels le Fonds monétaire international et la Banque mondiale, utilisent le PIB pour déterminer la participation des pays membres à leur financement et le droit de vote respectif des divers pays. Mais le PIB est surtout un instrument de calcul de la croissance économique.

1.2 ● La croissance économique

La croissance économique est la variation de la production brute d'une année à l'autre, mesurée par rapport à la période initiale et multipliée par 100 :

$$\frac{\text{PIB}_{2001} - \text{PIB}_{2000}}{\text{PIB}_{2000}} \times 100.$$

Soit :

$$\text{PIB}_{2000} = 1\ 064\ 995 \text{ M \$},$$
$$\text{PIB}_{2001} = 1\ 092\ 246 \text{ M \$}.$$

On a donc :

$$\frac{1\ 092\ 246 - 1\ 064\ 995}{1\ 064\ 995} \times 100 = 2,6\ \%$$

Il s'agit d'une application de la formule générale du taux de croissance entre deux périodes, la période 0 et la période 1 :

$$\frac{T_1 - T_0}{T_0} \times 100.$$

1.2.1 La croissance en valeur monétaire (dollars courants)

L'exemple que nous venons de présenter rend compte de la croissance en dollars courants. Le résultat obtenu repose à la fois sur l'augmentation de la production et sur l'augmentation des prix des produits qui forment le PIB. La croissance en dollars courants est donc d'autant plus élevée que les prix ont augmenté. Or, **l'analyse de la situation économique porte sur l'évolution de la croissance de la quantité produite**. Aussi devons-nous réaliser une opération supplémentaire qui livrera le PIB en volume.

1.2.2   La croissance en volume (dollars constants)

Le taux de croissance du PIB en volume se calcule à partir du PIB qui a été dégonflé de la valeur représentant la hausse des prix. On obtient ainsi le PIB en dollars constants, ce qui signifie que le PIB est mesuré comme si les prix étaient demeurés constants depuis une période désignée. On parlera de dollars constants de 1992 ou de 1997 pour indiquer la période pendant laquelle les prix ont été maintenus constants. Pour arriver au PIB en volume, on a besoin de l'indice des prix du PIB ou indice implicite des prix (IIP), qui mesure l'évolution des prix depuis une période de base. Le tableau 1.4 illustre l'opération.

Tableau 1.4   Dégonflement du PIB

Année	(1) PIB (en M $ courants)	(2) IIP[a] (1997 = 100)	(3) = (1) x 100 / (2) PIB en volume (en M $ constants de 1997)
1999	980 924	101,3	968 451
2000	1 064 995	105,2	1 012 335
2001	1 092 246	106,3	1 027 523

a. L'indice implicite des prix est arrondi jusqu'à la première décimale, ce qui explique le léger écart entre les chiffres de la colonne 3 et le calcul effectué à l'aide de l'IIP (colonne 2).

Source : Statistique Canada, *CANSIM II,* [en ligne : www.statcan.ca].

Voici le taux de croissance du PIB de 2001 en volume (1997 = 100) :

$$\frac{1\ 027\ 523 - 1\ 012\ 335}{1\ 012\ 335} \times 100 = 1,5\ \%$$

Dégonflée de la valeur représentant la variation des prix (ici une hausse des prix), la croissance du PIB n'est plus de 2,6 %, mais bien de 1,5 %. Si l'indice des prix avait baissé, la croissance en dollars constants aurait été supérieure à la croissance en dollars courants. Au chapitre 3, nous retracerons l'évolution de l'économie mondiale et celle des principaux pays à l'aide de données officielles sur le PIB en volume. À l'occasion, nous mentionnerons les données en valeur monétaire ; il s'agira alors de se référer aux distinctions qui viennent d'être établies.

1.3 ● Le revenu par habitant (PIB par habitant)

Le revenu par habitant est le revenu moyen par habitant d'un pays ou d'une région, soit : PIB / population. C'est un indicateur supérieur au PIB pour comparer le niveau de bien-être des pays ou des régions. La Banque mondiale classifie les pays par ordre croissant de revenu par habitant, auquel correspond un ordre croissant qui va de la pauvreté à la richesse. Toutefois, ce n'est là qu'une moyenne qui voile au sein de chacun des pays d'immenses écarts de revenu, particulièrement dans les pays du tiers-monde (pays sous-développés ou pays en développement), où l'inégalité économique est une caractéristique majeure.

1.4 ● Les comparaisons internationales

Afin d'uniformiser les données statistiques mondiales, on utilise un étalon de mesure commun, les valeurs étant exprimées en dollars américains. Cette uniformisation pratique visant à établir des comparaisons internationales donne lieu à certaines distorsions non négligeables qui sont liées aux fluctuations des valeurs des monnaies les unes par rapport aux autres. Par exemple, lorsque l'on compare le PIB et le revenu par habitant du Japon à ceux des États-Unis dans une période de changement de la valeur du yen par rapport au dollar, les données internationales doivent être nuancées pour en tenir compte. Le tableau 1.5 donne un exemple théorique de ce phénomène.

En dollars américains, le PIB américain a crû de 12,5 % et le PIB japonais a crû de 50 %. Exprimé en yens, le PIB américain a pourtant chuté de 10 % tandis que le PIB japonais augmentait de 20 %. Cette vision différente, selon qu'on exprime la croissance dans une monnaie plutôt qu'une autre, s'explique par l'appréciation du yen par rapport au dollar. En l'année 1, le yen vaut 25 % de plus qu'en l'année 0 ; il est passé de 0,004 $ US à 0,005 $ US. Cela explique que le PIB japonais se soit rapproché considérablement du PIB américain.

Il existe d'autres problèmes statistiques susceptibles de biaiser les comparaisons internationales. Ainsi, les productions hors marché, celles qui ne sont ni vendues ni achetées, ne sont pas incluses dans le calcul du PIB. Or, dans les pays du tiers-monde, ces activités non monétaires sont relativement plus importantes que dans les pays développés ; tel est le cas de l'agriculture de subsistance. De plus, dans plusieurs pays, la collecte des données est très approximative, tandis que dans d'autres, l'économie souterraine (travail au noir ou activités criminelles), non incluse dans le PIB, occupe une place importante.

En outre, les économies à planification centrale utilisaient encore jusqu'à la fin des années 1980 d'autres instruments de mesure que le PIB ou le PNB (le produit matériel net, par exemple), ce qui rendait pratiquement impossible toute comparaison valable.

Tableau 1.5 Distorsions entraînées par les variations de taux de change[a]

Année	(1) PIB$_{\text{É.-U.}}$ (en M $ US)	(2) PIB$_{\text{Japon}}$ (en M $ US)	(3) (2)/(1) x 100 (en %)
0	4 000	2 000	50,0
1	4 500	3 000	66,6

Année	(4) PIB$_{\text{É.-U.}}$ (en millions de yens)	(5) PIB$_{\text{Japon}}$ (en millions de yens)	(6) Valeur du yen (en $ US)
0	1 000 000	500 000	1 yen = 1/250 $ US (0,004 $ US)
1	900 000	600 000	1 yen = 1/200 $ US (0,005 $ US)

a. Taux de change : prix d'une monnaie par rapport à une autre monnaie.

Aux fins de la comparaison internationale, les statistiques de l'OCDE sur la croissance du PIB sont présentées à des **taux de change constants.** On évite ainsi les distorsions provenant des changements de taux de change.

1.4.1 Les parités de pouvoir d'achat

Les parités de pouvoir d'achat (PPA) permettent de comparer les pouvoirs d'achat des monnaies. Il s'agit de taux de conversion entre les monnaies qui tiennent compte à la fois du taux de change et du niveau des prix.

Une somme d'argent convertie en PPA permet d'acheter le même panier de biens et de services dans tous les pays concernés. Les PPA sont habituellement calculées par rapport au panier de biens et de services que l'on peut se procurer avec un dollar américain.

En 1990, par exemple, le dollar américain valait 1,167 $ canadien. Cependant, la PPA du dollar américain est de 1,27 $ canadien ; c'est là le coût en dollars canadiens du panier de biens et de services que l'on peut se procurer avec un dollar américain.

Au taux de change de 1 $ américain pour 1,167 $ canadien, le revenu par habitant du Canada était, en 1990, de 20 783 $ américains. Si la PPA de 1 $ américain est de 1,27 $ canadien, le même revenu correspond à 19 305 $ américains (contre 20 260 $ pour le revenu par habitant des États-Unis[1]).

Le tableau 1.6 illustre l'opération en présentant trois pays ayant le même revenu par habitant en dollars américains.

Tableau 1.6 Conversion en parité de pouvoir d'achat

	PIB par habitant (en $ US)	Indice des prix dans chaque pays (É.-U. = 100)	PIB par habitant (conversion en PPA)
États-Unis	20 000 $	100	20 000 $
Pays A	20 000 $	110	18 182 $
Pays B	20 000 $	80	25 000 $

Un panier de biens et de services évalué à 1 $ aux États-Unis coûte l'équivalent de 1,10 $ dans le pays A, et l'équivalent de 0,80 $ dans le pays B. Les trois pays ont le même revenu par habitant, mais le niveau de vie dans le pays A est inférieur à celui qui existe aux États-Unis, tandis que dans le pays B il lui est supérieur. La conversion en PPA tient compte du pouvoir d'achat de chaque monnaie.

Si on appliquait cette méthode de calcul au PIB par habitant chinois, en 1992, celui-ci passerait de 370 $ US à 2 460 $ US. En fonction du PIB, la Chine serait ainsi le deuxième pays au monde après les États-Unis.

1.5 ● Les fluctuations économiques

La croissance économique ne suit pas un rythme régulier. L'économie de marché présente un caractère cyclique qui se manifeste par une succession régulière de phases : **expansion**, **contraction**, **récession** et **reprise**. (Dans le langage courant, on ne distingue souvent que deux phases, soit l'expansion et la récession.) Ainsi, l'économie canadienne a crû de 7,7 % en 1973, de 2,6 % en 1975, mais elle a connu en 1982 un taux de croissance

---

1. OCDE, *National Accounts,* Paris, 1991 ; *Main Economic Indicators,* Paris, mars 1991.

de −3,2 %. Un cycle complet va d'un creux à l'autre, ou d'un sommet à l'autre, passant de la phase d'expansion à la phase de récession. La dernière récession mondiale est survenue au début des années 1990, mais la plus grave de l'ère moderne a sévi de 1929 à 1933 ; durant cette période, le PIB canadien a chuté de 45 %.

La période de 1929-1933 offre un exemple de crise de surproduction. Une telle crise provient de la contradiction entre la tendance des capitalistes à accroître l'offre de produits et à élargir leur marge de profit en réduisant leurs dépenses, en premier lieu celles affectées à la main-d'œuvre. Cela réduit le pouvoir d'achat des travailleurs, d'où une limitation de la demande. Les produits mis sur le marché trouvent difficilement acquéreurs, et de nombreuses entreprises sont acculées à la faillite. Le chômage s'accroît et la demande diminue encore plus. La crise de 1929-1933 et la période de dépression qui l'a suivie se sont terminées par le déclenchement du second conflit mondial. La figure 1.2 offre une version simplifiée de ce mouvement cyclique.

Figure 1.2 Schéma du cycle économique

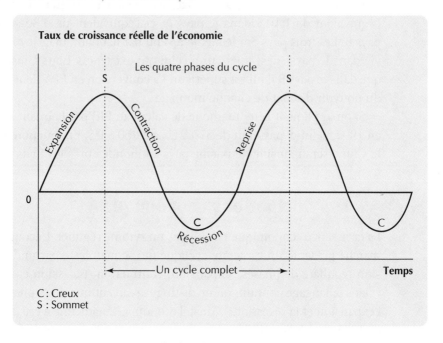

Taux de croissance réelle de l'économie

Les quatre phases du cycle

S — Expansion — Contraction — Reprise — S

0

C — Récession — C

←—————Un cycle complet—————→ **Temps**

C : Creux
S : Sommet

L'**expansion** correspond à la phase ascendante du cycle. Elle est amenée par la consommation des ménages, les dépenses d'investissement, les interventions des gouvernements ou la demande étrangère pour la production nationale. La hausse de la demande issue de l'un ou l'autre de ces facteurs stimule la création d'emplois et diminue le chômage. Le point ultime de cette phase s'appelle le sommet. Le retournement du cycle a lieu quand les variables qui influent sur celui-ci « s'essoufflent ». Lorsque les consommateurs ont satisfait leurs besoins pour certains produits (tels des biens durables comme l'automobile, les appareils électroménagers, etc.) ou que leur pouvoir d'achat tend à diminuer parce que leurs revenus ne suivent pas le rythme de l'inflation, ils réduisent leurs dépenses, et les stocks ont tendance à grossir ; les dépenses d'investissement sont touchées par la décision que prennent les investisseurs de différer la réalisation de leur plan d'expansion ou de diminuer leurs activités, ce qui occasionne des mises à pied et accroît le nombre de chômeurs. La **contraction** ou la **récession** peuvent être l'effet de phénomènes externes ; le ralentissement économique que subissent les principaux partenaires commerciaux réduit les exportations, ce qui influe sur l'économie en fonction directe de sa dépendance à l'égard des marchés extérieurs. Finalement, le gouvernement peut promouvoir un changement de phase par ses politiques budgétaire et monétaire ; s'il comprime ses dépenses ou augmente les impôts, il diminue la demande chez les contribuables, et ce, encore plus s'il maintient des taux d'intérêt élevés qui découragent la consommation et l'investissement.

Selon les analystes économiques, la récession se produit quand la croissance du PIB est négative pendant au moins deux trimestres consécutifs ; et le ralentissement signifie une diminution de la croissance du PIB pendant au moins deux trimestres. La phase de contraction atteint un seuil, le creux du cycle, qui marque le passage à la phase d'expansion. Au moment de cette transition, les stocks qui se sont épuisés doivent être renouvelés ; la hausse de la production peut aussi être entraînée par une politique gouvernementale d'accroissement des dépenses (projets d'envergure, construction d'infrastructures ou d'édifices publics), par la relance de la demande étrangère ou encore par le désir des consommateurs nationaux de dépenser l'épargne amassée. Le début de la phase d'expansion est la **reprise**.

Dans le chapitre 3, nous présenterons l'évolution des principales économies depuis 1945. On y verra le mouvement réel de l'économie, analysé à travers la croissance du PIB en volume, le taux de chômage* et l'inflation*.

---

*   Les termes suivis d'un astérisque sont définis dans le glossaire placé à la fin de cet ouvrage.

1.6 ● La politique macroéconomique

La politique macroéconomique, abordée ci-dessus, est constituée par l'ensemble des mesures dont les gouvernements disposent pour influer sur la marche de l'économie. Elle repose théoriquement sur l'analyse de la conjoncture et vise des objectifs définis : maîtriser l'inflation ou accorder la priorité à l'emploi, stabiliser le taux de change*, assurer un certain taux de croissance du PIB et favoriser une meilleure redistribution des revenus. Certains objectifs peuvent être poursuivis simultanément, tandis que d'autres s'avèrent en pratique contradictoires. Ainsi, le fait de mettre l'accent sur la maîtrise de l'inflation peut avoir des conséquences néfastes sur le maintien de l'emploi et la croissance du PIB.

Encadré `1.1`

LE KEYNÉSIANISME

En 1936, à la suite de la crise de 1929-1933, l'économiste britannique John Maynard Keynes publiait sa *Théorie générale de l'emploi, de l'intérêt et de la monnaie*. Dans ce livre, Keynes montrait que les crises, dont la précédente, sont inhérentes à l'économie de marché : laissé à lui-même, le marché mène à des périodes de récession et de chômage élevé. Keynes contredisait ainsi la théorie des économistes classiques selon laquelle le marché possède les ressources nécessaires pour garantir l'équilibre économique, le plein emploi et l'allocation optimale des ressources. La crise de 1929-1933 offrit un démenti douloureux à ces principes qui fondaient alors la théorie économique.

Pour Keynes, l'économie de marché laissée à elle-même ne peut résoudre « naturellement » le problème de l'emploi. Le chômage est un phénomène involontaire résultant du fait que la demande globale de l'économie ne suffit pas à soutenir un niveau de production nécessaire au plein emploi. C'est à l'État que revient la responsabilité d'intervenir pour accroître le niveau de la demande nationale et de l'emploi. En cas de chômage élevé et prolongé, le gouvernement doit utiliser son principal outil, son budget de revenus (impôts et taxes) et de dépenses.

Keynes oppose donc au « laisser-faire » des économistes classiques la nécessité de l'intervention de l'État dans l'économie pour corriger les faiblesses du marché.

Les principes du keynésianisme ont guidé les politiques gouvernementales dans les pays industrialisés depuis la fin de la Seconde Guerre mondiale jusqu'à la fin des années 1970. Au tournant de cette décennie, les économistes partisans du « laisser-faire » et certains gouvernements favorables à leurs positions ont accusé le keynésianisme d'être responsable du taux d'inflation élevé des années 1970. Ils ont prôné la réduction des interventions de l'État et ont inspiré la stratégie et la politique économiques de plusieurs États industrialisés, notamment celles de la Grande-Bretagne, des États-Unis et du Canada.

Comme on le verra au chapitre 3, ces politiques dites néolibérales ont permis de maîtriser l'inflation, mais au prix d'un fort accroissement du taux de chômage.

Les deux principales formes de politique macroéconomique sont la **politique budgétaire** et la **politique monétaire**.

1.6.1 La politique budgétaire

La politique budgétaire consiste surtout à gérer le budget de l'État en fonction d'objectifs déterminés. Elle est expansionniste dans la phase de récession et de chômage élevé ; le gouvernement peut dès lors augmenter ses dépenses ou réduire les impôts, créant ou accentuant de ce fait le déficit budgétaire, dans le but de stimuler la demande. Les consommateurs qui bénéficient de revenus après taxes plus élevés consacrent des sommes supplémentaires à l'achat de biens et de services ; cela favorise la hausse de la production qui, à son tour, débouche sur la création de nouveaux emplois. Les dépenses publiques, en injectant de nouveaux crédits dans l'économie, ont des effets similaires.

En période de surchauffe économique, de forte croissance du PIB en volume et de pressions inflationnistes, le gouvernement cherche à maîtriser la hausse des prix. La politique restrictive (réduction des dépenses et hausse des impôts et des taxes) vise à ralentir la demande pour atténuer les pressions inflationnistes.

1.6.2 La politique monétaire

La politique monétaire est gérée par la banque centrale, sous l'autorité du ministère des Finances, comme ici au Canada. Ses deux principaux instruments sont les taux d'intérêt et la masse monétaire.

Une politique monétaire expansionniste consiste à réduire les taux d'intérêt, ce qui a pour effet de relancer la demande des consommateurs et les investissements des entreprises. Cette politique se répercute sur la balance des paiements* et le taux de change de la monnaie nationale. Ainsi, lorsque les taux d'intérêt canadiens baissent par rapport aux taux d'intérêt américains, les Américains ont tendance à placer moins de capitaux dans le marché canadien, ce qui réduit l'entrée de capitaux au Canada et tend à faire baisser le taux de change du dollar canadien, comme nous l'expliquerons au chapitre 3. Un accroissement de la masse monétaire par rapport au PIB aura un effet similaire tout en activant la hausse des prix.

La politique monétaire restrictive de hausse des taux d'intérêt réduit la demande des consommateurs et les projets d'investissement, et attire au pays les capitaux étrangers, provoquant une hausse du taux de change. Une faible croissance ou une diminution de la masse monétaire, limitant la monnaie aux fins de transactions, réduit également la demande pour les produits de consommation.

Dans les pays industrialisés, la politique macroéconomique a joué un grand rôle durant les années d'après-guerre. Depuis 1945, la conjoncture économique a été fortement marquée par la hausse des dépenses publiques, en particulier durant les périodes de guerre (guerre de Corée, 1950-1953 ; guerre du Viêtnam, 1965-1975), et par la réduction de ces dépenses à la fin des conflits. De façon plus générale, la compétition mondiale pour la suprématie militaire a engendré une demande en ce qui a trait à la production d'armements et a constamment influé sur l'activité économique. Sur le plan monétaire, la hausse des taux d'intérêt américains a propulsé le dollar vers des sommets entre 1980 et 1985 et a contribué de façon marquante à la récession de 1982.

Notons que le chapitre 3 traite abondamment des concepts et des théories que nous venons de résumer, le but du présent chapitre étant de mettre en évidence certains outils d'analyse économique qui serviront dans les prochains chapitres.

1.7 ● L'économie de marché et les économies à planification centrale

La terminologie économique fait référence à deux grands types d'économie : l'**économie de marché** et l'**économie planifiée**. Voyons-en brièvement les mécanismes.

1.7.1 L'économie de marché

L'économie de marché est celle où l'affectation des ressources naturelles, techniques et humaines est orientée par les décisions des « offreurs » et des « demandeurs ». Les moyens de production (usines, terres, matières premières) sont surtout la propriété de particuliers, et les prix sont déterminés par l'offre et la demande.

La **demande** représente les quantités d'un bien ou d'un service que les consommateurs sont prêts à acheter pour des niveaux de prix donnés. Selon la loi de la demande, la quantité demandée augmente quand le prix diminue et elle diminue quand le prix augmente. Cette loi est illustrée à la figure 1.3 par la courbe DD.

L'offre représente les quantités d'un bien ou d'un service que les entreprises sont prêtes à produire et à mettre sur le marché pour différents niveaux de prix. Selon la loi de l'offre, la quantité offerte augmente quand le prix augmente et elle diminue quand le prix diminue. Cette loi est illustrée à la figure 1.4 par la courbe OO.

Le prix d'un bien ou d'un service est déterminé par l'interaction entre l'**offre** et la demande. Dans le graphique de la figure 1.5, P_e est le prix d'équilibre du marché, celui où la quantité demandée est égale à la quantité offerte. Au prix P_s, la quantité offerte est supérieure à la quantité demandée. Cet excédent exerce une pression à la baisse sur le prix, qui diminuera jusqu'à ce que la quantité offerte égale la quantité demandée. À P_p, la quantité offerte est inférieure à la quantité demandée, ce qui engendre une pénurie. Les consommateurs veulent alors acheter plus que ce qui est offert ; cela entraîne une pression à la hausse sur le prix jusqu'à ce que celui-ci revienne à P_e, là où la quantité offerte égale la quantité demandée.

La situation d'équilibre que nous venons de décrire changera si des facteurs autres que le prix interviennent. Si la population augmente, si les revenus des consommateurs s'accroissent, la quantité demandée sera plus élevée pour chaque niveau de prix ; cela se traduira par un déplacement de la courbe de la demande à D_1D_1 dans le graphique de la figure 1.6. Cette demande accrue fera augmenter le prix d'équilibre. À P_e, la nouvelle quantité demandée sera supérieure à la quantité offerte (pénurie), ce qui fera monter le prix jusqu'à ce que l'équilibre soit de nouveau rétabli à P_a.

La courbe de la demande se déplacera vers le bas si les facteurs désignés vont dans le sens contraire.

Figure 1.3 Courbe de la demande

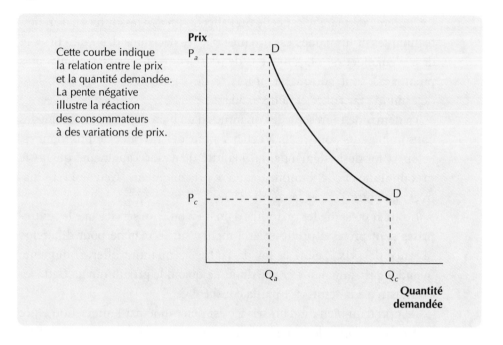

Cette courbe indique la relation entre le prix et la quantité demandée. La pente négative illustre la réaction des consommateurs à des variations de prix.

Figure 1.4 Courbe de l'offre

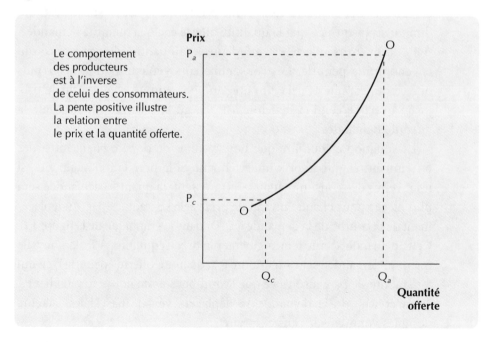

Le comportement des producteurs est à l'inverse de celui des consommateurs. La pente positive illustre la relation entre le prix et la quantité offerte.

Figure 1.5   Détermination du prix

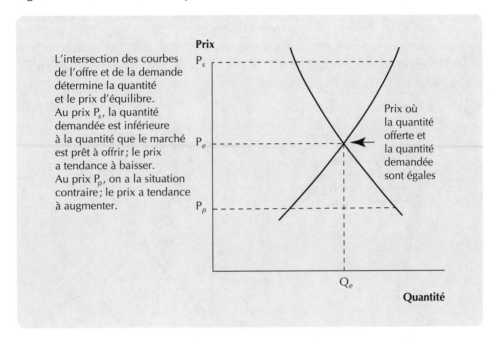

L'intersection des courbes de l'offre et de la demande détermine la quantité et le prix d'équilibre. Au prix P_s, la quantité demandée est inférieure à la quantité que le marché est prêt à offrir; le prix a tendance à baisser. Au prix P_p, on a la situation contraire; le prix a tendance à augmenter.

Prix où la quantité offerte et la quantité demandée sont égales

Figure 1.6   Déplacement de la courbe de la demande

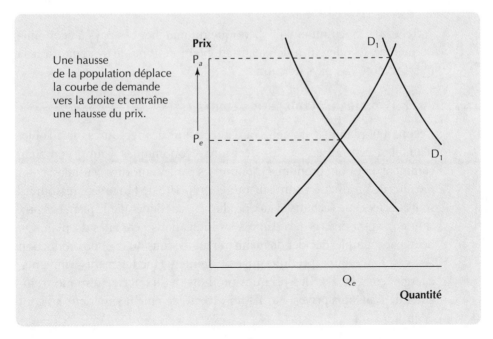

Une hausse de la population déplace la courbe de demande vers la droite et entraîne une hausse du prix.

La courbe de l'offre peut aussi se déplacer si d'autres facteurs interviennent (nombre de producteurs sur le marché, prix des biens substituts, etc.). Lorsque de nouvelles firmes pénètrent un marché, la quantité offerte augmente pour chaque niveau de prix. Cette offre accrue fera baisser le prix d'équilibre à P_c. Cette situation est illustrée par la courbe O_1O_1 à la figure 1.7.

Figure 1.7 Déplacement de la courbe de l'offre

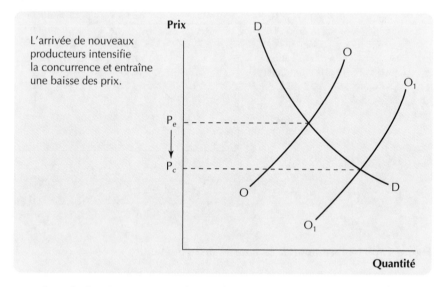

Tel est le fonctionnement théorique du marché. Les pays à économie de marché se réfèrent à ceux qui adoptent ce type de système, soit la quasi-totalité des pays du monde.

1.7.2 Les économies à planification centrale

L'économie planifiée est celle où l'affectation des ressources fait l'objet d'un plan centralisé. Ici, les décisions économiques (quoi, combien, comment, pour qui produire?) sont prises par les autorités centrales, et les moyens de production sont surtout la propriété de l'État. Les ressources sont affectées aux secteurs et aux productions désignés par le plan. Les prix sont eux aussi déterminés d'après les indications générales du plan. On peut, par exemple, décider de maintenir au-dessous du coût de production les prix de certains produits jugés essentiels (médicaments, aliments, énergie, etc.) et fixer les prix des produits de luxe (électronique, véhicules de transport privés, etc.) à un niveau largement supérieur au coût de production.

Avant 1990, les économies à planification centrale concernaient une proportion importante de la population mondiale : les pays de l'Europe de l'Est, la Chine, le Viêtnam, la Corée du Nord, l'Albanie, Cuba et certains pays d'Afrique. Leur importance a considérablement diminué depuis la disparition du socialisme et de la planification centrale en Europe de l'Est et en ex-URSS, et sa remise en question en Chine.

Résumé La production brute, c'est-à-dire la valeur monétaire des biens et des services produits par une économie, est l'élément le plus important de la comptabilité nationale. On distingue deux concepts de production utilisés couramment par les pays et les organismes internationaux : le produit intérieur brut (PIB) et le produit national brut (PNB).

La croissance du PIB/PNB mesure la performance économique dans le temps. Deux formes de calcul sont utilisées : la première inclut la hausse des prix, mesurant la croissance en valeur ; la seconde exclut la hausse des prix, mesurant la croissance en volume. La croissance en volume représente la croissance réelle de l'économie, en quantité, par rapport à la croissance monétaire, en valeur. Dans l'analyse économique, on fait plus souvent référence à la croissance en volume, qui est une mesure plus précise que la croissance en valeur.

Le PIB/PNB par habitant sert à calculer la production ou le revenu moyen d'un pays. C'est un indice du niveau de vie qui permet de comparer la pauvreté ou la richesse moyennes des pays. On le nomme aussi revenu par habitant.

La croissance économique n'est pas régulière. Elle suit un cycle comprenant une phase ascendante, l'expansion, qui culmine dans un sommet, une phase de contraction et une phase de récession, dont le seuil est appelé creux ; le début de la nouvelle expansion est la reprise. Afin de corriger les déséquilibres économiques, le gouvernement peut intervenir par ses politiques budgétaire et monétaire. La première consiste à manier les revenus et les dépenses afin d'influer sur la demande et la production, tandis que la seconde consiste à gérer les taux d'intérêt et la masse monétaire.

La loi de l'offre et de la demande est le mécanisme fondamental de l'économie de marché, tandis que la planification de la production et des prix est à la base des économies à planification centrale.

1.

	Canada			
	1998	**1999**	**2000**	**2001**
PIB (en milliards de $)	915	981	1 065	1 092
IIP (1997 = 100)	99,6	101,3	105,2	106,3
Population (en millions)	30	–	–	–

a)   Calculez la croissance économique en volume pour 1999, 2000 et 2001.
Indiquez la phase du cycle où se situait le Canada en 2000 et en 2001.

b)   Calculez le revenu par habitant en 1998 (en valeur).

2.

	États-Unis
	1998
PIB (en milliards de $ US)	8 179
Population (en millions)	275
Taux de change du $ CAN en $ US	0,67 $ US

a)   Calculez en dollars américains le revenu par habitant américain et comparez-le à celui du Canada en 1998.

b)   En utilisant le dollar américain comme étalon de mesure commun, quel résultat obtenez-vous ? Comparez votre résultat à celui obtenu en a).

c)   Calculez en dollars canadiens le revenu par habitant américain.

3. Expliquez pourquoi la croissance économique est généralement calculée en volume plutôt qu'en valeur.

4. En période de récession et de chômage élevé, quel type de politique budgétaire et de politique monétaire le gouvernement devrait-il adopter ? Expliquez.

5. Quel a été le taux de croissance de l'économie canadienne l'an dernier ? Dans quelle phase du cycle peut-on situer cette économie ?

6. Soit trois pays ayant le même revenu par habitant :

	Revenu par habitant (en $ US)	Indice des prix
États-Unis	25 000	100
Pays A	25 000	150
Pays B	25 000	75

Calculez en parité de pouvoir d'achat le revenu par habitant pour chacun des pays. Expliquez vos résultats.

---

7. En 1998, le revenu par habitant en Allemagne était de 26 056 $ US. En parité de pouvoir d'achat, il était de 22 835 $ US.

   a) Calculez l'indice des prix de l'Allemagne (É.-U. = 100).

   b) Que signifie en termes économiques le chiffre obtenu?

8. En 2002, la Chine se classait au deuxième rang mondial pour ce qui est du PIB calculé en PPA et au sixième rang pour ce qui est du PIB calculé en dollars américains. Expliquez.

9. Supposons le marché des bicyclettes en équilibre (*voir la figure 1.5*). Illustrez graphiquement l'effet des événements suivants sur le prix d'équilibre et la quantité d'équilibre de ce marché.

   a) Une augmentation de la population.

   b) L'arrivée de nouveaux producteurs de bicyclettes.

Thème de réflexion

● Les limites des comparaisons internationales en économie.

Références bibliographiques

BANQUE DU CANADA, *Statistiques bancaires et financières,* décembre 2002.

ECONOMIST INTELLIGENCE UNIT (THE), *Country Report.*

KEYNES, J.M., *Théorie générale de l'emploi, de l'intérêt et de la monnaie,* Paris, Payot, 1975.

McCONNELL, R.C., BRUE, S.L. et TREMBLAY, G., *Économie globale,* Montréal, McGraw-Hill, 1994.

McCONNELL, R.C., POPE, H.P. et TREMBLAY, G., *Microéconomique,* Montréal, McGraw-Hill, 1988.

PARKIN, M., FLUET, C.D. et BADE, R., *Introduction à la microéconomie moderne,* Montréal, Éditions du Renouveau pédagogique, 1992.

PARKIN, M., PHANEUF, L. et BADE, R., *Introduction à la macroéconomie moderne,* Montréal, Éditions du Renouveau pédagogique, 1992.

STATISTIQUE CANADA, *CANSIM II,* [en ligne : www.statcan.ca].

DEUXIÈME PARTIE

L'économie mondiale en perspective

La mondialisation de l'économie

APRÈS AVOIR LU CE CHAPITRE, L'ÉLÈVE SERA EN MESURE :
- de décrire l'histoire de la mondialisation ;
- d'expliquer le concept de mondialisation de l'économie ;
- de dégager ses conséquences économiques, sociales et politiques ;
- de montrer son influence sur les théories économiques.

Ce chapitre porte sur la mondialisation de l'économie, soit du passage d'une économie où la production des biens et des services se réalise surtout sur le territoire national à une économie où cette production s'effectue à l'échelle mondiale. On y précise l'histoire de ce phénomène et on y montre ses effets économiques, sociaux et politiques ainsi que son influence sur les théories économiques.

2.1 ● Un phénomène qui n'est pas nouveau

Le terme « mondialisation » est en fait la traduction française du terme *globalization* employé aux États-Unis au début des années 1980 et qui se référait à la libération planétaire des échanges. De même, on peut la définir comme étant « l'emprise d'un système économique, le capitalisme, sur l'espace mondial… Expression de l'expansion spatiale du capitalisme, qui épouse désormais les limites du globe, la mondialisation est aussi et avant tout un processus de contournement, délitement et, pour finir, démantèlement des frontières physiques et réglementaires qui font obstacle à l'accumulation du capital à l'échelle mondiale[1] ». Par contre,

---

1. J. Adda, *La mondialisation de l'économie : Genèse*, Paris, Éditions de La Découverte, 1996, p. 3.

la mondialisation n'est pas un phénomène aussi récent : elle a été façonnée et a servi les intérêts des grandes puissances économiques et politiques qui se sont succédé dans l'histoire, soit le Portugal et l'Espagne de l'ère des grandes explorations (XVe et XVIe siècles), l'Angleterre, la France et les Provinces-Unies (Pays-Bas) du XVIIe siècle et l'Empire anglais des XVIIIe et XIXe siècles. Nous insisterons également, dans ce qui suit, sur le caractère non linéaire de la mondialisation : tantôt elle est bloquée par les crises économiques, le protectionnisme et les guerres qui en découlent ; tantôt elle reprend vigueur avec la prospérité économique, l'augmentation du niveau de vie des populations, l'explosion des innovations technologiques et des moyens de communication qui accélèrent la circulation de l'information, des marchandises, des services et des capitaux. Les distances s'amenuisent considérablement. C'est le « village » planétaire prédit par Marshall McLuhan.

2.2 ● L'« économie-monde » européenne

Le phénomène de la mondialisation tirerait ses origines d'une « économie-monde » européenne[2], donc d'un monde économique centré sur l'Europe et dans lequel les grandes explorations et découvertes du XVe siècle jouèrent un rôle déterminant. Même si des échanges commerciaux avaient lieu à des périodes antérieures, c'est à partir du XVe siècle qu'émerge un intérêt nouveau, mais surtout pécuniaire, de la part des grands monarques européens pour le capitalisme marchand. Ainsi, dans un premier temps, le libre accès aux routes commerciales menant aux produits orientaux et, plus tard, l'exploitation des ressources du Nouveau Monde mèneront à la création de grands empires commerciaux, dont ceux du Portugal et, ensuite, de l'Espagne.

Dans un deuxième temps, l'épargne accumulée par la classe marchande pendant les XVe et XVIe siècles permettra de financer l'effort de guerre entre les futurs empires commerciaux du XVIIe siècle : l'Angleterre, la France et les Provinces-Unies (Pays-Bas). Cependant, l'intérêt exprimé par les grands monarques européens au XVIIe siècle pour les activités commerciales ne s'accompagne guère d'une libéralisation des échanges commerciaux internationaux. Dans le contexte d'hostilités et de crise économique mondiale, ce sont les thèses protectionnistes du mercantilisme

---

2. Cette expression a été employée pour la première fois par l'historien Fernand Braudel en 1949.

qui dominent. Doctrine commerciale plutôt que théorie, ses tenants, surtout issus de la bourgeoisie marchande, considèrent que la recherche de débouchés extérieurs n'est pas un gage de prospérité économique car, si le commerce fait des gagnants, il fait aussi des perdants. D'autre part, l'ensemble des politiques mercantilistes visent à renforcer la puissance des États européens qui se centralisent (par opposition au système féodal de décentralisation de la gouvernance) tout en protégeant les intérêts de la classe marchande. Les hommes d'affaires, au moyen d'une série d'écrits sur la gestion économique du royaume de même que grâce à leurs contacts financiers, constituent un lobby important auprès de l'État. Ainsi, pour le commerce extérieur, ils prônent des mesures protectionnistes (tarifs douaniers pour protéger l'industrie manufacturière naissante[3], interdiction d'exporter des produits de base et alimentaires), ce qui se traduit par une balance des paiements excédentaire. L'accumulation des métaux précieux qui en résulte permettrait ensuite d'assurer le crédit de l'État et le financement de la guerre. Aussi, l'expansion coloniale jouera un grand rôle dans ce sens, en permettant l'accès à des matières premières sans qu'il y ait sortie de métaux précieux du royaume — comme en fait foi l'octroi par l'État de monopoles pour l'exploitation des ressources coloniales[4]. Ainsi, l'économie-monde européenne s'érige principalement grâce aux échanges entre les métropoles et leurs colonies. On n'en est pas encore aux échanges libres entre nations.

2.3 ● La domination britannique

Le XVIIIe siècle, quant à lui, sera marqué par l'intensification du commerce mondial, favorisée par la conjoncture économique mondiale et par le renforcement du capitalisme anglais, premier bénéficiaire de la révolution industrielle. En fait, la consécration de l'Angleterre comme première puissance mondiale vers la fin du XIXe siècle (1850-1914) est surtout liée à sa politique, résolument agressive, de conquêtes coloniales pour élargir son empire. L'économie-monde cesse d'être centrée uniquement sur les besoins de quelques empires européens de puissances

---

3. Le secteur manufacturier est fortement encouragé par l'État : en France sous Colbert, les manufactures bénéficient d'exemptions fiscales, de monopoles temporaires de fabrication, de prêts, de commandes d'État et de privilèges honorifiques (par exemple, le titre de « manufacture royale »).
4. L'Angleterre, avec ses *Actes de navigation* (1651), cherche à dominer les mers afin d'étendre son emprise sur les colonies. Par ces textes, les marchandises qui n'étaient pas transportées sur des navires anglais ou sur des navires appartenant aux pays d'origine du produit ne pouvaient entrer en Angleterre. Le commerce avec les colonies ne pouvait être effectué que sous le contrôle anglais.

équivalentes : Angleterre, France et Allemagne. À la fin du XIXᵉ siècle, l'Angleterre tend à s'imposer comme puissance hégémonique tant au plan économique que politique, comme en fait foi l'immensité de son empire colonial : 33 millions de km². L'Angleterre est également le bastion de la nouvelle philosophie économique et commerciale de l'époque, le libéralisme. Une série d'auteurs anglais contestent le dogme mercantiliste sur la nécessité de l'abondance de métaux précieux pour assurer la puissance de l'État. Les thèses d'Adam Smith (*Théorie des avantages absolus*) et, surtout, de David Ricardo (*Théorie des avantages comparatifs*) justifient une division internationale du travail entre les métropoles et leurs colonies en démontrant les bienfaits de la spécialisation, de même qu'elles légitiment le démantèlement des barrières protectionnistes. En 1846 et à l'instigation des recommandations de Ricardo contenues dans son *Essai sur l'influence du bas prix du blé sur les profits du capital* (1815), l'Angleterre abolira ses *Corn Laws,* qui protégeaient depuis la fin des guerres napoléoniennes l'agriculture anglaise de la concurrence continentale[5]. L'Angleterre procédera également à l'abolition d'autres réglementations issues des politiques mercantilistes : la forte réduction de ses tarifs sur les produits manufacturiers (atteignant les 40 %), la suppression de toute prohibition à l'importation (1842) et l'abolition de ses *Actes de navigation* (1849).

C'est à la fin du XIXᵉ siècle en Europe occidentale que l'on retrouve véritablement plusieurs des caractéristiques du phénomène de la mondialisation de la fin du XXᵉ siècle : en plus de la prospérité économique qui fait augmenter la demande et le niveau de vie des populations, la multiplication des innovations technologiques, depuis la révolution industrielle jusqu'aux années 1900 (chemin de fer, navire à vapeur, téléphone, télégraphe, automobile et journaux), révolutionne les moyens de transport et de communication. Ainsi, les distances terrestres s'amenuisent, ce qui permet l'explosion des échanges de toutes sortes. Le marché mondial s'unifie de plus en plus grâce à l'expansion de l'idéologie libérale, comme c'est le cas aujourd'hui, mais à l'exception près que celle-ci se greffe au colonialisme. C'est le premier « âge d'or » de la mondialisation qui se traduit par une « européanisation » de la planète[6]. Ainsi,

---

5. Ricardo avait démontré que l'augmentation de la population, et la plus grande production agricole que cela nécessitait, avaient rendu les terres moins productives, faisant ainsi augmenter le coût de subsistance des travailleurs et, conséquemment, leurs salaires. Donc, afin de rétablir le taux de profit à un niveau plus élevé, il fallait libéraliser le commerce du blé (libre importation du blé).
6. « Les racines de la mondialisation : de Rome à New-York », *L'Histoire,* nº 270, novembre 2002, p. 33-34.

le XIXᵉ siècle aura vu le commerce international augmenter à un rythme très supérieur à celui de la production mondiale. Selon certaines estimations, entre 1800 et 1913, le commerce international par tête est multiplié par 25 alors que la production mondiale par tête ne l'est que par 2,2[7].

2.4 ● La montée des États-Unis

Cette progression vers l'unification toujours plus grande du marché mondial *à l'européenne* sera stoppée à partir de la Première Guerre mondiale (1914-1918) et ce, jusqu'aux lendemain de la Seconde Guerre mondiale (1939-1945). D'une part, ce sont les États-Unis qui seront appelés à jouer un rôle plus important sur la scène mondiale en tant que première puissance économique. D'autre part, les anciennes colonies européennes d'Asie et d'Amérique latine finiront par accéder à leur indépendance politique au cours de cette période (*voir le chapitre 12*). Les principales puissances d'avant-guerre (France, Allemagne et Angleterre en tête de peloton) sortent considérablement affaiblies de la guerre de 1914-1918, diminuent leurs investissements et n'ont plus les moyens d'administrer leurs colonies; l'Allemagne, sujette aux *réparations de la guerre* en vertu du traité de Versailles, connaîtra l'hyperinflation pendant les années 1920; la demande mondiale ne cesse de baisser par rapport à l'offre et, par ricochet, on se retrouve en 1929 avec la pire crise de surproduction qu'ait connue le monde industrialisé. L'atmosphère pendant la Grande Dépression des années 1930 est caractérisée à la fois par l'isolement de certains pays du monde capitaliste (la Russie), l'autarcie économique et la montée du nationalisme extrémiste chez d'autres (l'Allemagne nazie, l'Italie fasciste) et le protectionnisme de chaque côté de l'Atlantique[8]. Il n'est donc pas surprenant d'apprendre qu'entre 1913 et 1937, le commerce mondial par tête ne croîtra que de 3 %[9].

Ce sont les États-Unis, au lendemain de la Seconde Guerre mondiale, qui deviendront les architectes de cette mondialisation que l'on connaît aujourd'hui. Le mot d'ordre du président américain Franklin D. Roosevelt est « démocratie et libre-échange pour tous et forum des

---

7. M. Rainelli, *Le commerce international*, Paris, Éditions La Découverte, 2000, p. 8.
8. En juin 1930, avec le tarif Hawley-Smooth aux États-Unis, les droits de douane sur les biens importés peuvent atteindre jusqu'à 90 %. La France réagit en imposant des quotas en 1931 et l'Angleterre, par son « Import Duties Act » de mars 1933, impose des droits de douane allant jusqu'à 33 %.
9. M. Rainelli, *op. cit.*, p. 11.

nations pour maintenir la paix ». À la suite de la conférence de Bretton Woods en juillet 1944 naissent le FMI (mars 1947, siégeant à Washington) et le GATT (octobre 1947). Avec l'ONU (fondée en juin 1945), il est question, conformément à l'article 1 de sa charte, de la naissance d'une « coopération internationale visant à assurer les libertés politique et économique sur l'ensemble de la planète ». Ainsi, la volonté des Américains d'unifier le marché mondial grâce à l'idéologie libérale se greffe à la propagation de la démocratie. Néanmoins, il faudra attendre la fin du XXe siècle, pour constater une réelle unification du marché mondial, car plusieurs pays n'entendent pas se soumettre au plan américain. C'est le cas de l'Union soviétique, qui n'adhère ni au FMI ni au GATT et entraîne avec elle les pays satellites et la Chine (devenue communiste en 1949). Ces pays choisiront, jusqu'à la fin de la guerre froide (chute du mur de Berlin en 1989), le modèle autarcique de planification centralisée et des modèles de coopération économique et commerciale fonctionnant en marge du marché mondial (COMECON) (*voir le chapitre 11*). Mais cela n'empêche pas le commerce mondial de connaître une progression importante pendant cette période : entre 1955 et 1980, le montant des exportations mondiales est multiplié par plus de 21. En volume, les exportations augmentent à peu près deux fois plus rapidement que le PIB mondial[10].

2.5 ● La mondialisation du processus de production

La mondialisation concerne les activités économiques qui ont pour champ d'action la planète tout entière. Cette réalité s'est d'abord imposée dans le monde de la finance (*décrit au chapitre 4*) ; la révolution technologique dans le domaine des communications a permis la création d'un marché des changes (où l'on vend et achète des devises) actif jour et nuit, où les transactions s'effectuent instantanément. Aujourd'hui encore, c'est dans le secteur des finances que le système est le plus achevé, mais la mondialisation s'étend maintenant à tous les types de services, et même au secteur industriel. Ainsi, la compagnie d'aviation Swiss international (ancienne Swiss Air) importe les services de comptabilité d'une entreprise indienne à qui elle transfère électroniquement les données à traiter ; une fois le travail accompli, l'entreprise

---

10. M. Rainelli, *op. cit.*, p. 13.

indienne retourne les données traitées par le même canal. Ici, les travailleurs suisses sont nettement désavantagés puisque leurs collègues indiens touchent un salaire horaire de 10 à 15 fois moins élevé que le leur.

Dans le secteur industriel, la révolution technologique permet surtout de décentraliser la gestion des opérations. Ainsi, à partir d'un centre national, installé à Detroit ou à Tokyo par exemple, les gestionnaires de l'industrie de l'automobile peuvent diriger leurs activités dans le reste du monde, ce qui favorise l'installation d'une usine ou d'une partie des activités de production à l'extérieur des frontières.

La recherche du profit maximum mène l'entreprise à privilégier le lieu dans le monde où les coûts de production sont les plus bas. Un film de Josh Freed et Tom Puchniak, *Le tour des mondes : l'odyssée d'un complet* (1999) illustre ce phénomène (*voir la figure 2.1*). La tonte du mouton mérinos (reconnu pour la qualité de sa laine) en Australie est le point de départ du processus de production d'un vêtement : la laine est exportée pour être filée et tissée ; comme cette opération requiert beaucoup de main-d'œuvre, la laine est expédiée en Inde où la main-d'œuvre est abondante et peu coûteuse ; le tissu *made in India* est exporté vers la Chine, où sont fabriquées les épaulettes et fermetures éclair ; on achète la doublure en Corée du Sud, les boutons à Montréal, on copie la coupe française, puis les composantes sont expédiées au port de Hambourg ; certains articles s'en vont en Roumanie, d'autres en Russie, où ils sont finalement assemblés pour former le complet qui sera vendu sur le marché mondial. Chacune des étapes du processus de production entraîne des exportations et importations de biens ou de services et des mouvements de capitaux. Les entreprises cherchent à éliminer toute réglementation et barrière commerciale qui peuvent augmenter les coûts de transfert des marchandises entre les pays.

Figure 2.1 Fabrication d'un complet

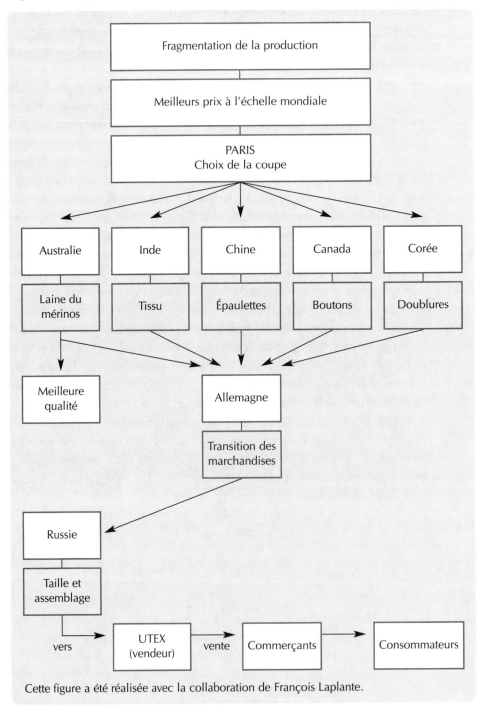

Cette figure a été réalisée avec la collaboration de François Laplante.

2.6 ● Le commerce international et les exportations de capitaux

Depuis le début des années 1970, les échanges de biens et de services s'accompagnent d'une forte progression des investissements étrangers; ceux-ci ont été multipliés par 16 en 25 ans, passant de 25 milliards de dollars en 1973 à plus de 400 milliards en 1998. Les investissements étrangers dans les pays en développement ont été multipliés par cinq en seulement six ans, passant de 18 milliards en 1990 à 91 milliards en 1996. L'ouverture des frontières économiques permet aux entreprises de déplacer leurs activités à l'étranger pour ensuite exporter leurs produits vers les marchés des pays industrialisés, où les barrières tarifaires et les obstacles non tarifaires (contingentements, par exemple) sont réduits. Les entreprises cherchent des sites de production à faibles coûts, en particulier en Asie de l'Est (Chine, Indonésie, etc.); en Asie du Sud-Est, la Thaïlande accueille déjà de nombreux investisseurs étrangers et le Viêtnam se présente comme un site intéressant; en Europe, la Pologne et la République tchèque attirent les investisseurs qui sont à la recherche de nouveaux débouchés et de frais d'exploitation moins élevés.

Un trait important de la mondialisation est l'extension des mécanismes de marché à l'ensemble de la planète. À la fin des années 1980, comme il est décrit au chapitre 11, le système d'économie planifiée implanté en URSS et dans les pays de l'Europe centrale et orientale s'effondrait, ce qui a ouvert la porte à la diffusion des mécanismes de marché. En même temps, de nombreux pays d'Extrême-Orient, jadis peu développés, émergeaient sur la scène mondiale en tant que force industrielle, commerciale et financière. Enfin, le Fonds monétaire international et la Banque mondiale obligeaient les pays aux prises avec de graves difficultés financières à se plier aux règles du marché, c'est-à-dire à ouvrir leur marché aux produits et aux capitaux étrangers.

2.7 ● Une ouverture croissante des frontières économiques

L'ouverture des frontières entre les pays a des effets sur la circulation des marchandises, sur la circulation des services, sur la circulation des capitaux et sur la circulation des personnes. Ce sont ces quatre composantes qui ont fait l'objet des négociations au sein de l'Union européenne (*voir le chapitre 10*). L'Union européenne représente en quelque sorte une expérience régionale dont certains éléments sont en voie de se reproduire à l'échelle mondiale.

Les négociations du GATT et la création de l'Organisation mondiale du commerce (*voir le chapitre 7*) ont ouvert la voie à la libre circulation des marchandises par la réduction des tarifs et des barrières non tarifaires. Puis, à partir de 1995, d'intenses négociations au sein de l'OMC ont mené en décembre 1997 à l'Accord général sur le commerce des services (AGCS) (*voir le chapitre 7*). L'AGCS permet aux entreprises de services des différents pays d'investir librement dans n'importe quel pays signataire de l'accord; le secteur bancaire, la fiducie, le courtage, entre autres secteurs, sont touchés. En février 1997, un accord avait été conclu également dans l'important secteur des télécommunications (téléphonie, transmission des données, télex, télégraphie, etc.). Au sein de l'OCDE (*voir l'encadré 3.1*), les négociations de l'Accord multilatéral sur l'investissement (AMI) ont abouti à un échec. Elles se font maintenant au sein de l'OMC.

Les accords signés et les négociations en cours visent à créer sur le plan mondial un marché unique semblable à celui que les pays de l'Union européenne ont instauré dans leur zone. La libre circulation des personnes est traitée différemment, les États plus riches étant moins disposés à accueillir les ressortissants des pays pauvres.

2.8 ● La mondialisation et le néolibéralisme*

La mondialisation accroît la compétitivité* des marchés et incite les entreprises multinationales à déplacer des capitaux vers les pays où la main-d'œuvre est la moins coûteuse; ces entreprises y concentrent surtout leurs activités de production, lesquelles ne requièrent pour ainsi dire aucune formation des travailleurs en raison de la simplicité des tâches à exécuter. Les multinationales s'implantent également dans ces mêmes pays pour contourner les lois qui existent dans leur pays d'origine en matière de protection de l'environnement, de santé et de sécurité au travail, de normes du travail et de fiscalité.

La mondialisation aggrave la crise de l'État-providence*; le rôle de l'État dans la vie économique est remis en question dans la plupart des pays développés. Louis Gill (1996) y voit une offensive des entreprises capitalistes pour se libérer du poids de la fiscalité et des réglementations imposées par l'État :

> Si essentiels que soient ces acquis (droits à la santé, à la sécurité sociale, à l'éducation, etc.), puisqu'ils répondent à des besoins sociaux profonds, ils sont un obstacle pour le capital, pour la production de profit, pour l'accumulation privée (p. 686).

Le fait que les entreprises peuvent s'implanter plus facilement dans les pays qui offrent les conditions les plus avantageuses amène les États nationaux soumis à une forte concurrence à sabrer dans les dépenses publiques et les avantages sociaux (santé, éducation, assurance emploi, etc.) et à diminuer l'impôt sur le revenu des entreprises, tout en allégeant les réglementations en matière d'environnement, de normes du travail, etc. Les gouvernements cherchent également à réduire les salaires des employés du secteur public, ce qui a pour effet d'accentuer la baisse des salaires des travailleurs du secteur privé, dont certains sont exposés à une concurrence internationale de plus en plus vive. De plus, la libre circulation des capitaux spéculatifs entre les pays oblige les États les plus puissants à rechercher l'équilibre budgétaire, qui libère les pays de leur dépendance à l'égard des emprunts sur les marchés internationaux. La volatilité du capital financier soumet à rude épreuve la politique monétaire et oblige les États à adopter des mesures restrictives, une hausse des taux d'intérêt par exemple, sans considération pour la situation économique nationale.

Tous ces facteurs contribuent à une baisse des coûts de production, réduisant ainsi l'inflation ; toutefois, ils accentuent les écarts de revenu en faveur des couches de population plus riches et des détenteurs de capitaux, ainsi que le chômage des travailleurs moins qualifiés dans les pays industrialisés. L'inégalité des revenus aux États-Unis, qui avait diminué de 1929 à 1969, s'est accrue depuis ; elle est maintenant la plus élevée de tous les pays industrialisés. En Grande-Bretagne, depuis 1977, le fossé entre les riches et les pauvres s'est creusé. La mondialisation n'est évidemment pas le seul ni le principal facteur en cause, car les bouleversements technologiques au sein des pays industrialisés ont amené une baisse relative de la demande des travailleurs peu qualifiés par rapport à la demande de travailleurs hautement qualifiés.

À l'aube du XXIe siècle, on constate que la mondialisation a surtout servi les entreprises, dont les capitaux circulent plus facilement d'un pays à l'autre, aux dépens des travailleurs qui, moins mobiles, doivent subir une détérioration de leurs conditions de travail et une baisse de salaire.

Le fabricant d'articles de sport Nike offre un exemple du comportement caractéristique de certaines firmes quant au processus de mondialisation. Cette firme emploie 2 500 salariés aux États-Unis, essentiellement
pour le marketing, et 75 000 dans les pays d'Asie du Sud-Est pour la production[11]. Elle confie sa production à des sous-traitants de la Corée du
Sud et de Taïwan qui se chargent d'investir là où les salaires sont les plus
bas, où les conditions de travail sont les plus rétrogrades et les moins
onéreuses, et où les profits sont les plus élevés. Comme le rapportait en
octobre 1997 le journal *Alternatives* :

> Dans son usine du Vietnam, des travailleurs, mais surtout des travailleuses,
> gagnent en moyenne 20 cents de l'heure (20 % de moins que le salaire
> minimum en vigueur dans ce pays).

> Elles sont payées à un taux encore plus bas durant une période de proba-
> tion excédant la limite légale, qui est de trois mois. […] Elles n'ont pas la
> permission de manger ou même d'aller aux toilettes.

Des conditions similaires existent dans les usines Nike en Indonésie,
en Chine et en Thaïlande.

En 1999, la compagnie Levi Strauss, une autre firme à forte intensité
de main-d'œuvre, a fermé la moitié de ses usines d'Amérique du Nord
pour réaménager sa production à l'étranger, là où les coûts d'une abondante main-d'œuvre sont inférieurs.

L'encadré 2.1 explique d'une manière simple et colorée la mondialisation.

Encadré 2.1

LA MONDIALISATION EXPLIQUÉE AUX PAPAS

— Papa, veux-tu jouer au mondopoly ?
— On dit Monopoly mon garçon, pas mondo, mono.
— Papa ! T'es tellement ringard des fois ! C'est fini, le Monopoly. Ça ne rime
plus à rien d'acheter des terrains, c'est petit, c'est banlieue, complète-
ment dépassé. Le nouveau jeu, c'est le mondopoly.
— Ah bon. Et qu'achète-t-on au mondopoly ?
— On achète des usines de chaussures au Pakistan.
— Comme c'est amusant. Et après ?

11. N. Gasmi et G. Groleau, « Les risques d'effets pervers des opérations de délocalisation », *Problèmes
économiques*, no 2.798, 26 février 2003, p. 17.

— Après on ferme les usines de chaussures au Pakistan.

— Tu viens de me mêler, mon chéri. Le jeu, c'est de fermer et d'ouvrir des usines ?

— C'est ça. Tu fermes les usines là où les salaires sont hauts, pour en ouvrir d'autres là où les salaires sont bas.

— Hé c'est génial ! Et pas compliqué. J'avais entendu dire que ça prenait des connaissances en économie pour jouer au Mondo machin…

— Non, mon papa. N'importe quel con peut jouer à ça.

— O.K. D'abord, on joue. Ça commence comment ?

— Ça commence à Saint-Jérôme. T'es patron d'une grande usine de chaussures à Saint-Jérôme. T'es dans ton bureau. Ça cogne à la porte. Toc toc toc. C'est le président du syndicat, il vient déposer les demandes salariales pour la prochaine convention collective : 6 % d'augmentation.

— Qu'est-ce que je fais ?

— Tu tires une carte. Il y a deux sortes de cartes. Les cartes qui disent oui, les cartes qui disent non.

— Si je tire un oui ?

— Tu donnes l'augmentation et t'as perdu. T'es *game over* comme on dit au Nintendo.

— Qu'est-ce qui m'arrive ?

— Rien. Tu gardes ton usine. Tu vivotes. Tu deviens président de la chambre de commerce des Basses-Laurentides. Tu vas jouer au *bowling* le mercredi soir.

— Et si je tire un non ?

— Tu viens de gagner une autre vie, comme on dit aussi au Nintendo. Tu fermes l'usine à Saint-Jérôme. Tu les fous tous au chômage. Et tu vas ouvrir une autre usine de chaussures au Pakistan.

— Et je gagne quoi ?

— Beaucoup. Au Pakistan, ils vont être si contents de te voir arriver qu'ils vont te donner un terrain pour construire ton usine, et ils vont t'exonérer de toutes taxes et de tous impôts. C'est la règle d'hospitalité pour les investisseurs étrangers dans les pays sous-développés (comme les Expos ici). Autre avantage, les Pakistanais sont très raisonnables question salaire : pour 80 roupies par jour, moins de quatre dollars, tu les fais marcher au plafond. Évidemment, comme ils sont plus ou moins morts de faim, ils n'ont pas l'énergie pour soutenir les cadences de production que l'on a ici ; pour obtenir le même rendement il faut les faire travailler plus tard le soir, ça ne les dérange pas vraiment, de toute façon le soir ils s'emmerdent, ils ont pas la télé. Tu me suis, mon papa ?

— Très bien. C'est enfantin.

— Attention, mon papa! At-ten-tion! C'est ici que, justement, le jeu se complique. Un matin, t'es dans ton bureau, ça cogne à la porte. Toc toc toc.

— Ah non! *Again!*

— Hélas! mon papa. Les mêmes Pakistanais qui mouraient de faim, les mêmes que tu as sortis de leur cloaque, aujourd'hui repus et arrogants, te réclament, comme un dû, 85 roupies par jour au lieu de 80…

— Qu'est-ce que je fais?

— Tu tires une carte, mon papa. Si c'est oui, t'as perdu. Te voilà hors jeu. *Game over.* Tu deviens président de la chambre de commerce du Panjab, et tu vas aux putes le mercredi soir parce que y'a pas de *bowling* à Islamabad.

— Et si c'est non?

— T'as droit à une autre vie. Tu continues. Tu te dépêches de fermer ton usine de chaussures au Pakistan en foutant cette *gang* de pouilleux revendicateurs au chômage, et tu vas ouvrir une autre usine ailleurs.

— Où ailleurs?

— Ça peut être juste à côté, au Bangladesh. Mais ce serait mieux en Chine. On y pratique un capitalisme d'État très performant, salaires extrêmement bas, pas de syndicats, pas de droits civiques, pas de lois sur l'environnement, pas de loi sur le travail des enfants, ce qu'on fait de plus efficace depuis les anciennes colonies…

— Et le jeu finit comment?

— Le jeu finit quand tu reviens en vacances à Saint-Jérôme. En marchant dans la rue, tu rencontres Jean-Guy, Jean-Guy c'est l'ancien président du syndicat de ton ancienne usine à Saint-Jérôme…

— Comment ça va, Jean-Guy?

— Bof, on fait aller.

— Tu travailles?

— Non, toujours au chômage.

— Tu viens d'aller acheter tes cadeaux de Noël?

— Ça? Ces boîtes-là? Non. C'est des chaussures pour les enfants. J'arrive de chez Yellow.

— Des chaussures! Je peux voir? Hé sont belles. Pas cher. D'où elles viennent?

Jean-Guy examine la chaussure et finalement trouve une inscription, sur la languette.

— *Made in Pakistan.*

Source: P. Foglia, *La Presse*, Montréal, samedi 4 décembre 1999.

La mondialisation de l'économie engendre une dissociation de plus en plus marquée entre l'étendue du pouvoir économique qu'exercent les entreprises d'envergure internationale dans de nombreux pays et l'étendue du pouvoir politique de ces derniers, restreint à l'échelle locale. Pour contrer cette tendance à la concentration du pouvoir entre les mains des dirigeants de ces entreprises, un groupe de 19 universitaires, dirigeants d'entreprise, journalistes et responsables de grandes institutions culturelles (le Groupe de Lisbonne) publiait en 1995 un livre intitulé *Limites à la compétitivité*. Ce groupe a élaboré un programme de développement à l'échelle planétaire fondé sur quatre contrats mondiaux. Le premier contrat, de nature économique, propose de soulager la misère des populations de la planète en assurant les besoins en logement, en eau potable et en énergie. Le deuxième contrat, de nature culturelle, a pour objet de promouvoir et d'appuyer les programmes qui préconisent la tolérance et le dialogue entre les nations. Le troisième contrat, de nature politique, soulève la nécessité de constituer un gouvernement mondial dont la composante principale serait la création d'une « assemblée mondiale des citoyens », une sorte d'états généraux de la planète. Enfin, le quatrième contrat, de nature écologique, repose sur la prise en charge par une organisation mondiale des engagements en matière de développement durable, c'est-à-dire un développement axé sur la protection de l'écosystème*.

2.9 ● La mondialisation et la théorie économique

Les théories économiques présentées dans les manuels reposent sur des hypothèses qui permettent d'isoler les relations entre différents phénomènes afin de mieux expliquer le lien causal qui les unit. Par exemple, on supposera que l'économie est « fermée », c'est-à-dire qu'elle est sans relations avec le reste du monde. La mondialisation de l'économie rend cette hypothèse difficile à soutenir ; dans un modèle « fermé », la compréhension des faits est limitée, alors que la levée de cette hypothèse, soit l'ouverture du modèle aux relations internationales, permet de rendre compte des relations de cause à effet entre les phénomènes.

Sur le plan macroéconomique, la mondialisation de l'économie introduit des effets imprévus dans la chaîne des causes et des effets. Ainsi, durant la phase d'expansion qui a suivi la récession de 1982, les déficits fiscaux du gouvernement américain, conjugués à un faible taux d'épargne intérieure, auraient dû ôter au secteur privé une grande partie de ses sources de financement ; une pénurie de liquidités, entraînant une chute des investissements, aurait ralenti le rythme de croissance de l'économie. Or, une telle pénurie, théoriquement prévisible en économie fermée, ne s'est pas produite dans la réalité, grâce à la présence de facteurs liés à l'ouverture de l'économie ; le déficit fiscal américain, au lieu d'accaparer une partie substantielle de l'épargne intérieure, a été financé par l'afflux de capitaux japonais et allemands, c'est-à-dire par l'épargne étrangère.

De la même façon, en économie fermée, un faible taux de chômage devrait amener une hausse des coûts salariaux ; pourtant, au milieu des années 1980, aux États-Unis, cette prévision ne s'est pas réalisée. Ici encore, l'ouverture du modèle peut éclairer cette apparente contradiction de la théorie. La présence dans les pays du tiers-monde d'une main-d'œuvre abondante et bon marché maintient les coûts salariaux à la baisse aux États-Unis. Les firmes américaines n'hésitent pas à exporter leurs capitaux là où des travailleurs disciplinés, soumis et productifs acceptent des salaires cinq ou dix fois inférieurs à ceux des ouvriers américains. Pour les industries légères* et certaines activités des industries lourdes*, l'armée de réserve des travailleurs n'est plus limitée aux frontières nationales.

Ainsi, la macroéconomie et l'économie internationale occupent de plus en plus le même terrain.

En microéconomie, l'étude des structures de marché ne peut plus se faire dans le cadre limitatif de l'économie fermée ; ici aussi, la mondialisation de l'économie influe sur la théorie. La théorie microéconomique définit quatre structures de marché, qui se distinguent par le nombre de firmes et le pouvoir que chacune peut exercer sur les prix. Dans l'industrie de type oligopolistique*, le nombre de firmes est restreint et chacune jouit d'une forte influence sur les prix.

L'industrie de l'automobile « américaine » est un oligopole concentré, dominé par trois firmes de plus en plus internationalisées : General Motors, Ford et, jusqu'en 1998, Chrysler, devenue Daimler-Chrysler à la suite de la fusion avec la société allemande Daimler-Benz. Manifestement, cette industrie, comme la plupart des grandes industries, dépasse les frontières nationales. D'une part, les firmes nationales, de plus en plus internationalisées, produisent et vendent des véhicules dans le monde entier ; d'autre part, le marché national américain est envahi par les firmes japonaises, allemandes, britanniques, françaises, italiennes et même sud-coréennes. Le processus de production se mondialise progressivement : la voiture américaine est assemblée en Corée du Sud, à Taïwan, au

Mexique ou au Brésil, et elle a un moteur allemand (la Pontiac LeMans de GM) ou japonais (la Tracer de Mercury). Les sociétés « nationales » ne peuvent hausser leurs prix sur un marché national « captif » ; la concurrence s'exerce aujourd'hui sur le plan mondial.

Figure 2.2 Concentration du capital

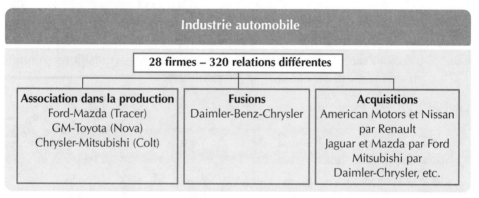

Les firmes américaines font partie d'un oligopole international en pleine concentration (*voir la figure 2.2*). À la fin des années 1980, les 28 principaux fabricants d'automobiles entretenaient déjà plus de 320 relations différentes. Certaines entreprises détiennent des participations directes dans l'entreprise d'un concurrent (au début des années 1990, Chrysler avait une participation de 12 % dans Mitsubishi Motors). D'autres se sont associées dans la production de certains modèles (Ford-Mazda pour la Tracer, GM-Toyota pour la Nova, la Matrix et la Vibe, Chrysler-Mitsubishi pour la Colt). Plusieurs projets de recherche sont menés conjointement, et des réseaux de distribution sont mis sur pied en équipe.

Ces liaisons entre firmes concurrentes sont souvent le prélude à la concentration directe par l'achat ou la fusion d'entreprises. American Motors a été achetée par Renault, Jaguar a été achetée par Ford, Mazda est intégrée à Ford et GM contrôle Isuzu et Subaru. Quelques mois plus tard, la division automobile de Volvo était achetée par Ford, Renault prenait le contrôle de Nissan et Daimler-Chrysler achetait une partie de Mitsubishi Motors. En mars 2000, GM acquérait 20 % des actifs de Fiat Auto et pourrait acheter les parts restantes d'ici quelques années. En Europe, les sociétés Fiat (ou Fiat-GM), Volkswagen, PSA Peugeot-Citroën et Renault pourraient imiter leurs concurrents. Dans 25 ans, combien restera-t-il de firmes automobiles sur le marché mondial ? Combien restera-t-il de banques, etc. ? Ces entreprises fusionnent afin d'accroître leur pouvoir sur le marché et de réduire leurs frais d'exploitation, le plus souvent au prix de mises à pied massives. Liée à l'ouverture des marchés internationaux, cette concentration diminue la compétition, ce qui limite la liberté des marchés.

On parle ici d'« unions internationales de monopoles ». Les nouvelles entreprises issues de la fusion ou de l'acquisition forment des sociétés de « classe mondiale » sur le plan de la production et des marchés. Les chiffres d'affaires des plus grandes d'entre elles les placent parmi les 30 premières puissances dans le monde, entreprises et pays confondus.

Le tableau 2.1 montre des exemples de fusions-acquisitions d'entreprises sur les plans national et international.

Tableau 2.1 Vingt ans de fusions

		(en milliards de dollars)
1980	Pan Am (É.-U.) – National Airlines (É.-U.)	0,374
1984	Chevron (É.-U.) – Gulf (É.-U.)	13,3
1988	Philip Morris (É.-U.) – Kraft (Suisse)	13,1
1989	KKR (É.-U.) – RJR Nabisco (É.-U.)	24,7
	Warner (É.-U.) – Time (É.-U.)	14
	Péchiney (France) – American Can (É.-U.)	3,7
	Michelin (France) – Uniroyal Goodrich (É.-U.)	1,9
1990	Saint-Gobain (France) – Norton (É.-U.)	1,9
1991	Schneider (France) – Square D (É.-U.)	2,2
1992	Hong Kong & Shangai Banking (H.-K.) – Midland Bank (R.-U.)	5
	Nestlé (Suisse) – Perrier (France)	2,7
1993	Reed International (R.-U.) – Elsevier (P.-B.)	9,3
1994	BMW (All.) – Rover (R.-U.)	0,478
1995	Walt Disney (É.-U.) – Capital Cities ABC (É.-U.)	19
1996	Axa (France) – UAP (France)	50[a]
	Boeing (É.-U.) – McDonnell (É.-U.)	13,3
1997	Sandoz (Suisse) – Ciba-Geigy (Suisse)	36,3
	WorldCom (É.-U.) – MCI (É.-U.)	37
	Guinness (R.-U.) – GrandMet (R.-U.)	14
1998	Citicorp (É.-U.) – Travelers (É.-U.)	70
	Daimler-Benz (All.) – Chrysler (É.-U.)	92

a. En milliards de francs.

Source : *Problèmes économiques*, nᵒ 2.618, 26 mai 1999, p. 2.

La figure 2.3 illustre la croissance du phénomène depuis la fin des années 1980.

Figure 2.3 Fusions-acquisitions internationales, 1987-2000

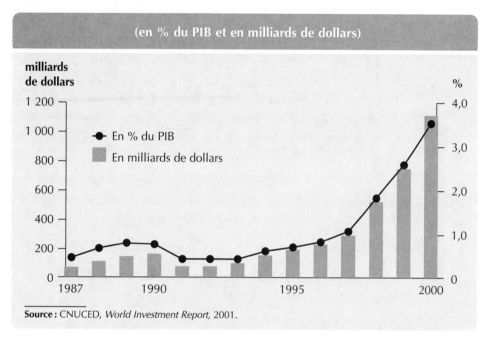

(en % du PIB et en milliards de dollars)

Source : CNUCED, *World Investment Report*, 2001.

Entre 1987 et l'an 2000, le chiffre des fusions-acquisitions internationales est passé de 150 milliards l'an à plus de 1 200 milliards. Cette montée en flèche de la concentration du capital sur le plan international a des conséquences sur la théorie économique même. La théorie du marché ne peut plus se limiter à interpréter le comportement des entreprises comme si ces dernières étaient confinées à un marché national ; elle doit se situer elle aussi sur le plan mondial.

Résumé La mondialisation n'est pas un phénomène nouveau. Elle s'est manifestée sous des formes différentes à certaines périodes de l'histoire. Aujourd'hui, le processus de production s'effectue à l'échelle mondiale. La croissance du commerce international, l'augmentation des exportations de capital et, enfin, la création d'un marché qui est ouvert jour et nuit à l'échelle de la planète ont contribué à cette évolution, laquelle s'est d'abord imposée dans le secteur des services, plus particulièrement dans le secteur financier : la gestion des opérations des firmes multinationales s'effectue désormais à l'échelle mondiale. Les entreprises déplacent leurs capitaux vers les pays où les frais d'exploitation sont inférieurs.

Le processus frappe surtout les travailleurs moins qualifiés dans les pays industrialisés et contribue à la crise de l'État-providence. Les États nationaux voient leur pouvoir s'affaiblir devant la puissance montante des sociétés financières, qui exercent leurs activités sur un marché sans frontières.

La théorie économique reposant sur des hypothèses liées à une économie fermée aux influences extérieures doit être repensée à la lumière de cette tendance.

Questions

1. Montrez comment la mondialisation s'est manifestée à certaines périodes de l'histoire en les distinguant de la période récente.

2. Décrivez l'évolution récente du processus de mondialisation de l'économie.

3. Montrez comment les négociations au sein de l'Organisation mondiale du commerce influent sur le processus de mondialisation.

4. Montrez les effets de la mondialisation sur le rôle de l'État national, en particulier sur les politiques monétaires et budgétaires.

5. Quels avantages et quels inconvénients l'entreprise peut-elle tirer ou subir de la mondialisation ?

6. Décrivez les conséquences économiques, sociales et politiques associées au processus de mondialisation.

7. À l'aide de deux exemples (un en macroéconomie, un en microéconomie), montrez comment la mondialisation influe sur la théorie économique elle-même.

Thèmes de réflexion

- La mondialisation et le Canada.
- La mondialisation et le Québec.
- La mondialisation et le travail.
- La mondialisation et la théorie économique.

Références bibliographiques

ADDA, J., *La mondialisation de l'économie : Genèse,* Paris, Éditions La Découverte, 1996.

BARBER, B.R., *Djihad versus McWorld,* Paris, Éditions Desclée de Brouwer, 1996.

BEAUD, M., *Le basculement du monde,* Paris, Éditions La Découverte, 1997.

CHOSSUDOVSKY, M., *La mondialisation de la pauvreté,* Montréal, Éditions Écosociété, 1998.

DRUCKER, P., « L'économie mondiale et l'État-nation », *Problèmes économiques,* no 2.552, 21 janvier 1998, p. 18-23.

FIELEKE, S., « De quelques mythes populaires à propos de l'économie mondiale », *Problèmes économiques,* no 2.552, 21 janvier 1998, p. 23-28.

FREED, J. et T. PUCHNIAK, *Le tour des mondes : l'odyssée d'un complet,* Canada, Galafilm, 1999.

GILL, L., *Fondements et limites du capitalisme,* Montréal, Éditions du Boréal, 1996.

GROUPE DE LISBONNE, *Limites à la compétitivité,* Montréal, Éditions du Boréal, 1995.

KRUGMAN, P., *La mondialisation n'est pas coupable,* Paris, Éditions La Découverte, 1998.

L'Histoire, « La mondialisation », no 270, novembre 2002.

MARTIN, H.P. et SCHUMANN, H., *Le piège de la mondialisation,* Paris, Solin, Actes Sud, 1997.

Monde Diplomatique (Le), « La mondialisation », *Manière de voir,* no 32, novembre 1996.

MUCCHIELLI, J.-L., *Multinationales et mondialisation,* Paris, Éditions du Seuil, 1998.

PEETERS, A. et D. STOKKINK (sous la dir. de), *Mondialisation, comprendre pour agir,* Bruxelles, Éditions Grip, 2002.

Problèmes économiques, « Mondialisation et gouvernance mondiale », nos 2.611-2.612, 7-14 avril 1999.

RAINELLI, M., *Le commerce international,* Paris, Éditions La Découverte, 2000.

SOROS, G., *La crise du capitalisme mondial,* Paris, Plon, 1998.

WALLACH, L.M., « Le nouveau manifeste du capitalisme mondial », *Le Monde diplomatique,* février 1998, p. 22-23.

CHAPITRE 3 La croissance de l'économie mondiale depuis 1945

OBJECTIFS

APRÈS AVOIR LU CE CHAPITRE, L'ÉLÈVE SERA EN MESURE :

- de décrire la conjoncture économique ;
- d'évaluer la performance économique des divers groupes de pays ;
- d'expliquer l'influence des guerres sur l'évolution de l'économie ;
- de décrire le rôle de l'État dans l'économie, et la remise en question de ce rôle à partir des années 1970.

Une introduction à l'économie internationale requiert la connaissance des forces en présence ainsi qu'un survol de l'évolution différenciée de l'économie mondiale.

Ce chapitre aborde la croissance économique par groupes de pays (pays industrialisés, pays en développement de différentes catégories). Il expose ensuite les traits marquants de chaque décennie depuis 1945. L'analyse du passé jusqu'aux années actuelles sert à mettre en perspective les priorités que les sociétés sont prêtes à se donner. Dans les pays industrialisés, le choix de la lutte contre l'inflation a marqué les années 1970, 1980 et 1990. Au début des années 2000, le problème du chômage est le plus important.

3.1 ● Les forces en présence

Le tableau 3.1 énumère les 25 pays qui présentent les PNB les plus élevés au monde. La production des biens et des services est inégalement répartie, puisqu'elle est concentrée dans les pays les plus industrialisés. Ainsi, au début des années 2000, le PNB des États-Unis dépassait à lui seul le PNB total de plus d'une centaine de pays à revenu faible ou intermédiaire inscrits à la Banque mondiale (*voir l'annexe*). De plus, le Groupe des Sept (G7), composé des sept économies de marché les plus importantes (États-Unis, Japon, Allemagne, France, Italie, Royaume-Uni, Canada), affichait un PNB qui représentait plus de trois fois le PNB total de ces pays.

Aussi les tendances économiques qui prévalent dans les pays les plus industrialisés, en premier lieu dans le plus important d'entre eux, les États-Unis, se transmettent-elles généralement à l'ensemble du globe. Les cycles économiques qui s'y manifestent s'étendent rapidement par l'intermédiaire des échanges commerciaux (exportations et importations de biens et de services) et par les déplacements de capitaux. Le monde est en train de devenir un immense marché où les secousses venant des pays les plus développés se font sentir partout ailleurs, amplifiant parfois la perturbation originelle.

Tableau 3.1 Classement des 25 premiers pays selon leur PNB en 2001

(en milliards de $ US)					
1. États-Unis	9 901	10. Mexique	550	19. Russie	253
2. Japon	4 574	11. Brésil	529	20. Belgique	240
3. Allemagne	1 948	12. Inde	474	21. Suède	226
4. Royaume-Uni	1 451	13. Corée	448	22. Autriche	194
5. France	1 377	14. Pays-Bas	386	23. Hong-Kong – Chine	176
6. Chine	1 131	15. Australie	384	24. Turquie	168
7. Italie	1 123	16. Taïwan[a]	366	25. Danemark	166
8. Canada	662	17. Suisse	267		
9. Espagne	587	18. Argentine	261		

a. 2000 (en PPA), source : *État du monde*, 2003.

Source : Banque mondiale, *World Indicators Database*, 2002, [en ligne : www.worldbank.org].

3.2 ● La reconstruction d'après-guerre et l'expansion des années 1950

À partir de 1945 débute une phase ascendante du cycle à long terme. Les cycles à long terme portent le nom de « cycles Kondratiev », du nom de Nikolai D. Kondratiev, l'économiste russe qui a dégagé les facteurs explicatifs des changements économiques majeurs qui surviennent à tous les 25-30 ans. Cette phase ascendante (1945-1973) est marquée par une croissance élevée, de faibles taux de chômage et des récessions de courte durée et peu profondes. Au lendemain de la Seconde Guerre mondiale (1939-1945), les principaux pays belligérants (l'Allemagne, la France, l'Italie et le Royaume-Uni en Europe, et le Japon en Asie) doivent s'atteler à la reconstruction de leur économie. Dans la plupart des cas, l'infrastructure économique (ponts, routes, ports, voies ferrées, services publics) a été en bonne partie rasée par les bombardements; une abondante main-d'œuvre, formée de soldats démobilisés et de prisonniers de retour dans leur pays, cherche alors à reprendre sa place dans le processus de production. En plus de cette main-d'œuvre, les capacités d'organisation et de gestion d'une économie avancée sont présentes dans chacun des pays. Mais la guerre a ruiné les économies, et les États ont dû s'endetter pour la financer; de plus, l'appareil de production est en bonne partie démoli.

Cependant, outre-Atlantique, aux États-Unis plus particulièrement, l'appareil de production est resté intact et les capacités de financement sont immenses. L'effort de guerre y a développé une capacité de production (machinerie, équipement, technologie) dont une partie risque de rester inutilisée; d'autre part, la démobilisation des soldats a jeté sur le marché du travail une main-d'œuvre abondante qui cherche à s'employer dans les usines. Mais le marché intérieur, pourtant le plus important au monde, n'est pas assez vaste pour absorber la production potentielle que les forces productives* sont en mesure de réaliser. Le marché européen offre un gigantesque potentiel de pouvoir d'achat pour les produits que l'économie américaine peut mettre sur le marché.

Cette intéressante conjoncture économique s'accompagne d'une situation politique tendue. L'expansion du socialisme* jusqu'au cœur de l'Allemagne désormais coupée en deux États, la République fédérale d'Allemagne (RFA) à l'ouest et la République démocratique allemande (RDA) à l'est, et la montée des forces prosoviétiques à la faveur de la guerre dans les pays de l'Europe de l'Ouest amènent les États-Unis à vouloir consolider leurs alliances européennes. Le gouvernement américain, en fonction des deux objectifs constitués par l'élargissement du marché pour sa production nationale et la consolidation de ses alliances politiques, met de l'avant un plan de financement pour la reconstruction de l'Europe. Proposé par le secrétaire d'état-major américain en Europe, le général Marshall, le plan permettra, entre 1948 et 1952, l'octroi de plusieurs milliards de dollars aux pays européens pour assurer le redémarrage de leur économie. De plus, la Banque internationale pour la reconstruction et le développement (BIRD ou Banque mondiale), créée en même temps que le Fonds monétaire international à la Conférence de Bretton Woods (*voir le chapitre 4*), a pour tâche de financer la reconstruction des économies dévastées. Entre 1946 et 1952, les États-Unis verseront à cette fin près de 40 milliards de dollars à leurs alliés.

Les entreprises américaines élargissent ainsi leur marché, et le capital américain, à la recherche de nouvelles occasions de profit, se déploie en Europe. Les milliards du plan Marshall* aideront à financer les achats des Européens aux États-Unis, tandis que la reconstruction entraînera une croissance soutenue dans les pays visés.

Entre 1948 et 1952, comme l'indique le tableau 3.2, le PNB de la France double, celui de la RFA augmente de 80 %, tandis que les États-Unis, profitant de ce nouveau marché, voient leur PNB passer de 261 à 354 millions de dollars, une hausse de 36 %. Le Canada, tourné vers le marché américain, bénéficie encore plus de cette expansion, son PNB s'accroissant de 53 % en quatre ans. La figure 3.1 représente l'évolution du PIB/PNB dans la zone de l'OCDE (Organisation de coopération et de développement économique) pour la période 1950-1999.

Tableau 3.2 PNB au prix du marché

Pays	1948	1952	
France	6 680	13 650	milliards de francs
RFA	70 674	126 120	millions de marks
Italie	7 319	10 394	milliards de lires
Royaume-Uni	11 651	15 500	millions de livres
Canada	15 088	23 092	millions de $ CAN
États-Unis	261 238	354 092	millions de $ US

Source : OCDE, *Statistiques des comptes nationaux.*

Cette relance d'après-guerre se poursuit durant les années 1950. Dans les pays de l'OCDE (*voir l'encadré 2.1*), le taux moyen d'augmentation du PNB durant la décennie est de 4,1 %. Cette expansion est fondée sur l'application du «**modèle de croissance fordiste**» (du nom de celui qui l'imagina, Henry Ford). Élaborée dans les usines Ford durant les années 1920, cette stratégie repose essentiellement sur la hausse de la productivité* des travailleurs industriels. Une partie de ces hausses est transférée aux travailleurs sous forme d'augmentation de salaire ; le pouvoir d'achat ainsi créé augmente à son tour la demande pour les biens que les entreprises cherchent à écouler. Ainsi, de 1953 à 1960, les dépenses réelles des consommateurs dans les pays de l'OCDE augmentent de 4 % par année ; elles stimulent la production dans les industries de biens durables (appareils électroménagers, téléviseurs, automobiles), qui accroissent leurs investissements et leur demande de main-d'œuvre.

Figure 3.1 Croissance en volume du PIB/PNB dans la zone de l'OCDE, 1950-2003

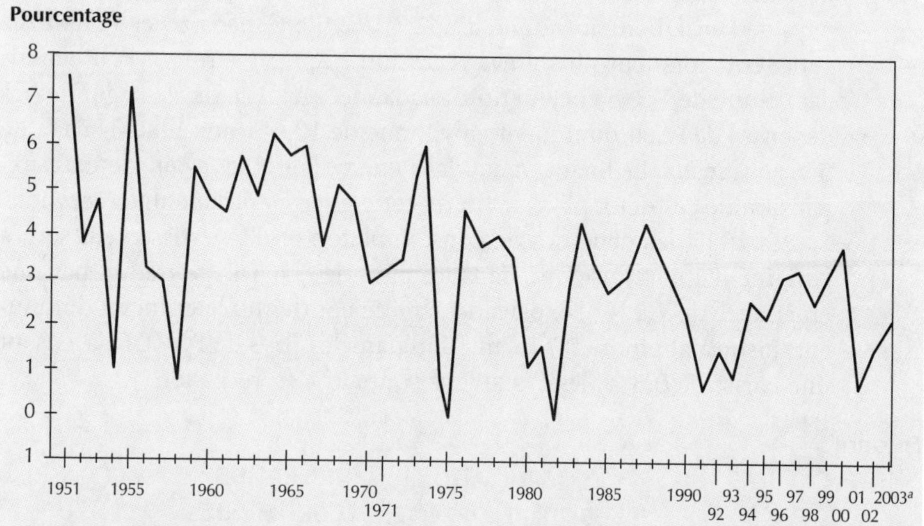

a. Prévision pour 2003.

Sources: OCDE, *Statistiques des comptes nationaux*, 1950-1968. *Perspectives économiques*, juin 1988, février 1989, juin 1996, décembre 1999, juin 2003.

De plus, dans les années 1950, ces pays adoptent des **politiques de type «keynésien»** (*voir l'encadré 1.1*) associées au *welfare state*. Le modèle keynésien est basé sur l'intervention accrue de l'État dans l'économie; celui-ci commence à instaurer un système de mesures sociales (allocations familiales, pensions de vieillesse, assurance-chômage) qui augmente le pouvoir d'achat des ménages, et il finance des travaux d'infrastructure, eux-mêmes créateurs d'emplois et de revenus. Enfin, l'**urbanisation** et le **baby-boom** exigent la construction de logements et la création de services nouveaux (éducation, santé, etc.) destinés aux nouvelles générations. Ces facteurs permettront de soutenir la croissance jusqu'à la récession de 1975. Puis, la crise du système fordiste (*voir la section 3.7*), **la baisse des investissements liés à l'urbanisation et au baby-boom et enfin la remise en question de l'État-providence* provoqueront le ralentissement économique qui, au début du siècle, se fait encore sentir.**

Au début de la décennie, un autre conflit dans lequel sont engagés les États-Unis, la **guerre de Corée** (1950-1953), sera le ferment d'une expansion rapide associée à la demande américaine pour les produits reliés à l'armement. L'économie des pays fournisseurs, soit la République fédérale d'Allemagne, le Royaume-Uni, la France, le Japon, de même que Taïwan et la Corée du Sud elle-même, est stimulée par cette demande qui accroît leurs exportations. Cette activité supplémentaire s'amenuise à la fin des hostilités en 1953 ; en 1954, la croissance du PNB pour l'ensemble des pays de l'OCDE atteint un creux de 1,1 %. Le Canada et les États-Unis subissent alors leur plus grave récession d'après-guerre ; le PNB américain chute de 1,3 % et celui du Canada, de 3 %. À la fin de la guerre, les dépenses de l'État diminuent en volume de 10,6 % aux États-Unis et de 5 % au Canada. Le financement de la guerre par l'État avait soutenu l'expansion de ces deux pays ; la fin de cette guerre entraîne une récession.

Dès 1955, les dépenses de consommation et d'investissement sont à l'origine d'une reprise qui, dans les pays de l'OCDE, se traduit par une croissance de 7,2 % ; l'expansion sera de courte durée et ira en diminuant, jusqu'à atteindre 0,7 % en 1958 dans les pays de l'OCDE ; accusant une baisse de 0,8 %, les États-Unis sont alors en récession.

Encadré 3.1

L'ORGANISATION DE COOPÉRATION ET DE DÉVELOPPEMENT ÉCONOMIQUES

L'Organisation de coopération et de développement économiques (OCDE) comprend :

Les 7 « grands » :

Etats-Unis	Japon	Allemagne
France	Royaume-Uni	Italie
Canada		

Les 23 autres pays membres :

Australie	Autriche	Belgique	Corée du Sud
Danemark	Espagne	Finlande	Grèce
Hongrie	Irlande	Islande	Luxembourg
Mexique	Norvège	Nouvelle-Zélande	Pays-Bas
Pologne	Portugal	République slovaque	République tchèque
Suède	Suisse	Turquie	

Source : OCDE.

3.3 ● Les années 1960 : dix ans de croissance soutenue

Les années 1960 sont marquées par l'arrivée de nouveaux pays industrialisés (NPI) sur la scène mondiale. Ces pays se trouvent principalement en Asie du Sud (Corée du Sud et Taïwan, par exemple).

Les pays en développement sont divisés par la Banque mondiale (*voir l'annexe*) en deux grandes catégories : les pays à faible revenu et les pays à revenu intermédiaire. Le tableau 3.3 montre l'évolution du PIB de ces différentes catégories de pays.

Tableau 3.3 Taux de croissance en volume du PIB

Groupe de pays*a*	Variation annuelle moyenne, en pourcentage			
	1960-1970	1970-1980	1980-1990	1990-2001
Pays à faible revenu	4,4 %	4,6 %	6,6 %	3,4 %
Pays à revenu intermédiaire*b*	5,9 %	5,6 %	3,5 %	3,4 %
Pays développés à économie de marché (OCDE)	5,2 %	3,2 %	3,1 %	2,5 %

a. Pour la liste des pays, voir l'annexe.
b. La période 1990-2001 comprend les États de l'ex-URSS.

Source : Banque mondiale, *Rapport sur le développement dans le monde*, 1982, 1990, 1996, 2003.

Le premier groupe de pays connaît une croissance annuelle moyenne de 4,4 % entre 1960 et 1970. Un pays important dépasse la moyenne de façon significative. En effet, la Chine voit son PIB augmenter en moyenne de 5,2 % grâce à une croissance annuelle spectaculaire de 11,2 % de sa production industrielle, et ce, malgré d'intenses tensions politiques durant les dernières années de la période.

C'est le groupe des pays à revenu intermédiaire qui maintient le taux de croissance moyen le plus élevé, soit 5,9 %. Parmi eux, on remarque surtout la performance des pays sud-asiatiques. La Corée du Sud se démarque nettement avec un taux moyen de 8,6 %, soit le double du taux américain ; la croissance du secteur industriel, qui s'élève dans ce pays à 17,2 % par année durant la période, est encore plus significative. Ses voisins, Taïwan, Hong-Kong, Singapour ainsi que la Thaïlande, connaissent eux aussi une croissance supérieure à la moyenne.

Les pays développés à économie de marché (une vingtaine de pays de l'OCDE selon l'annexe) connaissent, durant la période visée, une croissance régulière. Alimentée par une augmentation des dépenses de l'État, cette phase d'expansion atteint son sommet au milieu de la décennie, avec des taux de 6,2 %, 5,5 % et 5,8 % de 1964 à 1966. Cette croissance est tributaire d'une autre guerre, au Viêtnam cette fois, où les États-Unis s'enlisent de 1965 à 1975. L'effort de guerre engloutit encore une fois les fonds de l'État et contribue à l'endettement international des États-Unis. Le gouvernement Johnson maintient à cette fin des niveaux élevés de dépenses ; en 1966 et 1967, celles-ci augmentent en volume de 12,7 % et 10,7 %. La croissance que la guerre alimente se transmet aux pays qui fournissent aux États-Unis les biens et les services nécessaires à leur économie de guerre. Pour financer ces achats à l'étranger, les États-Unis impriment des milliards de dollars qui inondent les marchés internationaux.

Durant cette période, le Japon accentue son rythme de croisière pour accéder au rang des grandes puissances économiques ; son taux de croissance moyen est deux fois supérieur à celui de l'ensemble des pays développés, soit 10,9 % contre 5,2 %. À partir de 1959 jusqu'en 1970, la croissance annuelle de l'économie japonaise dépasse 10 % à huit reprises, performance dont seuls les quatre « tigres » de l'Orient (Corée du Sud, Taïwan, Hong-Kong et Singapour) peuvent se réclamer.

3.4 ● Les années 1970 : des années de choc majeur marquées par une forte récession

C'est en 1973 que commence la phase déclinante du cycle à long terme, marquée par un ralentissement de la croissance, une hausse du taux de chômage et des récessions plus sévères.

Durant cette décennie, dans les pays à faible revenu, la croissance se poursuit presque au même rythme que durant la période précédente (4,6 % contre 4,4 %). La Chine maintient encore une performance supérieure à cette moyenne, soit 5,8 % ; le secteur industriel demeure le principal facteur de cette progression, avec une augmentation moyenne de 8,7 %.

Pour les pays à revenu intermédiaire, la croissance du PNB se poursuit à un rythme légèrement inférieur, passant de 5,9 % à 5,6 %. La Corée du Sud accélère toutefois le rythme, avec un taux annuel moyen de 9,5 %. La production du secteur industriel y est encore plus remarquable, avec un taux exceptionnel de 15,4 % ; Taïwan, Hong-Kong et Singapour se font aussi remarquer en affichant des taux supérieurs à la moyenne. D'autres « nouveaux pays industrialisés », tels la Thaïlande, la Malaisie et le Brésil, connaissent aussi une croissance supérieure à la moyenne.

Les deux dernières décennies auront vu mûrir ces économies soumises à des politiques d'industrialisation systématiques.

Pour les pays développés à économie de marché, la croissance diminue fortement par rapport aux années 1960, passant de 5,2 % à 3,2 %. La période 1970-1980 est traversée par une récession en 1974-1975 ; au début des années 1980, une deuxième récession, plus prononcée encore, ébranle les économies industrialisées. Ce sont les deux plus graves récessions d'après-guerre.

3.4.1   Le cycle dans les pays de l'OCDE

Comme on l'a vu précédemment, le cycle à long terme dans les pays de l'OCDE atteint son sommet vers le milieu des années 1960 ; après 1966, la croissance ralentit jusqu'au début des années 1970. **Et en 1973-1974 se produit le retournement du cycle abordé plus haut.** La figure 3.1 illustre ce renversement du cycle.

La figure 3.2 présente les variations du PIB/PNB, de l'inflation et du chômage pour la période 1971-2003.

Figure 3.2 Croissance, inflation et chômage dans les pays de l'OCDE, 1971-2003

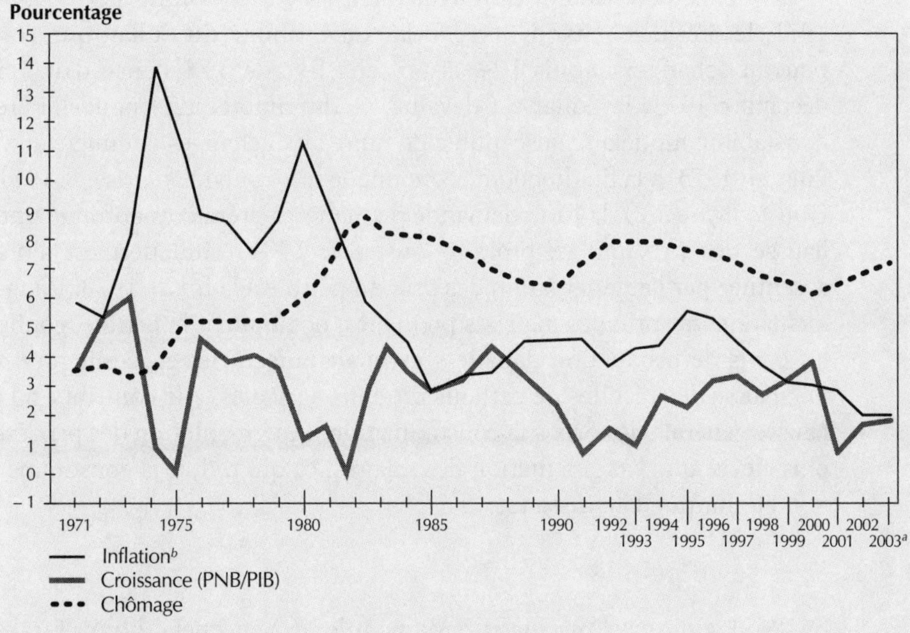

a. Prévision pour 2003.

b. 2000 à 2003 : Indice implicite du prix de la consommation privée.

Source : OCDE, *Perspectives économiques*, juin 1996, décembre 2001, juin 2003.

3.4.2 La récession de 1974-1975

En 1974-1975, le PNB/PIB réel des pays de l'OCDE stagne à 0 % ; le cycle qui a commencé lors de la reprise de 1968-1969 atteint son creux. Les pays en développement ont été moins durement touchés dans l'ensemble. Leur PIB a augmenté de 7,4 % en 1973, et de 5,9 % en 1974 ; leur croissance a légèrement ralenti en 1975, se maintenant à un respectable 4 %.

Plusieurs facteurs ont été à l'origine de la récession qui a frappé les pays industrialisés. Le 30 avril 1975, les troupes américaines quittaient en débâcle le Viêtnam, mettant ainsi fin à la plus désastreuse aventure militaire de l'histoire des États-Unis. Pendant dix ans, le conflit a miné l'économie américaine et, par conséquent, son dollar. Les dépenses militaires à l'étranger ont alors été financées par une augmentation de la masse monétaire, ce qui a provoqué de fortes tensions inflationnistes.

La fin de l'intervention américaine au Viêtnam entraîne une réduction des dépenses de l'État, ce qui provoque un ralentissement marqué de l'économie américaine. À leur tour, les pays fournisseurs des États-Unis sont touchés par une baisse de leurs exportations. Cette compression a été précédée d'événements qui ont accentué son impact.

Le premier événement est directement relié à ce conflit. Le 15 août 1971, le président Nixon suspend la convertibilité du dollar, que l'on pouvait échanger depuis 1944 à un taux fixe de 35 $ l'once d'or. En décembre 1971, le dollar est dévalué, ce qui amorce une nouvelle ère d'instabilité monétaire susceptible de nuire aux échanges commerciaux. Puis, en 1973, à la fin du boom économique qui a suivi la reprise de 1971 (*voir la figure 3.2*), la forte demande de matières premières entraîne une hausse des prix qui se prolonge jusqu'en 1974 ; l'inflation est alors accentuée par l'augmentation des prix du pétrole à la fin de 1973. L'augmentation des prix des matières premières, notamment le pétrole, gonfle les coûts de production dans le secteur manufacturier et, conjuguée à une baisse des récoltes de certains produits agricoles, elle contribue à la hausse générale des prix à la consommation. L'augmentation des prix est plus élevée que l'augmentation des salaires, ce qui réduit la consommation et diminue la croissance.

3.4.3 La crise du pétrole

En 1960, cinq pays producteurs de pétrole, le Venezuela, l'Iran, l'Irak, l'Arabie Saoudite et le Koweït, réunis à Bagdad, capitale de l'Irak, fondent l'Organisation des pays exportateurs de pétrole (OPEP). Se joindront à l'organisation le Qatar (1961), l'Indonésie (1962), la Libye (1969), l'Algérie (1970), le Nigeria (1971), l'Équateur (1973), les Émirats arabes unis et le Gabon. L'OPEP est créée en réaction au pouvoir des sociétés pétrolières (les « sept sœurs » : Exxon, Texaco, British Petroleum, Shell, Gulf, Standard Oil of California et Mobil Oil), qui disposent alors du plein contrôle sur le niveau des prix et sur les revenus versés aux pays exportateurs. Au cours des dix premières années, l'OPEP réussit à peine à contrer les baisses de prix, mais à partir de 1970, les choses changent. Certains pays, la Libye, l'Algérie et l'Irak d'abord, puis le Venezuela, diminuent la production afin d'exercer des pressions à la hausse sur les prix. De 1970 à 1973, le prix du brut léger saoudien (l'*Arabian light crude* est le prix de référence à partir duquel sont fixés les prix des autres catégories) passe de 1,80 $ à 3,01 $ le baril. Puis, à la fin de 1973, le prix passe de 3,01 $ en septembre à 11,65 $ en décembre, à la suite de la guerre d'Octobre entre Israël et les pays arabes.

Cependant, les pays producteurs ne sont pas les seuls responsables de la hausse des prix que subissent les consommateurs des pays importateurs. Les multinationales du pétrole, qui contrôlent la distribution, profitent de leur pouvoir sur le marché pour doubler leurs profits de 1972 à 1973.

3.4.4 La stagflation

Un nouveau phénomène économique surgit durant ces années : la stagflation. Ce terme désigne la coexistence d'une faible croissance économique, de taux de chômage élevés et de la persistance d'une forte inflation. Ce phénomène commence à se manifester en 1974, une année de stagnation pour l'OCDE caractérisée par une croissance anémique de 0,8 % ; le taux de chômage, qui atteint 3,6 %, est un sommet d'après-guerre et l'inflation atteint un record de 13,9 % (*voir la figure 3.2*). L'année suivante, malgré la stagnation du PIB, le creux du cycle et une hausse du taux de chômage à un nouveau sommet d'après-guerre de 5,2 %, l'inflation se maintient dans les deux chiffres, soit à 10,9 %. Antérieurement, lorsque le cycle était à la baisse, l'inflation avait plutôt tendance à diminuer.

Ce nouveau phénomène est au cœur des débats lors du Sommet des pays industrialisés en 1979 ; celui-ci réunit les chefs d'État des sept principales économies (États-Unis, Japon, République fédérale d'Allemagne, France, Royaume-Uni, Italie et Canada ; depuis 1997, avec l'addition de la Russie, on parle du Groupe des Huit). Le Sommet dégage un consensus sur l'attitude à adopter face aux problèmes qui ont surgi depuis le début de la décennie. Les sept dirigeants s'entendent pour contrer l'inflation. Dans chacun des pays, on s'attaquera d'abord aux travailleurs salariés. Les gouvernements imposeront de fortes restrictions salariales. Au Canada, en 1975, le gouvernement Trudeau adopte le projet de loi C-73 qui stoppe le mouvement de lutte pour la protection du pouvoir d'achat, rongé par l'inflation; de 1975 à 1987, les salaires réels* baisseront de 1 %.

De plus, les pays industrialisés s'efforceront de réduire la demande par des politiques budgétaires restrictives visant à freiner les dépenses publiques. Dans l'ensemble des pays de l'OCDE, l'inflation sera maîtrisée, mais au prix d'une récession majeure au début des années 1980 et d'une hausse continue du taux de chômage jusqu'à un sommet de 8,7 % en 1983.

***

La récession de 1975 est suivie d'une reprise qui inaugure quatre années d'expansion. Le PIB augmente alors à un rythme annuel de 4,6 %, ce qui est cependant inférieur au rythme des années 1960; dans les pays de l'OCDE, le taux de chômage demeure à 5,2 %, soit deux fois le niveau de 1968. La lutte contre l'inflation, on l'a vu, est la priorité des gouvernements. Diminution des dépenses et mises à pied dans le secteur public, privatisation d'entreprises et de services publics vont devenir petit à petit la forme d'expression des politiques déflationnistes des années 1980.

3.5 ● Les années 1980 : la grande récession de 1981-1982 suivie d'une longue phase d'expansion

La récession de 1981-1982 tire son origine des perturbations qui ont marqué la fin des années 1970. L'économie mondiale est alors secouée par un second choc pétrolier; le prix du pétrole brut saoudien va plus que doubler entre 1978 et 1980, pour passer à 32 $ le baril au début de 1981. Cette hausse contribue à la surchauffe inflationniste, et la croissance des prix à la consommation dans les pays de l'OCDE, qui avait été réduite sous les 10 %, remonte à 13 % en 1980 et passe à 10,5 % en 1981.

Cette relance de l'inflation amène les gouvernements des pays industrialisés à adopter des mesures encore plus rigoureuses qui s'inspirent du monétarisme et de la théorie de l'offre. Selon ces concepts, popularisés aux États-Unis et en Angleterre d'abord, les gouvernements doivent augmenter les ressources destinées aux entreprises. Ils y arriveront en diminuant les taux d'imposition de ces dernières, en leur accordant des privilèges fiscaux (par exemple une dépréciation accélérée de leur capital qui a pour effet de diminuer le revenu imposable) et en réduisant le poids des salaires dans les coûts de production, tout cela dans le but de favoriser une augmentation de l'offre de biens et de services. En même temps, les partisans de ces théories proposent aux gouvernements d'éliminer leur déficit budgétaire et de hausser les taux d'intérêt pour ralentir la demande et contrer les pressions à la hausse sur les prix.

Les principes du keynésianisme sont donc ouvertement remis en question. Le keynésianisme est tenu en partie responsable de l'inflation, laquelle serait causée par les déficits budgétaires maintenus par les gouvernements (*voir l'encadré 1.1*). **Dès lors, la recherche du plein emploi est reléguée aux oubliettes et la priorité est accordée à la lutte contre l'inflation.**

On maintient des taux de chômage élevés dans les principaux pays (États-Unis, Royaume-Uni, France, RFA) et on vise la désindexation des salaires par rapport au coût de la vie. Les mesures budgétaires de réduction de la demande sont aggravées par la politique de hausse des taux d'intérêt instaurée par le gouvernement américain aux prises avec un dollar de plus en plus faible. Quant aux pays en développement importateurs de pétrole, doublement touchés par la hausse du prix du pétrole et par la hausse des taux d'intérêt, ils sont obligés de comprimer leurs achats dans les pays industrialisés.

Tous ces éléments contribuent à réduire la demande ; les salaires réels diminuent, la hausse des taux d'intérêt ralentit l'accès au crédit à la consommation et les entreprises voient le coût du capital augmenter, ce qui conduit les plus fragiles à la faillite. Dans les pays de l'OCDE, le taux de croissance du PIB chute à 1,2 % en 1980, passant à 1,6 % en 1981 et à un creux de 0 % en 1982. Le taux de chômage y dépasse le niveau de 8 % pour la première fois depuis les années 1930. Le Canada et les États-Unis sont particulièrement touchés ; leur performance économique est la pire depuis 1945, leur croissance respective étant de −3,2 % et de −2,5 %.

Aucune de ces récessions ne se rapproche toutefois de la crise des années 1930, comme l'illustre le passage suivant :

> La dépression de 1929-1932 a été beaucoup plus grave que toute autre crise dans l'histoire du monde. Entre 1929 et 1932, le PIB global des pays avancés est tombé de 17,1 % et le commerce mondial, de 26,8 %. En revanche, en 1974-1975, la baisse n'a été que de 0,4 % et de 5 % respectivement. En 1981-1982, le PIB des pays industriels a augmenté légèrement et le commerce mondial n'a diminué que de 1 %[1].

---

1. Banque mondiale, *Rapport sur le développement dans le monde,* 1984, p. 22.

La reprise en 1983 s'accompagne, dans la zone de l'OCDE, de hauts taux de chômage ; celui-ci dépasse 8 % jusqu'en 1987, où il se fixe à 7,6 %, un niveau presque trois fois plus élevé que 20 ans auparavant. Quant à l'inflation, elle se résorbe jusqu'à 2,9 % en 1986. Le problème majeur des économies industrialisées demeure donc beaucoup plus le chômage — dans les années 1980, le taux de chômage moyen est presque le triple de celui des années 1960 — que l'inflation. Bien que celle-ci semble avoir été maîtrisée, le chômage, au contraire, prend de l'ampleur tant par l'accroissement du nombre de chômeurs que par l'allongement de sa durée ; il frappe plus durement certaines catégories de personnes, telles la jeunesse et certaines minorités ethniques, en particulier les Noirs américains. Mais les restructurations industrielles (chômage des ouvriers des aciéries), les fusions d'entreprises et certains changements technologiques étendent ce problème à d'autres catégories de personnes mieux implantées dans le milieu du travail, tels les hommes de 45 ans ou plus. Telle était la situation à la fin des années 1980.

Encadré 3.2

LE KRACH BOURSIER D'OCTOBRE 1987

Le krach boursier d'octobre 1987 aura sans doute été l'événement économique le plus spectaculaire des années 1980. Le 19 octobre 1987, l'indice Dow Jones de la Bourse de New York (moyenne pondérée de l'indice des 30 plus grandes puissances industrielles inscrites) chute de 504 points, une baisse de 22,4 % ; l'indice Standard and Poor 500 (500 entreprises) baisse quant à lui de 20,4 %. L'intégration des marchés financiers a vite fait de répercuter cette chute au reste du monde industrialisé.

Cette baisse, la plus forte de l'histoire boursière, suscite la panique dans les milieux financiers liés à la spéculation boursière : 500 milliards de dollars américains (plus que le PIB annuel du Canada) s'envolent en fumée en l'espace d'une seule journée ! Pour la plupart des analystes, le krach a été une réponse à la surévaluation des titres boursiers amenée par la vague de spéculation qui a précédé.

En effet, dans les années 1980, les transactions boursières aux États-Unis ont connu une véritable fuite en avant, elle-même liée à des fusions et à des restructurations d'entreprises. En 1980 seulement, 1 890 entreprises sont ainsi absorbées, pour un coût total de 44,4 milliards de dollars ; six ans plus tard, leur nombre s'élèvera à 3 556, pour une valeur totale de 176,6 milliards de dollars, soit quatre fois plus.

Ce processus a gonflé le prix des actions. L'exemple suivant illustre le phénomène. En décembre 1988, la société Kolhberg, Kravis, Roberts a gagné les enchères du siècle, jusque-là, en portant à 25 milliards de dollars son offre relative au rachat de RJR Nabisco, le géant américain du tabac et de l'alimentation. En un mois et demi, l'action de Nabisco a monté en flèche, passant de 55 $ à 92 $. Porté par une telle vague d'achats d'entreprises, l'indice Dow Jones a grossi dix fois plus vite que le PIB dans la période allant d'août 1982 à août 1987.

L'économie réelle américaine a été peu touchée par le krach. Le PIB réel (en volume) croît de 3,1 % en 1987, un taux supérieur à ceux des deux années précédentes. On ne peut déceler aucune conséquence majeure qui aurait pu entamer le PIB d'octobre à décembre 1987 ; et en 1988, la croissance économique réelle s'établit à 3,9 %. Une très faible proportion d'Américains a pu ressentir le choc d'octobre, et le phénomène n'a pas été assez important pour ralentir la croissance économique.

Contrairement au krach d'octobre 1929, celui de 1987 n'a pas été la conséquence d'une surproduction massive comme celle qui a marqué les années 1920 ; en 1987, l'économie était en période de croissance modérée et le taux de chômage était à son plus bas niveau depuis 1979. Un krach semblable au début des années 2000 a eu des effets plus sérieux, car les avoirs financiers des Américains sont de plus en plus constitués, directement ou indirectement, de titres de sociétés. Les caisses de retraite, notamment, ont perdu des centaines de milliards, réduisant le niveau de vie escompté par des futurs retraités qui comptaient sur ces actifs pour leurs vieux jours.

3.6 ● Les années 1990 : une récession prolongée suivie d'une longue phase d'expansion

Dès la fin des années 1980, une autre récession — la troisième depuis 1975 — frappait les pays industrialisés. Plusieurs facteurs ont concouru à ce phénomène. Durant l'expansion des années 1980 d'abord, les taux de chômage s'étaient maintenus à des niveaux élevés ; l'appauvrissement de certaines couches de la population et la stagnation du pouvoir d'achat des salariés limitaient la demande. En outre, les politiques budgétaires et monétaires restrictives menées dans les principaux pays industrialisés accentuaient la baisse de la demande.

Aux États-Unis, la croissance a eu pour contrepartie une hausse phénoménale de l'endettement. L'État américain a financé la relance par des emprunts à l'extérieur, au Japon en particulier, et les Américains ont préféré consommer plutôt qu'épargner, ce qui a fait chuter les taux d'épargne ; l'épargne nette, qui représentait une moyenne de 7,3 % du PNB de 1951 à 1980, s'est affaissée, pour se tenir autour de 2,8 % de 1980 à 1990.

Au 31 mars 1989, l'encours de la dette des emprunteurs américains (entreprises, pouvoirs publics, ménages) représentait 1,8 fois la valeur du PNB alors que, de 1953 à 1980, le rapport dette/PNB avait été en moyenne de 1,36[2]. La dette accumulée par les entreprises dans les années 1980 a entraîné des faillites et des défauts de paiement records.

Pour les entreprises, l'État et les consommateurs, le crédit a été la règle d'or de l'expansion. L'endettement élevé amènera ces trois acteurs à réduire leurs dépenses, entraînant une récession dans la plupart des pays.

Les États-Unis, le Canada et le Royaume-Uni en particulier étaient précipités dans une période de récession accompagnée d'une forte hausse du chômage. La récession américaine privait le Japon d'une partie de son marché, tandis que l'Allemagne, déjà aux prises avec les problèmes de réunification, en subissait également les contrecoups. En 1992-1993, ces deux leaders de la croissance de l'OCDE entraient également en récession.

La récession a été moins profonde que celle de 1981-1982, mais elle a duré plus longtemps. Elle a débuté au milieu de 1990, et c'est seulement au milieu de 1993 que la reprise tant attendue s'est manifestée timidement, accompagnée d'une croissance faible et de taux de chômage encore très élevés.

Depuis 1993, une longue phase d'expansion aux États-Unis a alimenté la croissance des économies canadienne et européenne. La consommation américaine a été financée par l'endettement et les gains boursiers, tandis que l'investissement a été stimulé par la hausse de la productivité amenée par le faible coût des nouvelles technologies de l'information. Vers la fin de la décennie, la crise asiatique et la profonde récession japonaise ont entraîné un ralentissement de la croissance.

Au début de l'an 2000, les gains boursiers se sont transformés aux États-Unis en pertes substantielles qui ont appauvri les détenteurs d'actions (la moitié des ménages du pays) et réduit la croissance. Dans les autres pays de l'OCDE l'économie allait au ralenti tandis que le Japon, en période de stagnation prolongée, était encore en récession.

L'encadré 3.3 illustre le problème du chômage et laisse entrevoir des solutions possibles.

---

2. FMI, *Bulletin*, 8 avril 1990.

Encadré 3.3

POUR DIMINUER LE CHÔMAGE :
RÉDUIRE LA SEMAINE DE TRAVAIL

Depuis le milieu des années 1970, les économies des pays industrialisés se sont enlisées dans un processus d'augmentation du nombre de chômeurs et des taux de chômage. Ceux-ci atteignent des niveaux records depuis les sombres jours de la crise des années 1930. L'expansion des années 1980 n'a pu abaisser les taux de chômage, qui sont demeurés deux à trois fois supérieurs aux taux des années 1960. Que s'est-il passé pour en arriver à un tel résultat ?

Dans le secteur de l'agriculture d'abord, dans le secteur manufacturier ensuite, les changements technologiques (mécanisation puis informatisation du processus de production) ont déplacé une partie de la main-d'œuvre ; celle-ci s'est replacée dans le secteur tertiaire, dans les services privés (commerce, finances, etc.) et publics surtout. Mais ces changements ont bientôt touché ces derniers secteurs (guichet automatique bancaire, assurance, bureautique, etc.), diminuant la demande de main-d'œuvre. Résultat : les travailleurs ont rejoint par millions les rangs des chômeurs. Le déplacement industriel vers les pays à main-d'œuvre peu coûteuse a aggravé le phénomène. La question se pose : comment enrayer cette hémorragie qui affecte la majorité des pays industrialisés naguère caractérisés par des taux de chômage près du plein emploi ?

La discussion engagée en Amérique, en Europe[1] et au Japon porte sur la réduction de la semaine de travail, le partage du travail entre les personnes occupées et les sans-emploi. Le moyen n'est pas nouveau : la journée de travail a été réduite de 15 à 12 puis à 8 heures, et à moins encore dans certains secteurs industriels (la métallurgie allemande, par exemple). Il doit évidemment faire l'objet d'un consensus dans les sociétés où il est envisagé. Seul l'État est en mesure de l'étendre à l'ensemble du territoire. La solution passe par un débat de société qui engage tous les intervenants — travailleurs, sans-emploi, dirigeants économiques — sur la façon de le réaliser.

Et on doit se demander si on peut éviter cette discussion. L'exclusion d'une partie croissante de la population du processus de production a de graves conséquences économiques, certes, mais aussi sociales : l'accroissement du chômage augmente la délinquance, la criminalité, la toxicomanie, multiplie les cas de stress, les troubles familiaux, qui représentent des coûts psychologiques, humains et économiques énormes. Certains considèrent même que cette exclusion rompt le contrat social sur lequel repose la démocratie :

> [...] l'exclusion durable, et même de plus en plus souvent définitive, du travail d'un nombre croissant d'individus n'est pas seulement une pathologie sociale de très grande ampleur, aux effets économiques et culturels dévastateurs : [...]. Elle équivaut à une véritable privation de citoyenneté, à une rupture du contrat républicain[2].

Depuis le dernier quart du XIXe siècle, la durée annuelle du travail a diminué considérablement dans les pays du G7. À la fin du XXe siècle (dans les années 1980) cependant, elle avait recommencé à augmenter au Canada, aux États-Unis, en France et au Royaume-Uni. La réduction du pouvoir d'achat des salariés et l'appauvrissement lié à la dépression obligent à travailler plus longtemps.

Durée annuelle du travail par personne, années choisies[a] (en heures)			
Pays	**1870**	**1950**	**1973**	**1996**
Allemagne	2 941	2 316	1 804	1 578
Canada	2 964	1 967	1 788	1 732
États-Unis	2 964	1 867	1 717	1 951
France	2 945	1 926	1 771	1 645
Italie	2 886	1 997	1 612	1 528[b]
Japon	2 945	2 166	2 093	1 998[c]
Royaume-uni	2 984	1 958	1 688	1 732

a. Y compris temps partiel.
b. 1985.
c. 1989.

Source : *Problèmes économiques,* n°s 2.565-2.566, 22-29 avril 1998.

---

1. Le gouvernement français applique la réduction de la semaine de travail de 39 à 35 heures votée en 1998.
2. B. Cassen, « Faut-il partager l'emploi ? Vers une révolution du travail », *Le Monde diplomatique,* mars 1993, p. 1.11.

3.7   ● La crise du système fordiste

Les théoriciens de l'école de la régulation (Robert Boyer notamment) expliquent le ralentissement de la croissance depuis le début des années 1970 par la crise du système fordiste ; le fordisme* peut se représenter ainsi :

- [...] un mode de consommation orienté vers les biens manufacturés standardisés, susceptibles d'être produits en longue série (automobile, électroménager, etc.).
- [...] un modèle d'organisation de la production cohérent avec ce modèle de consommation, le taylorisme. [...] Afin d'accroître l'efficacité du travail dans les grandes fabriques, Taylor préconise une organisation totalement « rationnelle » de la production, fondée sur la séparation radicale entre la conception et l'exécution, le découpement des tâches en gestes élémentaires répétitifs [...].
- Le troisième élément, le plus central, est le « rapport salarial fordiste ». En contrepartie d'une organisation de travail hiérarchique et déqualifiante, les travailleurs sont intégrés à la société de consommation. Ils bénéficient d'un accroissement continu des avantages sociaux liés au travail-rémunération, stabilité du contrat de travail, temps et conditions de travail, protection sociale [...].
- Le quatrième élément est l'intervention régulière de l'État qui garantit un taux de croissance régulier [...] en application de la doctrine keynésienne[3].

Le ralentissement à long terme de la croissance dans les pays de l'OCDE est une manifestation de la crise de ce système liée aux facteurs suivants :

- La modification du modèle de consommation : la standardisation fait place à une différenciation des produits et à une attention croissante des consommateurs à leur qualité [...].
- À ce nouveau modèle de consommation correspondent de nouvelles organisations productives. [...] La principale rupture avec le taylorisme réside dans l'exigence d'une forte implication des salariés dans leur travail, et donc d'une motivation qui ne peut plus passer seulement par des avantages matériels [...].
- La crise de l'État-providence, à la fois conséquence et cause du ralentissement de la croissance, met en cause la possibilité d'augmenter indéfiniment les avantages sociaux constitutifs du rapport salarial fordiste.

---

3. B. Pernet, *L'avenir du travail*, Paris, Seuil, 1995.

- La mondialisation de l'économie intervient à plusieurs niveaux dans la déstabilisation du système. [...] L'État perd la maîtrise des différents leviers d'action dont il avait largement fait usage au cours des « trente glorieuses » [...][4].

3.8   ● Une nouvelle phase ascendante du cycle à long terme ?

Les facteurs liés à la crise du système fordiste sont-ils à l'origine d'une nouvelle phase ascendante du cycle à long terme ? Selon certains économistes[5], cette phase ascendante aurait débuté en 1992. Elle serait liée, entre autres, à la révolution technologique découlant des technologies de l'information et de la communication (révolution dite informationnelle).

La croissance de 1992 à 2002, inférieure à celle des dix années précédentes, ne confirme pas cette hypothèse. Le Japon, deuxième puissance économique mondiale, connaît une période de stagnation, les années de faible croissance alternant avec des années de récession. Les États-Unis ont de sérieux problèmes d'endettement qui pourraient limiter leur croissance liée à la révolution technologique. Quant à l'Union européenne, sa construction n'a pas eu un effet décisif sur le cycle économique, et la montée de la Chine est encore fragile.

Aussi est-il prématuré de conclure à la fin de la phase déclinante qui a commencé en 1973.

Résumé Dans une économie qui se mondialise, les sept pays à économie de marché les plus industrialisés concentrent plus de la moitié de la production mondiale. Leur évolution, et en particulier celle des États-Unis, du Japon et de l'Allemagne, pèse lourdement sur l'ensemble des pays.

La reconstruction d'après-guerre a entraîné, en Europe et au Japon, une longue phase d'expansion qui s'est achevée vers le milieu des années 1950, un peu après la fin de la guerre de Corée. Les années 1960 ont été des années d'expansion soutenues par les dépenses de l'État et, à partir de 1965, par les fonds américains affectés à la

---

4. *Ibid.*
5. J. Nagels, « Les cycles longs de Kondratiev et l'évolution du capitalisme depuis la Deuxième Guerre Mondiale », dans A. Peeters et D. Stokkink, 2002, p. 39-62.

guerre du Viêtnam. Cette décennie a vu apparaître les « nouveaux pays industrialisés », groupe de pays à revenu intermédiaire surtout, dont la croissance a dépassé largement celle des pays industrialisés. Depuis 1955, on assiste aussi à la montée du Japon vers les sommets de l'économie mondiale.

La croissance des pays industrialisés ralentit vers la fin des années 1960 pour plonger, au milieu des années 1970, dans une forte récession. Celle-ci marque la fin de la période d'expansion à long terme amorcée après la guerre. La crise du pétrole et la stagflation caractérisent aussi cette décennie.

Les gouvernements des pays industrialisés déclarent la guerre à l'inflation et imposent des politiques restrictives qui font tripler le taux de chômage dans les pays de l'OCDE, comparativement aux années 1960. Les taux d'intérêt qui prévalent aux États-Unis se répandent alors dans le reste du monde, ce qui entraîne l'économie mondiale dans la récession de 1981-1982, la pire de l'après-guerre. La longue expansion qui suit ralentit à la fin des années 1980, et le début des années 1990 est marqué par une nouvelle récession, suivie d'une longue phase d'expansion stimulée par la croissance américaine. Au début des années 2000, la croissance économique commence à s'essouffler.

Le ralentissement à long terme de la croissance est associé, par certains économistes, à la crise du fordisme.

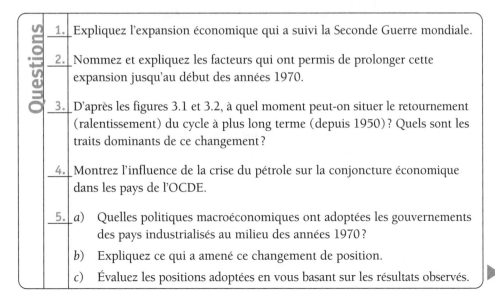

Questions

1. Expliquez l'expansion économique qui a suivi la Seconde Guerre mondiale.

2. Nommez et expliquez les facteurs qui ont permis de prolonger cette expansion jusqu'au début des années 1970.

3. D'après les figures 3.1 et 3.2, à quel moment peut-on situer le retournement (ralentissement) du cycle à plus long terme (depuis 1950)? Quels sont les traits dominants de ce changement?

4. Montrez l'influence de la crise du pétrole sur la conjoncture économique dans les pays de l'OCDE.

5. *a)* Quelles politiques macroéconomiques ont adoptées les gouvernements des pays industrialisés au milieu des années 1970?

   b) Expliquez ce qui a amené ce changement de position.

   c) Évaluez les positions adoptées en vous basant sur les résultats observés.

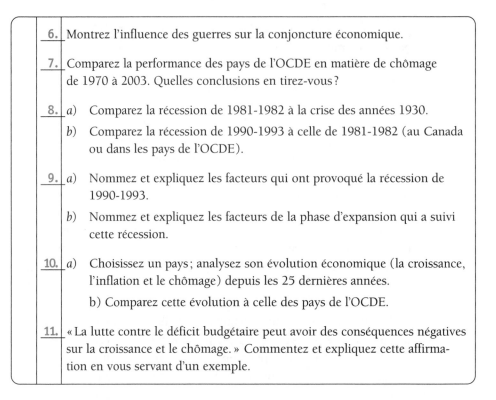

6. Montrez l'influence des guerres sur la conjoncture économique.

7. Comparez la performance des pays de l'OCDE en matière de chômage de 1970 à 2003. Quelles conclusions en tirez-vous?

8. *a)* Comparez la récession de 1981-1982 à la crise des années 1930.

   b) Comparez la récession de 1990-1993 à celle de 1981-1982 (au Canada ou dans les pays de l'OCDE).

9. *a)* Nommez et expliquez les facteurs qui ont provoqué la récession de 1990-1993.

   b) Nommez et expliquez les facteurs de la phase d'expansion qui a suivi cette récession.

10. *a)* Choisissez un pays; analysez son évolution économique (la croissance, l'inflation et le chômage) depuis les 25 dernières années.

    b) Comparez cette évolution à celle des pays de l'OCDE.

11. «La lutte contre le déficit budgétaire peut avoir des conséquences négatives sur la croissance et le chômage.» Commentez et expliquez cette affirmation en vous servant d'un exemple.

Thèmes de réflexion

- L'avenir du travail et les nouvelles technologies.
- Krach boursier et économie réelle (production, investissement, consommation, etc.).

Références bibliographiques

BANQUE DES RÈGLEMENTS INTERNATIONAUX, *Rapport annuel.*

BANQUE MONDIALE, *Rapport sur le développement dans le monde.*

BLUM, R., *Le partage du travail,* Paris, Éditions L'Harmattan, 1995.

Business Week, «It's almost as if it never happened — almost», 18 avril 1988, p. 56-65.

ECONOMIST INTELLIGENCE UNIT (THE), *Country Report.*

FMI, «L'histoire peut-elle se répéter: quelles leçons tirer de la grande crise de 1929?», *Bulletin,* 9 décembre 2002, p. 382-383.

FONDEUR, Y. et SAUVIAT, C., «La fin du "modèle américain"», *Problèmes économiques,* no 2.633, 29 septembre 1999, p. 28-32.

GILL, L., *Économie mondiale et impérialisme,* Montréal, Boréal Express, 1983.

GROUPE DE LISBONNE, *Limites à la compétitivité,* Montréal, Éditions du Boréal, 1995.

KOLKO, J., *Restructuring the World Economy,* New York, Pantheon Books, 1988.

KRUGMAN, P., « The returns of depression economics », *Foreign Affairs,* janvier-février 1999, p. 56-74.

LEMPERIÈRE, J., « Le rôle méconnu des filiales des multinationales », *Le Monde diplomatique,* septembre 1995, p. 19.

MUSSIAH, G., « Le G8, un club de riches très contesté », *Le Monde diplomatique,* mai 2003, p. 22-23.

OCDE, *Perspectives économiques.*

OCDE, *Principaux indicateurs économiques.*

PERRET, B., *L'avenir du travail,* Paris, Éditions du Seuil, 1995.

RIFKIN, J., *La fin du travail,* Paris, Éditions La Découverte, 1996.

CHAPITRE 4

La balance des paiements et le taux de change

OBJECTIFS

APRÈS AVOIR LU CE CHAPITRE, L'ÉLÈVE SERA EN MESURE :

- d'expliquer l'utilité de la balance des paiements ;
- d'en définir les principaux postes ;
- d'analyser la position d'un pays en fonction de ses transactions avec le reste du monde ;
- de montrer comment est déterminé le taux de change ;
- d'évaluer les conséquences des variations du taux de change sur l'économie d'un pays ;
- d'expliquer le marché des changes ;
- de montrer son influence sur les politiques monétaires ;
- de décrire les places financières internationales et les places bancaires extraterritoriales.

La compréhension de la balance des paiements est essentielle à l'étude de l'économie internationale. Dans ce chapitre, nous en exposons les principaux postes et nous présentons la méthode utilisée par Statistique Canada.

Le solde des postes permet d'évaluer l'économie d'un pays par les rapports économiques qu'il entretient avec le reste du monde. Ces opérations sont la source d'entrées et de sorties de devises qui influent sur le taux de change d'une monnaie. Les variations de ce dernier ont des effets sensibles sur la croissance économique, le chômage et l'inflation.

L'ouverture des frontières économiques ainsi que la croissance des échanges internationaux rendent de plus en plus importante l'analyse des rapports économiques d'un pays avec ses partenaires.

4.1 ● La balance des paiements

Les relations économiques internationales donnent lieu à un ensemble d'opérations qui portent tant sur le commerce des marchandises et des services que sur les mouvements de capitaux; ces opérations sont retracées et inscrites dans la balance des paiements internationale.

La **balance des paiements** est un compte statistique qui enregistre toutes les opérations commerciales, financières et monétaires intervenues entre un pays (individus, sociétés, gouvernements) et le reste du monde.

4.1.1 L'utilité de la balance des paiements

Aucun pays ne dispose de tous les biens et services nécessaires à la satisfaction des besoins de ses habitants et des entreprises. Tous doivent se procurer à l'extérieur les marchandises qu'ils ne produisent pas chez eux et celles qu'ils peuvent obtenir à meilleur prix dans un autre pays. Le Canada achète à l'étranger de la bauxite, des automobiles, des chaussures, des vêtements. Afin de pouvoir importer ces biens, il doit vendre à l'étranger ce qu'il produit lui-même ou ce qu'il produit à meilleur coût. Le Canada, comme tout autre pays, doit exporter pour amasser les devises* nécessaires au financement de ses importations.

Le commerce entre les pays soulève la question de la monnaie qui est acceptée dans les paiements et, donc, la question des prix relatifs des monnaies. Le marché des changes, où se négocient les monnaies, établit le taux auquel une monnaie peut être échangée contre une autre; c'est le taux de change. On dira, par exemple, qu'un dollar canadien est échangeable contre 0,70 dollar américain, qu'un dollar américain est échangeable contre 150 yens.

En l'an 2000, le dollar américain est la monnaie internationale le plus largement utilisée. Mais cette monnaie n'est pas la seule; d'autres monnaies nationales sont acceptées dans les transactions internationales, tels le yen japonais et l'euro. On utilise aussi des monnaies émises par des organismes internationaux, tels les droits de tirage spéciaux* du Fonds monétaire international (*voir le chapitre 5*).

Chaque pays possède une réserve d'or et de devises; celle du Canada est gérée par le Fonds des changes. Cette réserve prend rarement la forme de billets de banque; elle est surtout constituée d'avoirs en compte dans une banque étrangère ou dans un organisme international comme le FMI (Fonds monétaire international). Quand on achète à l'étranger, le stock de devises baisse ; lorsqu'on vend à l'étranger, il augmente. Par exemple, l'achat d'un micro-ordinateur américain par un résident canadien se paie en dollars américains. L'importateur doit se procurer des dollars américains pour les remettre à l'exportateur, ce qui diminue la quantité de devises américaines détenues au Canada. Dans le sens contraire, le paiement d'électricité canadienne par des importateurs américains accroît la quantité de dollars américains détenus au Canada.

4.1.2 Les transactions internationales et leur inscription à la balance des paiements

Toutes les transactions effectuées entre le Canada et les pays étrangers donnent lieu à une demande de dollars canadiens (entrée de devises) ou à une offre de dollars canadiens (sortie de devises). Le processus de transfert des devises ou de financement des échanges s'effectue comme suit.

Supposons qu'un importateur canadien achète d'une entreprise japonaise une voiture évaluée à deux millions de yens. Le commerçant canadien devra verser au producteur japonais l'équivalent de ce montant. Pour ce faire, il doit connaître la valeur du dollar canadien en yens. Si celui-ci vaut 100 yens, l'importateur saura qu'il doit débourser 20 000 dollars (2 millions de yens × 1 dollar / 100 yens). Si la transaction s'effectue en dollars américains, l'importateur devra se procurer sur le marché des changes, c'est-à-dire dans une banque qui traite des affaires à l'échelle internationale, les dollars américains nécessaires au paiement de l'importation. Il devra offrir 20 000 $ canadiens pour acheter les 14 000 $ américains (1 $ CAN = 0,70 $ US) nécessaires au paiement de l'exportation japonaise. Il y aura donc une offre de dollars canadiens et une sortie de l'équivalent de 20 000 $ CAN. L'importateur peut aussi se procurer les dollars américains auprès du gouvernement canadien, qui les accumule au Fonds des changes.

Une exportation canadienne de biens ou de services produit l'effet contraire ; elle occasionne une demande de dollars canadiens, car l'importateur étranger doit verser à l'entreprise canadienne des dollars américains qu'elle convertira en dollars canadiens pour régler ses comptes au Canada.

4.1.3 Les postes de la balance des paiements

Figure 4.1 La balance des paiements

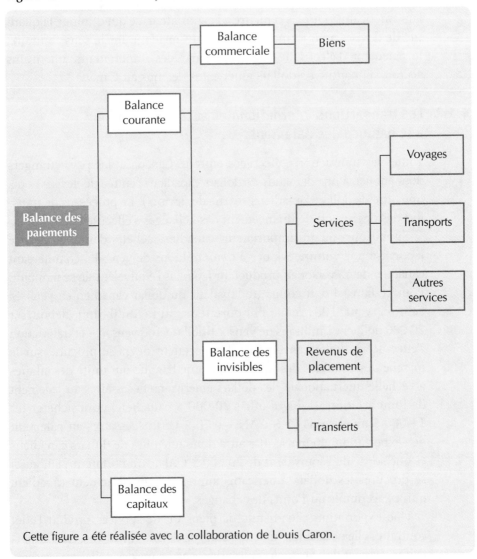

Cette figure a été réalisée avec la collaboration de Louis Caron.

Les opérations inscrites dans la balance des paiements se présentent sous des formes différentes. L'importation d'automobiles par le Canada donne lieu à une offre de dollars canadiens ; au contraire, une importation de capitaux occasionne une demande de dollars canadiens. L'ensemble des opérations sont regroupées en **deux grands postes** : la **balance courante** et la **balance des capitaux**.

La balance courante

La balance courante* est la somme de la balance commerciale* et de la balance des invisibles*.

La **balance commerciale** comptabilise les exportations et les importations de biens (marchandises). Si la valeur des exportations est supérieure à celle des importations, la balance commerciale se solde par un excédent, c'est-à-dire qu'il y a une accumulation de devises au pays; dans le cas contraire, la balance commerciale est en déficit et on doit trouver les devises pour combler ce déficit.

La **balance des invisibles** représente les échanges qui ne donnent pas lieu à des mouvements de marchandises. Les exportations et les importations de marchandises ne sont pas les seules occasions d'entrées et de sorties de devises. Des touristes étrangers viennent passer leurs vacances au Canada, tandis que des Canadiens passent leurs vacances à l'étranger. Des sociétés d'ingénierie canadiennes vendent leurs services à des pays étrangers et y prennent la direction d'entreprises ou la conduite de grands travaux. Dans le commerce extérieur, des bateaux étrangers et canadiens sont utilisés. Des contrats d'assurance sont conclus entre des résidents du Canada et des entreprises étrangères ou entre des non-résidents et des firmes canadiennes. En d'autres termes, en plus des échanges de biens, on échange aussi des services qui donnent lieu à un excédent ou à un déficit qui fera varier les réserves de devises.

L'activité courante comprend également des revenus de placement, les intérêts et les dividendes reçus de l'étranger et ceux payés à l'étranger. Ces recettes et ces paiements découlent des placements (investissements de portefeuille et investissements directs) réalisés auparavant.

Enfin, le Canada entretient des ambassades à l'étranger, tandis que les pays étrangers entretiennent des ambassades au Canada, et des fonds sont transférés à l'étranger sous forme d'aide économique. Des immigrants renvoient des fonds dans leur pays d'origine et des émigrants canadiens en renvoient au Canada. Ces transferts sont tous comptabilisés, car ils se traduisent par des entrées et des sorties de devises.

La **balance courante** revêt une très grande importance, puisqu'elle recouvre toutes les opérations définitives d'un pays, c'est-à-dire celles qui ne donneront pas lieu ultérieurement, comme pour les mouvements de capitaux, à des flux en sens inverse.

Un excédent de la balance courante peut servir à financer les investissements et les prêts à l'étranger ou peut accroître les réserves du pays.

Au contraire, un déficit doit être financé par des entrées de capitaux sous forme d'investissements directs d'entreprises étrangères ou sous forme d'emprunts à l'étranger ; sinon, le pays devra puiser dans ses réserves de devises qui, dès lors, seront diminuées.

À long terme, un déficit de la balance courante place un pays dans une situation d'endettement par rapport à l'extérieur. Lorsque ses réserves sont presque épuisées, le pays peut être forcé d'emprunter pour combler ce déficit. Un pays doit conserver un minimum de réserves au cas où il lui serait impossible de recourir à des capitaux extérieurs pour financer ses achats de biens et de services.

La balance des capitaux

Un pays peut aussi accueillir des capitaux étrangers ou peut lui-même transférer des capitaux à l'étranger.

Lorsqu'une entreprise étrangère fait construire une usine, installe une banque ou des bureaux d'assurances au Canada, il s'agit d'un investissement direct étranger. Dans ce cas, l'entreprise doit se procurer des dollars canadiens pour payer ses employés, son matériel, etc. ; cela correspond à une demande de dollars canadiens et à une entrée de devises au pays. Les résidents du Canada réalisent des transactions semblables à l'étranger ; ce sont des investissements directs canadiens à l'étranger qui occasionnent une sortie de devises.

Aussi, quand un non-résident (individu, entreprise ou gouvernement) achète des obligations canadiennes (entreprise ou gouvernement) ou achète des actions canadiennes, ce geste amène une entrée de devises ; lorsqu'un résident du Canada imite ce geste à l'étranger, cela se traduit par une sortie de devises. Ces transactions s'appellent des **investissements de portefeuille,** par opposition aux investissements directs, qui ont trait aux installations d'entreprises étrangères sur un territoire.

La **balance des capitaux** comprend le compte financier et le compte de capital.

Le **compte financier** est divisé en deux parties :
- les créances canadiennes envers les non-résidents (sorties de capitaux portant un signe négatif) ;
- les engagements canadiens envers les non-résidents (entrées de capitaux portant un signe positif).

Les créances* canadiennes envers les non-résidents représentent les sorties de capitaux et sont des éléments d'actif canadien à l'étranger.

Elles comprennent :

- les investissements directs canadiens à l'étranger ;
- les investissements de portefeuille (obligations et actions des sociétés étrangères) ;
- les prêts et les dépôts à l'étranger ;
- l'actif de l'État, dont les réserves officielles détenues par la Banque du Canada, qui sont des créances accumulées à partir des opérations antérieures et qui peuvent être utilisées pour de futurs achats à des non-résidents.

Les engagements* canadiens envers les non-résidents représentent les entrées de capitaux au Canada et accroissent le passif du Canada par rapport au reste du monde. Ils sont constitués par :

- les investissements directs étrangers au Canada ;
- les obligations et actions canadiennes achetées par les non-résidents, qui sont des engagements dans la mesure où elles sont appelées à être remboursées à leurs propriétaires étrangers.

Le **compte de capital** (tel qu'introduit par Statistique Canada en 1998) comprend les transferts de capitaux sous forme de capitaux des migrants, de successions, etc., ainsi que les acquisitions d'actifs incorporels comme les brevets et les baux.

La divergence statistique reflète les erreurs et les omissions du calcul de Statistique Canada, lesquelles proviennent des mouvements de capitaux qui n'ont pas été comptabilisés.

L'interprétation de la balance des capitaux exige quelque prudence. Un solde excédentaire de la balance des capitaux peut être accompagné d'un déficit de la balance courante. Dans un tel cas, le déficit de la balance courante sera financé par des ressources étrangères qu'il faudra rembourser ultérieurement. Un pays qui emprunte beaucoup à l'étranger connaît une amélioration « comptable » de sa balance des paiements, mais il devra rembourser des intérêts ou des dividendes qui seront portés au débit de la balance des invisibles ; c'est le cas des États-Unis depuis plusieurs années. Au contraire, un solde négatif de la balance des capitaux peut indiquer que le pays concerné investit beaucoup à l'étranger, cette exportation de capitaux étant porteuse de revenus futurs ; c'est la situation du Japon depuis quelques années.

4.1.4 Le calcul de la balance des paiements au Canada

Le tableau 4.1 offre une version simplifiée de la balance des paiements canadienne en 2001.

Tableau 4.1 Balance des paiements du Canada, 2001

Balance courante	(en M $)
Recettes	
Exportations de marchandises	414 638
Invisibles	
Services	56 612
Voyages	
Transports	
Services commerciaux	
Opérations gouvernementales	
Autres	
Revenus de placement	34 990
Transferts	7024
Total des invisibles	98 626
Total des recettes	513 264
Paiements	
Importations de marchandises	350 623
Invisibles	
Services	64 994
Voyages	
Transports	
Services commerciaux	
Opérations gouvernementales	
Autres	
Revenus de placement	62 524
Transferts	5 074
Total des invisibles	132 992
Total des paiements	483 216
Soldes	
Marchandises (balance commerciale)	64 016
Invisibles (balance des invisibles)	− 33 967
Total de la balance courante	30 049

Balance des capitaux[a]	(en M $)
COMPTE FINANCIER	
Créances canadiennes envers les non-résidents, flux nets	
Investissements directs canadiens à l'étranger	− 54 924
Investissements de portefeuille	
Obligations étrangères et actions étrangères	− 37 718
Prêts et dépôts	− 9 238
Réserves officielles de change[b]	− 3 353
Autres créances	− 5 152
Total des créances canadiennes	− 110 385

——→

Tableau 4.1 Balance des paiements du Canada, 2001 (suite)

Engagements canadiens envers les non-résidents, flux nets	
Investissements directs étrangers au Canada	42 527
Investissements de portefeuille	
Obligations canadiennes et actions canadiennes	38 217
Emprunts et dépôts	15 739
Placements sur le marché monétaire	– 7 349
Autres engagements	– 5 345
Total des engagements canadiens	83 789
Total du compte financier	– 26 596
Compte de capital (entrées – sorties)	5 678
Total du compte de capital et du compte financier	– 20 918
Divergence statistique	**– 9 131**

a. Un signe moins indique une sortie de capital, ce qui résulte d'un accroissement des créances envers les non-résidents ou d'une diminution des engagements envers les non-résidents.

b. Les réserves du Canada sont généralement détenues sous forme de titres (obligations, etc.) en devises; ce sont des créances sur l'étranger, l'**équivalent de prêts à l'étranger** (sorties de devises). C'est pourquoi les réserves sont inscrites au titre des créances avec un signe négatif lorsqu'elles augmentent, et avec un signe positif lorsqu'elles diminuent.

Sources : Statistique Canada, *CANSIM II*, [en ligne : www.statcan.ca].

En 2001, la balance courante est positive; cela est dû à la balance commerciale qui montre un excédent largement supérieur au déficit des invisibles. Le poste Intérêts et dividendes (Revenus de placement) constitue le principal facteur du déficit des invisibles. Le Canada paie des intérêts et des dividendes sur les placements et les investissements directs étrangers. Le solde du poste Voyages se rapproche de l'équilibre, le déficit ayant considérablement diminué depuis quelques années.

Le surplus de la balance courante est compensé par des prêts ou des créances des Canadiens envers des non-résidents; les achats d'obligations étrangères par des Canadiens et les investissements directs canadiens à l'étranger constituent les principales sorties nettes de devises du pays. Ces sorties de capitaux rapporteront les années suivantes intérêts et dividendes au Canada. Le Canada est ainsi dans une position favorable à long terme. Considérons maintenant le stock de réserves officielles du pays.

4.1.5 Les réserves officielles de change

Les réserves de change sont constituées d'or, de dollars américains, d'autres devises, de la monnaie du Fonds monétaire international et de la position de crédit du Canada au Fonds monétaire international (*voir le chapitre 5*). Le tableau 4.2 présente la composition des réserves officielles* de liquidités internationales du Canada.

En 2000, la Banque du Canada en a vendu quelques milliards sur le marché des changes afin d'empêcher le dollar de fléchir. C'est là un exemple de l'utilisation des réserves officielles pour réaliser une opération autonome ; ici, les variations de réserves ne sont pas le résultat des opérations de la balance des paiements, mais la conséquence d'une politique de la Banque du Canada.

Tableau 4.2 Composition des réserves officielles de liquidités internationales du Canada (au 31 décembre de chaque année)

	(en M $ US)					
	Monnaies étrangères					
Année	$ US	Autres monnaies	Or	Droits de tirage	Position active au FMI[a]	Total
1999	18 838	5 594	524	526	3 164	28 646
2000	21 692	7 327	323	574	2 508	32 424
2001	19 748	10 736	291	614	2 859	34 248

a. Le Fonds monétaire international (*voir le chapitre 5*) a été créé en 1944. Il prête à court terme aux pays faisant face à des déficits temporaires de leur balance des paiements. Ces prêts sont financés à même la position active du FMI, composée de réserves en monnaies nationales (le dollar canadien ici) et en devises acceptées par le Fonds (dollar américain, yen, euro, etc.).

Source : Banque du Canada, *Statistiques bancaires et financières*, décembre 2002.

4.2   ● Le taux de change

Le taux de change est le **prix d'une monnaie par rapport à une autre monnaie.** Il est déterminé par le marché (selon la loi de l'offre et de la demande). Le processus est illustré à la figure 4.2.

Figure 4.2 Détermination du taux de change

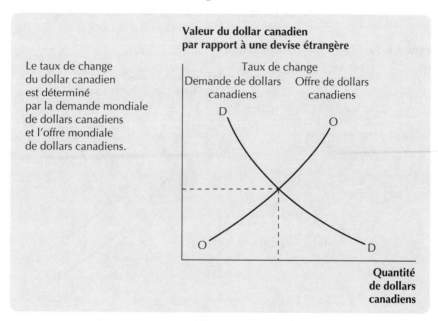

La demande étrangère de dollars canadiens a une pente négative (DD) et l'offre de dollars canadiens a une pente positive (OO). La pente négative de la courbe de demande indique que les biens et les services coûtent moins cher aux étrangers lorsque le prix du dollar canadien diminue; dès lors, ceux-ci demanderont une plus grande quantité de produits canadiens et, par conséquent, une plus grande quantité de dollars canadiens pour effectuer ces achats. En outre, l'offre de dollars canadiens a une pente positive, car les Canadiens ont tendance à acheter plus de biens à l'étranger lorsque le prix du dollar canadien augmente, ces biens leur coûtant moins cher; ils se procurent davantage de devises étrangères et offrent une plus grande quantité de dollars canadiens en échange.

Le taux de change du dollar canadien est fixé par la rencontre de la demande et de l'offre de cette monnaie. À 0,80 $ américain, la quantité de dollars canadiens demandée est, dans notre exemple, égale à la quantité offerte. Si le taux de change est flexible, une augmentation de la demande internationale de dollars canadiens (D_1D_1), provoquée par exemple par la croissance économique aux États-Unis, fait augmenter le prix du dollar canadien à 0,90 $ américain. C'est une **appréciation*** de la monnaie canadienne (*voir la figure 4.3a*). Si l'offre de dollars canadiens augmente, le prix du dollar diminue; c'est une **dépréciation*** du dollar (*voir la figure 4.3b*).

Dans un système de taux de change fixe, le taux de change sera maintenu à son niveau initial par une intervention de la Banque du Canada.

Figure 4.3*a* Hausse du taux de change

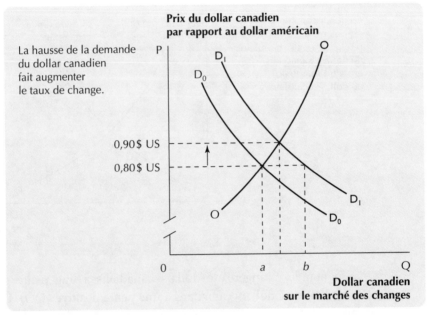

Figure 4.3*b* Baisse du taux de change

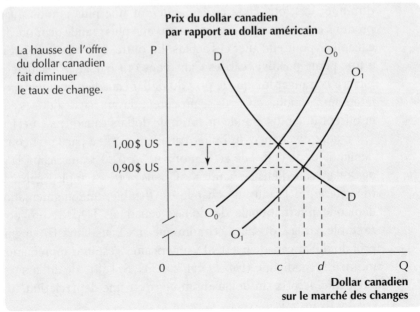

4.2.1 Les taux de change flexibles ou fixes et la stabilité économique

Dans un système de **taux de change flexible** (flottant), le taux de change varie au jour le jour en fonction de la demande et de l'offre d'une monnaie. Ce fut le cas pour le dollar canadien de 1950 à 1962, et de nouveau depuis 1970. L'autorité monétaire peut contrôler le flottement de la monnaie à l'aide des instruments décrits dans le paragraphe qui suit.

Dans un système de **taux de change fixe**, le taux ne varie pas au jour le jour. Les pays s'engagent à le maintenir à l'intérieur de certaines marges. Et lorsque la demande est trop forte (D_1D_1), l'autorité monétaire, ici la Banque du Canada, doit vendre la monnaie du pays, le dollar canadien dans notre exemple, pour un montant égal à la ligne *ab*; dans le cas d'une pression à la baisse causée par une hausse de l'offre, la Banque du Canada devra acheter des dollars pour un montant égal à la ligne *cd*. Elle peut également faire varier le taux d'intérêt à la hausse pour attirer les capitaux et accroître la demande de dollars canadiens, ou à la baisse pour en réduire la demande.

En règle générale, le taux de change tend à augmenter quand la demande internationale pour une monnaie augmente (hausse des exportations, entrée de capitaux) ou quand l'offre diminue (réduction des importations, baisse des sorties de capitaux). Il tend à diminuer quand cette demande diminue (baisse des exportations, baisse des entrées de capitaux) ou quand l'offre augmente (hausse des importations, sortie de capitaux).

Dans un système de **taux de change flexible**, l'augmentation de la valeur de la monnaie se nomme **appréciation** tandis que, dans un système de **taux de change fixe**, elle se nomme réévaluation ; de même, on parle respectivement de **dépréciation** et de dévaluation de la monnaie dans le cas d'une baisse du taux de change.

4.2.2 Les effets des variations du taux de change sur l'économie

Les effets des variations du taux de change se font sentir sur l'ensemble de l'économie. L'appréciation (ou réévaluation) de la monnaie renchérit les exportations et diminue la demande étrangère pour celles-ci ; cela entraîne un ralentissement de la production dans les secteurs liés aux exportations et peut même provoquer une hausse du chômage. Par ailleurs, l'inflation diminue en fonction de la part des produits importés dans la demande intérieure, car ces produits deviennent moins coûteux.

Au contraire, la dépréciation (ou dévaluation) de la monnaie rend les exportations moins coûteuses pour les étrangers, ce qui accroît la demande. Les secteurs liés aux exportations sont stimulés, tandis que la création d'emplois ou le rappel des employés mis à pied ont pour effet de diminuer le chômage. L'inflation provenant des produits importés augmente, car on continue d'acheter certains biens et services à l'étranger malgré les prix plus élevés.

Les pays peuvent ainsi exporter leur chômage en maintenant leur taux de change à un bas niveau. Par ailleurs, ils peuvent causer un ralentissement de l'activité économique en maintenant leur taux de change à un niveau trop élevé.

Encadré 4.1

L'AVENIR DU DOLLAR CANADIEN

L'arrivée de l'euro (*voir le chapitre 10*) et la chute du dollar canadien par rapport au dollar américain depuis la fin des années 1990 ont suscité au Canada des discussions sur l'avenir même de cette monnaie.

Ceux qui prônent le maintien du dollar canadien soutiennent que cette monnaie remplit parfaitement ses fonctions : unité de compte, réserve de valeur et moyen de paiement au Canada. Sur le marché des changes, la monnaie canadienne s'est dépréciée par rapport au dollar américain seulement ; celui-ci est fortement surévalué par la spéculation, les déficits importants de la balance courante des États-Unis étant compensés par une entrée massive de capitaux. Quant à l'union monétaire canado-américaine, ses conditions (libre circulation des marchandises, des services, des capitaux et des personnes) ne sont pas réunies.

M. Robert McTeer, président de la Federal Reserve Bank de Dallas, spécialiste du taux de change, estime que, si un pays possède une banque centrale gérant correctement un taux de change flottant qui peut servir d'amortisseur dans des situations de choc, il vaut mieux conserver cet instrument (*Le Devoir*, 31 mai 2002). Ainsi la baisse du dollar canadien par rapport à la montée du dollar américain dopé par la spéculation aurait empêché une récession au Canada en maintenant une forte demande pour ses exportations.

Les partisans de l'union monétaire soutiennent, quant à eux, que la Banque du Canada a perdu le contrôle de ses politiques monétaires. Le dollar canadien occupe une position difficile sur le marché mondial des devises ; au moindre soubresaut des marchés, les cambistes se débarrassent de cette devise qui compte pour très peu dans les portefeuilles internationaux. Et la

Banque du Canada, avec les moyens dont elle dispose (réserves de change, taux d'intérêt), parvient difficilement à influencer les marchés. De plus, l'intégration économique continentale (près de 90 % du commerce international canadien se réalise avec les États-Unis) s'est accrue depuis l'Accord de libre-échange canado-américain. Ces partisans prônent donc l'adoption du dollar américain comme monnaie pour le Canada (dollarisation) ou la négociation d'une union monétaire précédée d'une union économique.

Toutefois, dollarisation ou union monétaire reviennent presque au même, les États-Unis n'étant pas intéressés à partager la gestion de leur politique monétaire avec un pays étranger.

En fait, il s'agirait d'une perte de souveraineté pour le Canada, dont la politique monétaire serait déterminée aux États-Unis. De plus, l'union monétaire implique une harmonisation des règles concernant, par exemple, le marché du travail (normes du travail, assurance emploi ou assurance chômage, cotisations sociales, etc.), ce qui risquerait de diminuer encore plus la souveraineté canadienne.

4.2.3 Les taux de change fixes et les taux de change flexibles

Sur le plan théorique, les taux de change fixes amènent une plus grande stabilité du commerce international. Les importateurs et les exportateurs connaissent la valeur en monnaie nationale des transactions qu'ils réalisent avec l'extérieur. Le Canadien qui achète des oranges américaines pour une valeur de 1 000 $ américains pourra facilement calculer la somme qu'il devra débourser pour se procurer les dollars américains. Si, pendant un certain temps, le dollar canadien se maintient à 0,90 $ américain, cette transaction s'élèvera à 1 111 $ canadiens.

Un taux flexible, au contraire, laissera l'acheteur dans l'incertitude. Un contrat d'une valeur de 1 000 $ américains passera à 1 250 $ canadiens si le taux de change baisse à 0,80 $ américain. Cela rend la valeur des échanges plus aléatoire.

En général, les taux de change fixes garantissent une plus grande stabilité de l'économie, car les fluctuations des taux de change stimulent les exportations et diminuent les importations dans le cas d'une baisse, et ont l'effet contraire dans le cas d'une hausse. Dans le premier cas, les industries et les régions exportatrices sont avantagées; dans le second cas, elles ralentissent leurs activités et réduisent leur personnel. D'autres conséquences peuvent être envisagées sur le plan théorique.

Sur le plan pratique, le maintien de taux de change fixes a été l'un des fondements du système monétaire international mis en place en 1944 à Bretton Woods. Ce système s'est effondré en 1971 en raison du flottement de la monnaie de référence, le dollar américain ; depuis 1973, le système des taux de change flexibles domine. Depuis, l'instabilité des changes a été telle que les chefs d'État des principaux pays (États-Unis, Japon, ex-République fédérale d'Allemagne[1], France, Royaume-Uni, Italie, Canada) se sont réunis régulièrement afin de coordonner la fluctuation de leurs taux de change et d'ajuster leurs politiques de taux d'intérêt. On peut dès lors parler de « flottements contrôlés » des monnaies ; les autorités monétaires interviennent fréquemment pour influer sur la valeur de la monnaie nationale au lieu de la laisser flotter au gré du marché.

4.3 ● Le marché des changes

Le marché des changes est le lieu du commerce des devises. Il assure la confrontation de l'offre et de la demande de devises et, conséquemment, la détermination du prix des devises les unes par rapport aux autres.

4.3.1 Un réseau électronique international

Les transactions portant sur les devises ne se font pas de main à main ; elles sont, en fait, des jeux d'écriture par lesquels on inscrit les valeurs achetées et vendues par les entreprises privées ou les banques centrales. Par opposition aux marchés boursiers, où s'échangent des actions qui ont une situation géographique précise, le marché des changes ne connaît pas de frontières. Les transactions portant sur une devise (par exemple, le dollar canadien) se font en même temps à Paris, à New York, à Londres et sur toute autre place financière. Les offreurs et les demandeurs sont réunis par un réseau sophistiqué de télécommunication (téléphone, télex, télécopieur, etc.), complété par des moyens informatiques qui permettent d'effectuer et d'enregistrer rapidement les transactions. Les intervenants sur ce marché sont les entreprises industrielles et commerciales, les banques commerciales et les institutions financières, les courtiers et les banques centrales des pays.

---

1. Depuis le 3 octobre 1990, la République fédérale d'Allemagne (RFA) et la République démocratique allemande (RDA) forment de nouveau un seul État : l'Allemagne. Toutefois, pour éviter d'alourdir indûment le texte, le préfixe « ex- » ne sera utilisé qu'à la première occurrence. Il en sera de même pour « l'ex-URSS ».

Les banques multinationales y jouent le rôle d'intermédiaires entre les entreprises qui font des affaires sur le marché international et leurs clients et fournisseurs. Ces banques mettent en jeu non pas une monnaie nationale, comme c'est le cas pour les opérations réalisées à l'intérieur des frontières géographiques d'un pays, mais plusieurs monnaies, selon les exigences de la transaction. D'autres institutions financières (sociétés d'investissement, compagnies d'assurances, etc.) ont connu une ascension fulgurante depuis la fin des années 1980.

Les entreprises industrielles et commerciales offrent et demandent des devises en contrepartie de leurs importations ou exportations et utilisent le marché des changes pour leurs transactions à l'étranger. Les firmes multinationales, en particulier, s'en servent pour assurer la circulation de fonds entre la société mère et les filiales.

Les banques centrales des États interviennent aussi sur ce marché pour rétablir des déséquilibres temporaires de la balance des paiements en vendant ou en achetant des devises afin de diminuer ou d'augmenter le taux de change de leur monnaie nationale.

Pour mieux comprendre le fonctionnement du marché des changes, considérons l'exemple simplifié suivant.

Une société exportatrice qui souhaite vendre les devises provenant du paiement d'un client étranger cédera ces devises à sa banque; le plus souvent, celle-ci est une agence ou un bureau de représentation. L'agence ne trouve pas nécessairement la contrepartie de cette offre (c'est-à-dire un acheteur pour les devises de la société exportatrice). Elle pourra transmettre l'offre au siège social de la banque où sont acheminées les opérations réalisées par la clientèle. Cette banque recherchera la contrepartie, c'est-à-dire une entreprise commerciale ou industrielle, ou encore une banque centrale qui, par son intermédiaire, demande la devise que l'exportateur est prêt à vendre.

Au siège social de la banque, les opérations sont effectuées par les cambistes. Ceux-ci sont en communication par téléphone, télex et réseaux spécialisés de télécommunication avec d'autres cambistes et d'autres intervenants sur le marché (les courtiers); ils chercheront à négocier la vente des devises. La société vendeuse pourra écouler ses devises auprès de toute société ou banque centrale d'un pays qui en a besoin pour ses activités.

4.3.2   Des opérations qui minent l'autorité des États

Les opérations sur le marché des changes sont effectuées par des opérateurs internationaux, au service des grandes banques privées, qui achètent et vendent plusieurs fois par jour les mêmes monnaies dans le but de réaliser un profit; on échange de l'argent pour de l'argent. Le volume des transactions est 70 fois plus élevé que celui nécessité par le commerce mondial. Au début des années 2000, le total des montants échangés quotidiennement sur ce marché avoisinait les 1 500 milliards de dollars américains. Avec leurs quelques milliards de dollars en réserve (de 20 à 100 milliards de dollars environ), les banques centrales des pays industrialisés sont limitées à un rôle mineur.

Les professionnels du change qui négocient les devises jouent un rôle majeur dans la détermination des taux de change, qui échappent de plus en plus aux décisions des banques centrales. Les cambistes s'attaquent parfois à des monnaies en vendant massivement à découvert, c'est-à-dire en vendant à un prix convenu d'avance une devise qu'ils ne possèdent pas. Lorsque les prix (taux de change) ont assez baissé, ils achètent puis vendent à l'acheteur au prix convenu plus tôt.

Les mouvements de capitaux issus de la spéculation obligent les banques centrales à intervenir pour freiner la hausse ou la chute d'une devise: quand les agences privées cherchent à se débarrasser de la monnaie nationale, les banques centrales doivent acheter pour maintenir le taux de change, et vendre dans le cas où les agents de change cherchent à s'en procurer. Ainsi, les gains des banques privées sur le marché des changes se réalisent en bonne partie aux dépens des banques centrales; c'est un transfert net des établissements publics aux établissements privés.

De plus, la politique monétaire de hausse ou de baisse des taux d'intérêt ne sert plus qu'à attirer ou à éloigner les capitaux. On a pu ainsi observer des variations démesurées des taux: le 2 octobre 1992, la Banque du Canada augmentait le taux d'escompte de 1,93 %, la plus forte hausse depuis sa création en 1935; en septembre 1992, la Banque d'Angleterre haussait soudainement son taux d'escompte de 3 % pour contrer la spéculation contre la livre. Pour ces deux pays alors en récession, une baisse des taux d'intérêt aurait été plus indiquée.

À la fin des années 1990, les monnaies de plusieurs pays asiatiques étaient à leur tour ballottées par le vent spéculatif. L'encadré 4.2 décrit le phénomène.

Encadré 4.2

UNE CRISE FINANCIÈRE LIÉE À LA VOLATILITÉ DES CAPITAUX ET À LA SPÉCULATION

La fin des années 1990 a été perturbée par une crise financière provoquée par la volatilité des capitaux et la spéculation. Cette crise, qui a surtout frappé les nouveaux pays industrialisés (*voir le chapitre* 12) d'Asie (Corée du Sud, Indonésie, Malaisie, Philippines, Thaïlande), est liée aux choix économiques effectués par des entreprises privées d'Amérique du Nord, d'Europe et du Japon.

Entre 1990 et 1996, les entrées de capitaux dans les nouveaux pays industrialisés d'Asie sont passées de 25 milliards de dollars à 110 milliards de dollars. Les entreprises et les spéculateurs étrangers y ont investi les profits réalisés sur les marchés boursiers occidentaux afin de diversifier leurs zones d'activité ; les banques internationales ont prêté à court terme aux banques locales sous forme de lignes de crédit destinées à financer le commerce extérieur. Au même moment, stimulés par la hausse du yen et attirés par la forte croissance de leurs voisins, les Japonais exportaient pour des milliards de dollars.

Au milieu des années 1990, les exportations de ces pays asiatiques diminuaient ; la baisse de la demande des semi-conducteurs employés dans l'industrie électronique des pays industrialisés et le ralentissement du commerce international, dont ils sont fortement dépendants, ont rétréci leurs marchés. Au même moment, leurs importations liées à la croissance économique augmentaient, détériorant la balance commerciale et la balance courante. À ces facteurs externes s'ajoutent des conditions internes : en Corée du Sud, en Indonésie, en Thaïlande, comme en Malaisie et aux Philippines, une forte spéculation dans le secteur immobilier, alimentée en partie par les capitaux étrangers, avait gonflé artificiellement les actifs des banques et des autres sociétés financières ; quand la bulle spéculative s'est dégonflée, les banques et les sociétés financières ont perdu des milliards de dollars, certaines d'entre elles étant alors acculées à la faillite. Les banques internationales qui avaient prêté à court terme aux banques locales ont choisi de ne pas reconduire leurs lignes de crédit, aggravant ainsi la crise financière.

Appréhendant une dépréciation des monnaies de ces pays, les spéculateurs retirèrent en masse leurs capitaux, provoquant alors une forte baisse des taux de change (entre juillet 1997 et février 1998, la dépréciation par rapport au dollar américain a atteint 51 % pour le peso philippin et 231 % pour la roupie indonésienne) et une chute des cours boursiers.

Pour réduire l'ampleur de ces activités, pour la plupart improductives (on échange de la monnaie pour de la monnaie), certains spécialistes, notamment l'économiste américain James Tobin et le Français Henri Bourguignat, ont suggéré l'idée d'instaurer une **taxe sur les opérations d'achat et de vente de devises**. La taxe, uniforme à l'échelle internationale, serait plus élevée quand la transaction est de courte durée. Condition essentielle à sa réussite, elle devrait faire l'objet d'un accord international et lier les pays membres, qui pourraient l'administrer sur les opérations effectuées sur leur territoire. Les revenus provenant de cette taxe (une taxe de 0,5 % générant environ 125 milliards de dollars de revenus annuels) devraient être versés à un fonds international, car les transactions concernent souvent plusieurs pays. (À ce sujet, voir *Finances et développement*, juin 1996, p. 24-29.)

Bien que les transactions du marché des changes aient le monde pour scène, il existe des lieux privilégiés où elles peuvent se réaliser : les places financières internationales et les places bancaires extraterritoriales (*off shore*).

4.3.3 Les places financières internationales

Les places financières internationales sont les lieux où s'effectuent les transactions internationales. Par définition, une transaction internationale fait intervenir au moins deux pays ; ainsi, deux filiales d'une même banque réalisent des transactions internationales quand elles s'échangent des capitaux à partir de deux pays différents. Les plus importantes places internationales sont situées dans les pays exportateurs de capitaux, liés au commerce de marchandises, ou remontent parfois à un passé colonial : Londres, New York, Tokyo, Paris, Francfort, Zurich.

Même si la Grande-Bretagne est devenue une puissance secondaire, Londres demeure la première place financière internationale. La capitale britannique conserve de son passé de riche puissance l'infrastructure nécessaire à la réalisation des opérations du marché international des capitaux (présence de banques et d'institutions connexes, moyens techniques, personnel compétent). Ces caractéristiques en font le lieu de détention et d'échange de capitaux provenant de l'extérieur du pays, une sorte de plaque tournante pour le marché des eurodevises* où est assurée l'intermédiation entre prêteurs et emprunteurs.

Une législation favorable aux transactions qui ne sont pas dirigées vers le marché intérieur fait de la capitale britannique une zone « franche » où les capitaux, attirés par les privilèges fiscaux, affluent. C'est aussi à Londres qu'est déterminé le LIBOR (London Interbank Offered Rate), à partir duquel sont établis les taux d'intérêt sur les prêts entre banques, de même que les émissions de crédit en euromonnaies.

4.3.4 Les places bancaires extraterritoriales

La forte expansion du marché international des capitaux, liée à l'apparition de l'euromarché*, a suscité la création de places financières particulières à l'extérieur des grands pays industrialisés : les places bancaires extraterritoriales (*off shore*). Créées de toutes pièces, celles-ci se spécialisent dans les opérations internationales ; les banques qui en font partie ne peuvent se livrer à aucune transaction sur le marché intérieur. L'expression *off shore*, souvent employée, trouve son origine dans l'activité des casinos-bars flottants ancrés au large des côtes américaines au temps de la prohibition (interdiction du commerce de l'alcool). La mise sur pied d'une filiale bancaire hors du pays où se trouve la société mère présente une analogie avec l'installation des services d'alcool hors de la zone visée par la loi ; la filiale est soumise aux lois et à la fiscalité de son lieu de résidence.

Les places bancaires présentent des avantages qui amènent les grandes banques à y exercer leurs activités, plutôt que sur les places financières des grands pays industrialisés.

Les avantages fiscaux

Le privilège fiscal conditionne à la fois l'existence de ces places et celle des paradis fiscaux (sur les places extraterritoriales, cependant, les opérateurs sont physiquement présents, tandis que dans un paradis fiscal, la présence des banques se limite à une boîte aux lettres, garante juridique de la présence bancaire). Certaines taxes, celles prélevées sur les commissions et les salaires, par exemple, et l'impôt sur le capital en sont complètement absents. En outre, l'impôt prélevé sur les bénéfices y est presque nul et celui prélevé sur les intérêts (principale source de revenu des banques) est beaucoup plus favorable que dans les pays d'origine de ces banques.

D'après l'OCDE, certaines places bancaires sont de véritables **paradis fiscaux** qui permettent aux entreprises — des pays développés surtout — d'échapper à l'impôt, détournant ainsi des milliards de dollars des coffres des gouvernements. Les sommes ainsi perdues creusent le déficit fiscal des gouvernements qui, pour régler le problème, recourent à des réductions massives de dépenses. **L'existence de ces paradis fiscaux a pour effet également de transférer une partie de la charge budgétaire vers la main-d'œuvre, les biens immobiliers et la consommation.**

Les avantages liés aux réglementations

Ces places échappent aux réglementations concernant la monnaie et le crédit propres à chaque pays. Les banques n'ont pas à maintenir de réserves à la banque centrale, ce qui améliore leur compétitivité sur le plan de la collecte des dépôts et de l'octroi des crédits ; elles peuvent accorder aux dépôts de leurs clients des taux plus élevés et fixer aux emprunteurs des taux moins élevés[2].

La plupart des pays exigent un minimum de dotations en capital pour l'ouverture d'une banque ; or, ces exigences sont moins élevées pour les places extraterritoriales. D'autres réglementations bancaires y sont relâchées, telle la surveillance des ratios (liquidités à maintenir sur les engagements, par exemple) que les banques sont tenues de respecter dans leur pays.

Les avantages géographiques

La situation géographique d'une place extraterritoriale est souvent un facteur capital. Sur le marché de l'asiadollar, Singapour et Hong-Kong offrent une situation stratégique ; sur le marché des pétrodollars, devises accumulées par les pays exportateurs de pétrole, le petit État de Bahreïn est un lieu privilégié pour accueillir les activités bancaires. En Europe, la Suisse et le Luxembourg occupent une place stratégique, comme les Bahamas, les îles Caïmans et la ville de New York sur le marché américain.

---

2. Par exemple, supposons qu'une banque américaine soit soumise à un coefficient de réserve obligatoire de 5 %. Si elle offre un taux de 6 % sur un certificat de dépôt de 90 jours et qu'une eurobanque offre un taux de 6,2 %, le coût effectif de son dépôt sera plus élevé que celui de l'eurobanque, malgré les apparences. Le coût du dépôt se mesure ainsi :

$$Cd = Id / (1 - r)$$
où Cd = coût effectif,
Id = intérêt du dépôt,
r = réserve obligatoire.

Soit : $\dfrac{6}{(100 - 5)}$ = 6,3 %

Ce calcul reflète le fait que la banque américaine perd l'intérêt potentiel sur le capital qu'elle ne peut prêter.

Résumé Les relations économiques entre un pays et le reste du monde sont résumées dans la balance des paiements. Celle-ci est un instrument précieux d'information sur la manière dont un pays s'inscrit dans l'économie mondiale.

La balance internationale des paiements est divisée en deux grands postes : la balance courante et la balance des capitaux. Le premier comprend la balance commerciale et la balance des invisibles ; le second décrit les entrées (engagements) et les sorties (créances) de capitaux entre un pays et le reste du monde.

La balance courante est la balance la plus importante de la balance des paiements, car les opérations qui y sont inscrites sont définitives, tandis que celles de la balance des capitaux donnent lieu à des revenus ou à des paiements ultérieurs. Un déficit de la balance courante doit être comblé par une entrée de capitaux qui sont porteurs de futurs paiements aux non-résidents qui détiennent ces capitaux.

Le taux de change est le taux de conversion d'une monnaie en toute autre monnaie. Il dépend de l'offre et de la demande sur le marché des changes. Toute transaction qui donne lieu à une demande de monnaie nationale tend à faire augmenter le prix de cette monnaie, tandis que les transactions qui occasionnent une offre de cette monnaie tendent à faire baisser le prix de celle-ci. Dans un système de taux de change flexible, le taux de change fluctue au jour le jour selon le marché, tandis que, dans un système de taux de change fixe, les autorités monétaires maintiennent le taux de change en vendant ou en achetant des devises sur le marché des changes.

Le marché des changes est le lieu où se négocient les prix des devises ; il est constitué d'un réseau électronique par lequel communiquent les intervenants. Les banques multinationales y jouent un rôle principal.

Les variations du taux de change ont des conséquences sur l'économie d'un pays. Une dévaluation (ou dépréciation) de la monnaie rend les produits nationaux plus compétitifs, ce qui peut amener une hausse de la croissance économique et une diminution du chômage, mais aussi des pressions inflationnistes. La réévaluation (ou appréciation) de la monnaie produit l'effet contraire.

Questions

1. Voici certaines données relatives à un pays (les données n'apparaissant pas sont considérées comme nulles).

- Exportations de marchandises, 200
- Investissements directs étrangers au pays, 10
- Dépenses de voyage à l'étranger, 20
- Dépenses de voyage des étrangers au pays, 15
- Intérêts et dividendes payés à l'étranger, 50
- Achats d'obligations du pays par des étrangers, 70
- Intérêts et dividendes reçus de l'étranger, 20
- Importations de marchandises, 170
- Investissements directs à l'étranger, 20
- Achats d'obligations étrangères par les habitants du pays, 20
- Accroissement des réserves officielles, 35

a) À partir des données présentées ci-dessus, calculez la balance commerciale, la balance courante et la balance des capitaux.

b) Quel jugement peut-on porter sur la position économique de ce pays?

2. Un résident du Canada achète une entreprise américaine installée au Canada. Le coût de la transaction s'élève à 20 milliards de dollars canadiens. Quand l'entreprise appartenait à des Américains, elle rapatriait annuellement 2 milliards de dollars canadiens aux États-Unis.

Quel sera l'effet de cette transaction sur le taux de change du dollar canadien à court terme et à plus long terme?

3. Voici une liste d'événements susceptibles de modifier l'offre ou la demande et le taux de change du dollar canadien.

- Des Québécois achètent une chaîne d'hôtels en Floride.
- Une mauvaise récolte oblige la Russie à acheter du blé canadien.
- Hydro-Québec emprunte 1 milliard à l'étranger.
- La Banque du Canada réduit les taux d'intérêt au pays.
- Une campagne publicitaire attire de nombreux touristes étrangers au Canada.
- La croissance économique du Canada entraîne une augmentation des achats de voitures fabriquées au Japon.
- Bombardier construit une usine à Pittsburgh.
- Vous recevez des dividendes d'une entreprise sise au Mexique.
- Une caisse de retraite allemande achète des obligations du gouvernement canadien.
- Hydro-Québec paie des intérêts à des créanciers suisses.

Pour chaque cas, répondez aux questions suivantes.

a) Qu'arrive-t-il aux entrées ou aux sorties de devises du Canada ?

b) Qu'arrive-t-il à la demande ou à l'offre de dollars canadiens ?

c) Qu'arrive-t-il au taux de change du dollar canadien ?

d) À quelle section de la balance des paiements la transaction appartient-elle (balance commerciale, balance des invisibles, investissement direct, investissement de portefeuille) ?

4. Comment la Banque du Canada peut-elle intervenir pour corriger une offre excédentaire de dollars canadiens :

a) dans un système de taux de change fixe ?

b) dans un système de taux de change flexible ?

5. Entre mars 1992 et avril 1993, l'excédent de la balance commerciale du Canada avec les États-Unis a augmenté de 2,7 milliards de dollars. Selon Statistique Canada, deux facteurs sont à l'origine de cette augmentation : la reprise de l'économie américaine et la baisse du dollar canadien. Expliquez cette position.

6. Analysez la balance des paiements du Canada depuis les dix dernières années. Quelles conclusions en tirez-vous ?

7. Depuis quelques années, le déficit du poste Voyages a été considérablement diminué. Expliquez cette évolution.

8. Calculez la valeur d'un dollar canadien dans chacune des monnaies suivantes :

a) un euro, qui vaut 1,50 $ CAN.

b) un dollar américain, qui vaut 1,45 $ CAN.

c) un rouble russe, qui vaut 0,06 $ CAN.

9. Supposons une diminution du taux de change du dollar canadien de 0,68 $ US à 0,65 $ US. Classez chacun des groupes suivants dans la catégorie des gagnants (G) ou des perdants (P).

a) Les hôteliers et les restaurateurs du Québec.

b) Les débiteurs canadiens envers des résidents américains.

c) Les entreprises canadiennes qui rapatrient des États-Unis des profits réalisés là-bas.

d) Les exportateurs canadiens de bois d'œuvre.

e) Les propriétaires de l'équipe de hockey Les Canadiens de Montréal.

10. *a)* Décrivez le fonctionnement du marché des changes.

b) Illustrez votre réponse en décrivant :

1) l'achat de vins français par un importateur canadien ;

2) l'achat d'actions de Microsoft par une caisse de retraite allemande.

11. Décrivez comment les opérations des agents de change sur le marché des changes exercent une influence sur les politiques des États.

12. Discutez des possibilités d'imposition d'une taxe sur les opérations de change.

13. Montrez le lien entre la spéculation sur les capitaux et la crise asiatique de 1997-1998.

14. *a)* Qu'est-ce qu'une zone extraterritoriale (*off shore*) ?

b) Pourquoi, dans leur cas, parle-t-on de « paradis fiscaux » ?

Thèmes de réflexion

● Les postes de la balance des paiements et le taux de change comme instruments d'évaluation de la performance économique d'un pays.
● La spéculation, les taux de change et la souveraineté des États.

Références bibliographiques

AGLIETTA, M., « Comment réguler les crises financières internationales », *Sciences humaines,* septembre-octobre 1998.

BANQUE DU CANADA, *Statistiques bancaires et financières.*

Cahiers français (Les), Supplément : Finances internationales, no 230, mars-avril 1987.

CHESNAIS, F., *La mondialisation du capital,* Paris, Éditions Syros, 1994.

Croissance, « Typhon sur l'Asie », no 411, janvier 1998.

DE LEERSNYDER, J.M., « Le marché des changes », *La Documentation française,* 1987, p. 1-2.

ÉTHIER, D. (dir.), *Mondialisation et régionalisation,* Montréal, Presses de l'Université du Québec, 1992, p. 242-253.

GREENSPAN, A., gouverneur du Federal Reserve Board, « Testimony before the joint committee », U.S. Congress, 29 octobre 1997.

LE PETIT, J.F., « Les places bancaires off-shore », *Revue Banque,* no 404, mars 1981, p. 291-300.

LEROUX, F., *Marchés internationaux des capitaux,* Montréal, PUQ/HEC-CETAI, 1994.

LEVY, B., *Les affaires internationales : l'économie confrontée aux faits,* Boucherville, Gaëtan Morin Éditeur, 1989.

MATHIESON, J., RICHARDS, A. et SHARMA, S., « Crises des marchés émergents », *Finances et Développement,* décembre 1998, p. 28-31.

McCONNELL, R.C., POPE, H.P. et TREMBLAY, G., *Économie globale,* Montréal, McGraw-Hill, 1994.

McQUAIG, L., *Shooting the Hippo. Death by Deficit and Others Canadian Myths,* Toronto, Penguin Books, 1996.

MOREAU, F., « Le casino monétaire international », dans C. DEBLOCK et J.M. SIROEN, *Le désordre monétaire international,* Paris, Hatier, 1991.

Problèmes économiques, no 2.080, 22 juin 1988, p. 2-4. (Article intitulé « Comment lire la balance des paiements », tiré de la revue française *Les Notes bleues.*)

SOROS, G., *La crise du capitalisme mondial,* Paris, Plon, 1998.

STATISTIQUE CANADA, *CANSIM II,* [en ligne : www.statcan.ca]

CHAPITRE 5

Le système monétaire international, de l'étalon-or à Bretton Woods

OBJECTIFS

APRÈS AVOIR LU CE CHAPITRE, L'ÉLÈVE SERA EN MESURE :

- de distinguer les fonctions d'un système monétaire ;
- de décrire le système de l'étalon-or et la transition vers le système de Bretton Woods;
- d'expliquer en quoi consiste le système de Bretton Woods ;
- de décrire le rôle du Fonds monétaire international ;
- de définir la monnaie du FMI, constituée par les droits de tirage spéciaux ;
- d'expliquer le déclin et la chute du système de Bretton Woods.

Au sein d'un pays, les échanges commerciaux se réalisent par l'intermédiaire de la monnaie, qui est le pivot du système monétaire admis par la communauté nationale. À l'échelle internationale, la question de la ou des monnaies que peuvent admettre la plupart des pays est un élément fondamental des échanges. De plus, se pose le problème de l'établissement des règles et des institutions qui doivent encadrer les relations économiques au niveau mondial.

Ce premier chapitre portant sur le système monétaire international présente la transition entre le système de l'étalon-or et le système de Bretton Woods. Nous y décrivons le fonctionnement de ce dernier système et nous établissons le lien entre les règles qui l'ont fondé et son effondrement au début des années 1970.

5.1 ● La monnaie et les échanges

Dans une économie de marché, les objets produits sont destinés à l'échange ; c'est à cette étape qu'ils deviennent des marchandises. La première forme d'échange, appelée troc, se réalisait sans intermédiaire : mon bœuf contre ton vin. Mais amener son bœuf chaque fois que l'on avait besoin de litres de vin n'était pas très pratique. Peu à peu, la monnaie est apparue; elle sert maintenant d'intermédiaire dans les échanges. Elle se présente aujourd'hui sous plusieurs formes: on connaît la monnaie métallique (pièces), la monnaie de papier (billets) et la monnaie scripturale (dépôts).

Par contre, il existe des substituts monétaires qui ne remplacent pas la monnaie mais en facilitent l'utilisation, telles les cartes de crédit et de débit. Mais qu'est-ce qui garantit que la forme de monnaie utilisée atteint l'objectif visé, soit, essentiellement, de régler la dette contractée dans l'échange? Cette garantie provient du lien social admis par les individus et les organismes qui utilisent cette monnaie; elle repose sur la confiance établie par la pratique en vigueur dans une société. Une monnaie ainsi basée sur la confiance est dite fiduciaire.

Chaque pays établit les règles et les structures de fonctionnement de son économie monétaire. Comme structures principales, les pays possèdent une banque centrale (la Banque du Canada, la Banque de France), organisme d'État responsable de la politique monétaire, ainsi qu'un système bancaire et financier assurant la création et la circulation de la monnaie sur le territoire. Par ses interventions auprès des banques privées, la banque centrale veille à l'émission d'une masse monétaire qui réponde aux besoins d'échange du marché: celle-ci ne doit toutefois pas trop dépasser ces besoins, car il pourrait s'ensuivre des pressions inflationnistes qui diminuent la valeur de la monnaie (le dollar vaut moins lorsque les prix montent, car il peut acheter moins de marchandises).

L'autorité monétaire garantit le cours forcé de la monnaie, c'est-à-dire le pouvoir légal d'éteindre les dettes. En ce sens, la banque centrale est responsable de la monnaie qu'elle émet. En outre, par le jeu des dépôts, les banques privées influent sur le processus de création de la monnaie.

5.1.1   Les rôles joués par la monnaie

Dans les divers pays du monde, la monnaie joue trois rôles. D'abord **unité de compte**, elle sert à mesurer la valeur; si, par exemple, 2 tracteurs coûtent 40 000 $ et que 20 têtes de bétail en coûtent autant, le rapport de valeur entre les deux marchandises sera de 10 têtes de bétail pour 1 tracteur. Ensuite, la monnaie est **réserve de valeur**; la valeur (ou pouvoir d'achat) se conserve et peut être placée en réserve sous forme de monnaie, généralement dans un établissement financier. La valeur de la monnaie dépend du niveau des prix dans l'économie : plus le niveau des prix est élevé, moins le pouvoir d'achat est grand ; plus il est bas, plus le pouvoir d'achat est élevé. Enfin, la monnaie est aussi un **moyen de paiement** : elle peut servir à liquider les dettes.

Par ailleurs, un quatrième rôle est attribué à la monnaie : celui de constituer un moyen d'échange entre les pays ; on parle alors de monnaie internationale. À ce niveau, les échanges réalisés par l'intermédiaire d'une monnaie sont beaucoup plus importants. Mais ce qui rend cette dernière fonction plus complexe, c'est justement le caractère international des transactions ; marchandises et capitaux circulent d'un pays à l'autre, rencontrant différents systèmes monétaires (dont les règles et les structures de base se ressemblent) et, surtout, différentes monnaies. Dès lors se pose le problème de la conversion des monnaies, c'est-à-dire de la détermination des règles qui permettent de passer d'une monnaie à l'autre et, donc, du taux auquel ce change peut être effectué (taux de change ou parité d'une monnaie).

Par exemple, l'exportateur canadien voudra savoir combien de dollars canadiens il recevra pour ses tonnes de papier ; s'il reçoit 1 200 $ US par tonne, il voudra connaître la valeur de cette somme en dollars canadiens. Le taux de change du dollar canadien par rapport au dollar américain lui fournira la réponse : si le dollar canadien vaut 0,70 $ US, 1 200 $ US valent $1\ 200 \times 1/0{,}70 = 1\ 710$ $ CAN. Cela semble simple à première vue. Mais comment sont régis ces taux de change et, surtout, quelles monnaies sont utilisées dans les échanges internationaux ? Le dollar canadien est-il accepté pour le commerce France–Chine ou Allemagne–Japon ?

Il appartient aux systèmes monétaires de répondre à de telles questions et, plus fondamentalement, d'émettre une monnaie internationale qui constitue un lien social non plus entre agents économiques d'un même pays, mais entre différents États, par l'entremise des agents économiques (entreprises, individus, institutions, etc.) représentant les pays participants.

Un système monétaire assume deux fonctions essentielles :
- il établit les règles qui permettent de passer d'une monnaie à l'autre (change) et qui définissent le taux de conversion des monnaies (taux de change) ;
- il doit assurer l'approvisionnement en monnaie (liquidité) à des fins commerciales (exportation-importation) et financières (investissement à l'étranger, placement international).

5.2   ● De l'étalon-or à Bretton Woods

5.2.1   Le système de l'étalon-or

Depuis le XIXe siècle, le monde a connu deux grands systèmes monétaires internationaux : le système de l'étalon-or et le système de Bretton Woods.

Le premier, le système de l'étalon-or, a existé du milieu du XIXe siècle jusqu'aux années 1910. Sous ce régime, les monnaies des pays concernés possédaient une équivalence fixe avec l'or, celui-ci constituant l'instrument international de paiement ; l'or circulait librement à l'intérieur des pays et les billets de banque pouvaient être convertis en or sur demande. Les parités entre les monnaies étaient fixes, et les pays déterminaient le cours de leur propre monnaie. Chaque pays maintenait des réserves d'or et, en principe, émettait des quantités de sa propre monnaie à partir de ces réserves. La masse monétaire d'un pays variait au gré des fluctuations qui se produisaient dans les réserves d'or que le pays accumulait lors des échanges avec les autres pays ; les réserves du pays augmentaient lorsque celui-ci exportait plus qu'il n'importait, et elles diminuaient lorsqu'il importait plus qu'il n'exportait.

Quand un pays connaît un déficit de sa balance des paiements et qu'il voit ses réserves d'or diminuer, il doit réduire sa masse monétaire ; cela fait baisser les prix, et les produits du pays deviennent plus concurrentiels sur les marchés extérieurs. Les prix auront ainsi tendance à baisser jusqu'à ce que les exportations rejoignent les importations puis les dépassent, ce qui provoque une entrée d'or au pays ; cela entraîne alors une augmentation de la masse monétaire et une croissance des prix jusqu'à ce que ceux-ci atteignent leur niveau initial. Dans un tel système, les ajustements de la balance des paiements s'effectuent sur le plan de l'économie intérieure par des ralentissements ou des augmentations de la croissance économique. La diminution de la masse monétaire correspondant à un déficit de la balance des paiements entraîne des pressions déflationnistes (baisse des prix et réduction de la croissance économique) ; l'augmentation de la masse monétaire aura un effet contraire (hausse des prix et hausse de la croissance économique). La figure 5.1 illustre ces mécanismes d'ajustement.

Figure 5.1 Mécanismes d'ajustement dans le système de l'étalon-or

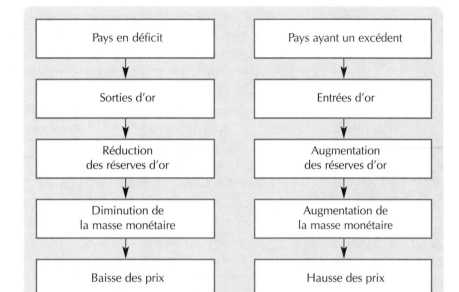

Le système de l'étalon-or s'est effondré en raison de la confusion engendrée par la guerre de 1914-1918. Les pays participants ont suspendu la convertibilité-or des billets de banque et supprimé le lien plutôt théorique entre la masse monétaire et les réserves d'or. Les dépenses de guerre étaient alors financées par une augmentation de la masse monétaire sans rapport avec ces réserves ; le processus provoqua de l'inflation dans tous les pays belligérants. Ces politiques inflationnistes entraînèrent à leur tour la dévaluation de plusieurs monnaies ; le mark allemand, par exemple, s'effondra : on passa alors d'une parité de 4,2 marks pour 1 dollar américain à 4 200 marks pour 1 dollar en 1923.

Selon plusieurs auteurs, le système de l'étalon-or a été, en fait, beaucoup plus le système de la livre sterling, étant donné le rôle joué par cette monnaie dans les échanges internationaux, à une époque où la Grande-Bretagne étendait son hégémonie* sur l'économie mondiale.

5.2.2   L'étalon de change-or

L'étalon de change-or fut un système de transition entre celui de l'étalon-or ou de la livre sterling et le système de Bretton Woods. La valeur des monnaies y était définie par rapport à une monnaie de référence, dont la valeur était elle-même définie par rapport à l'or; d'où l'expression « étalon de change-or ». Deux monnaies s'y imposaient comme monnaie de réserve : la livre sterling, en perte de vitesse, et le dollar américain, en position plus favorable. Elles étaient convertibles en or à un taux fixe; on pouvait donc les échanger contre une quantité d'or donnée.

Cependant, dès 1931, la Grande-Bretagne se voyait forcée de dévaluer sa monnaie; elle en suspendait la convertibilité* en refusant de verser l'or réclamé en échange des livres détenues à l'étranger. Le dollar américain restait donc à ce moment la seule devise convertible en or. Autour de cette puissance montante se constituait un bloc dollar formé du Canada, du Mexique, du Brésil, de l'Équateur et de la Colombie. D'autres blocs monétaires se formèrent : le bloc sterling autour de la Grande-Bretagne; autour de la France, le bloc de l'or, qui disparut en 1938. Le bloc dollar suivit le dollar américain lorsque celui-ci fut dévalué de 40 % (on passa de 20,67 $ l'once d'or à 35 $ l'once) le 31 janvier 1934. La valeur du dollar fut alors fixée à 0,888 gramme d'or, soit 35 $ l'once, taux qui s'est maintenu jusqu'en décembre 1971.

Cette transition entre deux systèmes a été une période de grands désordres monétaires. Aux prises avec la grande crise économique des années 1930 et son cortège de chômage, de fermetures d'usines et de faillites d'entreprises, la plupart des grands pays ont réagi en essayant d'exporter leur chômage chez leurs voisins, ce qui explique les nombreuses dévaluations qui se sont succédé. Chacun des pays cherchait alors à protéger son marché intérieur contre l'entrée de produits étrangers et à améliorer la position concurrentielle de ses produits sur les marchés extérieurs.

La grande crise économique fut suivie d'une crise militaire à l'échelle internationale : la Seconde Guerre mondiale (1939-1945). Vers la fin de cette guerre, les Alliés (États-Unis, France, Angleterre, ex-URSS, etc.) se réunirent dans le but de définir de nouvelles règles, un nouveau système.

5.3   ● Le système de Bretton Woods

Du 1er au 22 juillet 1944, une conférence internationale organisée sous les auspices des Nations Unies se tenait à Bretton Woods, petite municipalité du New Hampshire. Mille délégués de 44 pays (dont l'ex-URSS, qui finira par refuser de s'intégrer au nouveau système) ont collaboré à la mise sur pied d'un nouveau système monétaire international.

La constitution d'un système monétaire international nécessite un consensus autour de plusieurs questions :

- Doit-il y avoir une monnaie internationale? Si oui, laquelle : l'or, une monnaie nationale ou une nouvelle monnaie?
- Comment définir la valeur de chaque monnaie nationale par rapport aux autres?
- Qui veillera au respect des engagements pris par les pays participants?

Les délégations cherchèrent à répondre à ces questions et visèrent l'atteinte des objectifs suivants :

- élaborer de nouvelles règles qui garantissent la convertibilité des monnaies à des taux fixes;
- assurer le financement du commerce international et des mouvements de capitaux;
- établir une structure qui veille à l'application de ces nouvelles règles et qui garantisse l'approvisionnement en liquidité (monnaie) internationale.

Deux plans furent proposés à cet effet : le plan Keynes, du nom de l'économiste britannique John Maynard Keynes, et le plan White, du nom de Harry White, économiste du Trésor américain. Commençons d'abord par le plan Keynes, qui regroupe les principales propositions soumises par Keynes lui-même lors de ces négociations. Il est important d'en connaître les principes, car ceux-ci n'ont pas cessé d'alimenter les discussions portant sur la réforme du système monétaire international.

5.3.1 Le plan Keynes

Pour l'économiste anglais, l'objectif principal du système monétaire international est d'assurer que la monnaie obtenue par la vente de marchandises à un pays puisse être dépensée en achetant des produits de tout autre pays. Keynes préconise la création d'une monnaie universelle valable pour les opérations commerciales dans le monde entier. Cette monnaie, qu'il nomme «bancor*», serait émise par une autorité monétaire internationale, une sorte de banque mondiale, un peu à la manière dont la Banque du Canada gère l'émission de la monnaie canadienne. Comme les monnaies nationales, le bancor serait une monnaie fiduciaire* qui ne serait pas liée à une réserve d'or, ni dépendante du déficit de la balance des paiements d'un pays, comme dans la formule proposée par les États-Unis.

La valeur du bancor serait définie en unités d'or, mais cette monnaie ne pourrait être convertie en or à la demande de ses possesseurs. De cette manière, Keynes voulait assurer l'approvisionnement en liquidité (moyen de paiement) nécessaire à l'expansion du commerce international.

Le plan Keynes repose sur la création d'une autorité monétaire supranationale : l'International Clearing House. Celle-ci est un système bancaire qui, à l'image du mécanisme appliqué par l'Union européenne aux paiements dans les années 1950, ouvre des comptes à ses clients (les banques centrales) sans aucun versement de fonds préalable. Chaque « client », c'est-à-dire chaque État participant, se voit assigner un quota qui peut être égal, par exemple, à 75 % de son commerce extérieur ; ce montant sera son solde débiteur maximal, c'est-à-dire la somme maximale qu'il pourra emprunter pour couvrir sa balance des paiements. Tous les clients pourront ordonner des virements de compte à compte, chaque virement donnant lieu à l'inscription d'un débit au compte du payeur et d'un crédit au compte du bénéficiaire. Mais les soldes créditeurs ne pourront être retirés en échange de stock d'or ni transférés hors du système. Ces soldes créditeurs devront demeurer dans le système pour financer les soldes débiteurs des pays en déficit.

Cette méthode ressemble à celle qui existe dans les systèmes bancaires nationaux. Une banque y utilise les fonds des uns (les soldes créditeurs) pour prêter aux autres (ce qui crée les soldes débiteurs). C'est la base du système de crédit et du processus de création de monnaie. Keynes propose d'appliquer le système à l'échelle internationale ; les individus et les sociétés privées y sont remplacés par des États et la monnaie nationale, par le bancor. Ici, la vente de fromages français à un marchand canadien se traduirait par : 1° l'inscription d'un débit en bancors au compte canadien et 2° l'inscription d'un crédit en bancors au compte de la France. Cette dernière pourrait ensuite transférer la somme aux États-Unis pour financer l'achat de micro-ordinateurs américains, par exemple.

Dans un tel système, l'équilibre des changes est lié aux soldes des pays. Lorsque le solde débiteur dépasse le quart du quota national, le pays peut dévaluer sa monnaie jusqu'à 5 % ; d'autres mesures sont envisagées si le solde débiteur dépasse la moitié du quota.

5.3.2 Le plan White

Le plan Keynes soumettait la monnaie de chaque pays à une monnaie internationale, et chaque banque centrale aux disciplines imposées par une banque supranationale. Il fut rejeté en partie à la faveur du plan soumis par les États-Unis qui, on le verra, proposeront leur propre monnaie, émise par leur propre banque centrale. Le rapport des forces à l'échelle mondiale penchait alors en leur faveur.

En 1944, en effet, les États-Unis sont au sommet de leur puissance et exercent leur hégémonie tant sur le plan économique que sur le plan militaire. Ils réalisent alors la moitié de la production industrielle mondiale et ils sont les premiers exportateurs de capitaux et de marchandises au monde. Bretton Woods viendra consacrer leur domination : **le plan américain deviendra le nouveau système monétaire international.**

Au lieu de la monnaie supranationale suggérée par le plan britannique, le plan White propose comme monnaie internationale une monnaie nationale : le dollar américain[1]. Ce dernier jouit alors du plus fort gage métallique (convertibilité en or), car les États-Unis détiennent à ce moment les trois quarts du stock d'or monétaire mondial. Et au lieu d'une autorité monétaire supranationale, telle la Chambre de compensation universelle proposée par Keynes, l'institution qui remplira la fonction d'émettre la monnaie internationale sera une autorité nationale, soit le Federal Reserve Board (la banque centrale américaine). Avec ce plan, tout est déplacé du supranational au national, c'est-à-dire aux États-Unis.

Les traits essentiels du système de Bretton Woods sont les suivants :

- **le dollar américain devient avec l'or le moyen de paiement international;**
- **la valeur des autres monnaies se détermine par rapport au dollar américain, et la valeur de celui-ci se définit par rapport à l'or dans un régime de taux fixes (1 $ canadien = 0,92 $ américain = 0,92 x 1/35 once d'or) ; les pays participants doivent s'assurer que leur monnaie ne s'écarte pas de plus de 1 % de la parité officielle ;**
- **enfin, règle fondamentale, le dollar est convertible en or au prix de 35 $ l'once, déterminé le 31 janvier 1934 ; le Federal Reserve Board assure sur demande la conversion en or des dollars détenus par les banques centrales des autres pays.**

Pour maintenir l'ordre dans le système, la Conférence décide de créer le Fonds monétaire international (FMI).

---

1. Pour qu'une monnaie nationale puisse devenir une liquidité internationale, le pays qui l'émet doit accepter qu'elle soit détenue par des non-résidents et doit aussi accepter le déficit de la balance des paiements nécessaires pour alimenter le marché ; c'est le côté de l'offre. Du côté de la demande, les détenteurs potentiels doivent avoir confiance en cette monnaie et profiter de possibilités de placement importantes sur le marché du pays qui l'émet. La confiance repose sur la valeur interne de la monnaie (liée à la maîtrise de l'inflation) et sur sa valeur externe (liée à la stabilité du taux de change par rapport aux principales monnaies). Il s'agit de conditions auxquels le dollar répondait à cette époque.

5.3.3 Le Fonds monétaire international

Créé en 1946, le FMI entre en activité le 1er mars 1947. Il compte alors 39 États membres sur les 44 pays présents à la Conférence de Bretton Woods ; l'Australie, la Nouvelle-Zélande, le Liberia, Haïti et l'ex-URSS n'en font donc pas partie. Selon l'article 1 des statuts, les objectifs du FMI sont les suivants :

1. Promouvoir la coopération monétaire internationale [...].
2. Faciliter l'expansion et l'accroissement harmonieux du commerce international [...].
3. Promouvoir la stabilité des changes [...].
4. Favoriser l'établissement d'un système multilatéral de règlement des transactions courantes entre les États membres, et l'élimination des restrictions de change qui entravent le développement du commerce international.
5. Donner confiance aux États membres en mettant les ressources du Fonds temporairement à leur disposition moyennant des garanties appropriées, leur procurant ainsi la possibilité de corriger les déséquilibres de leur balance des paiements sans avoir recours à des mesures préjudiciables à la prospérité nationale ou internationale.

Le rôle du FMI est donc de maintenir les parités fixes entre les monnaies des pays membres et de financer « temporairement » les déséquilibres des balances des paiements pour éviter des dévaluations en chaîne « préjudiciables à la prospérité nationale ou internationale ». Par ces règles, le nouveau système veut empêcher les dévaluations massives comme celles qui se sont produites dans les pays industrialisés à partir des années 1930, alors que chacun cherchait à exporter la crise et « son » chômage chez le voisin.

Les parités des monnaies sont établies par rapport au dollar américain et à l'or. Tout changement de parité doit être soumis au FMI pour approbation. Si un pays en difficulté veut dévaluer sa monnaie de plus de 10 %, il ne peut le faire sans l'autorisation du Fonds ; de même, si la dévaluation est inférieure à 10 %, le pays est tenu d'en informer le FMI.

5.3.4 Le financement du FMI

Le FMI est financé à partir des souscriptions des pays membres. La quote-part de chacun est fonction de sa richesse relative (pourcentage du PNB), de la croissance de ses exportations et de ses avoirs en dollars et en or. Elle est constituée à l'origine de 25 % d'or (la tranche-or) et de

75 % de la monnaie du pays[2]. Le Fonds est doté au départ d'un capital de 7,7 milliards de dollars.

C'est à partir de sa quote-part qu'un pays se voit accorder un droit de vote concernant les décisions du Fonds. Plus la contribution d'un pays est élevée, plus ce pays a de poids dans les décisions ; chaque pays dispose de 250 voix auxquelles s'ajoute une voix par tranche de 100 000 DTS (droits de tirage spéciaux, qui constituent la monnaie du FMI). Les décisions importantes, comme celles concernant l'interprétation des statuts de l'organisation et l'augmentation des quotes-parts, doivent recueillir 85 % des voix. Dès le début, les États-Unis ont bénéficié du privilège de veto : aucune décision importante ne peut être prise sans leur consentement, car leur droit de vote est, depuis le début, supérieur à 15 %.

Comme l'indique le tableau 5.1, parmi les 184 membres, les sept grands pays industrialisés détiennent presque la moitié des quotes-parts (46,32 % du total).

La seconde partie du tableau présente les quotes-parts détenues en 1944. Les deux grandes puissances de l'époque, les États-Unis, au sommet, et la Grande-Bretagne, en déclin, ont vu, depuis, réduire leurs parts suivant leur déclin relatif sur les plans de la production et du commerce extérieur.

Les quotes-parts des divers pays sont révisées tous les cinq ans. En juillet 1999, les pays membres ont accepté une onzième révision, portant les quotes-parts de 145,6 milliards de DTS (202 milliards de dollars américains) à 212 milliards de DTS (297 milliards de dollars américains) ; en août 2003, elles s'élevaient à 212,8 milliards de DTS.

L'accès aux ressources

Les ressources du Fonds peuvent être utilisées par les pays membres qui ont besoin d'aide financière à court terme. Tout membre dispose de droits de tirage sur ses réserves ; chacun pourra tirer 125 % de la quote-part qu'il a versée pour son adhésion. Les droits de tirage se divisent en cinq tranches de 25 %. Seule la première tranche, dite tranche-réserve, peut être tirée sans condition. On parle dans ce cas de droits de tirage nominaux ou inconditionnels. Lorsqu'un pays veut s'en prévaloir, le Fonds lui remet cette tranche de sa position dans la devise dont il a besoin ; en retour, le pays doit fournir au Fonds 25 % de sa propre monnaie.

---

2. Depuis l'abolition du prix officiel de l'or en 1976, la tranche-or a disparu ; elle a été remplacée par la tranche-réserve, composée de monnaies de réserve (dollar américain, euro, yen, livre sterling) ou DTS.

Tableau 5.1 Quotes-parts des sept grands pays industrialisés[a]

Au 15 août 2002		
(en millions de DTS[b])		
Pays	**Montant**	**% du total**
États-Unis	37 149,3	17,47
Japon	13 312,8	6,27
Allemagne	13 008,2	6,11
France	10 738,5	5,05
Royaume-Uni	10 738,5	5,05
Italie	7 055,5	3,31
Canada	6 369,2	3,00
Total G7	98 372,0	46,3
Total FMI (184 membres)	212 666,1	100,0
À l'origine (1944)		
Pays		**% du total**
États-Unis		31,3
Japon		0,0
RFA		0,06
France		5,1
Grande-Bretagne		14,8
Italie		0,0
Canada		3,4

a. Selon la décision du Conseil des gouverneurs du Fonds (11e révision générale).
b. Les DTS, c'est-à-dire les droits de tirage spéciaux, sont des unités de compte utilisées dans les opérations auprès du FMI. Le 19 août 2002, un DTS valait 1,3230 $ US.

Source : FMI, *Bulletin,* supplément septembre 2002.

Par exemple, si le Canada veut retirer un milliard de dollars américains, il doit, en retour, verser au Fonds l'équivalent en dollars canadiens. Le Fonds détient alors un surplus de dollars canadiens par rapport au quota de départ ; ce surplus disparaîtra lorsque le Canada rachètera ses dollars en cédant des dollars américains ou lorsqu'un autre pays demandera au Fonds des dollars canadiens.

Un pays peut tirer quatre autres tranches de crédit, chacune équivalant à 25 % de sa quote-part, à raison d'une tranche par année ; pour tout tirage au-delà de la première tranche, un accord de confirmation (dit accord *stand-by*) soumis à des conditions imposées par le Fonds (politiques économiques souvent restrictives, taux de change, etc.) est requis. Le mécanisme des accords élargis est destiné aux pays membres qui éprouvent des difficultés dites structurelles ne pouvant être éliminées sur une courte période. D'autres formes de crédit sont également offertes, qui répondent à des besoins particuliers de certains pays (réduction de la pauvreté, besoins exceptionnels de financement à court terme, etc.).

Encadré 5.1

UNE CRITIQUE EN RÈGLE DU FMI

Prix Nobel d'économie et ex-économiste en chef de la Banque mondiale, Joseph Stiglitz, dans un livre percutant (*La grande désillusion*, 2002), se livre à une critique en règle des politiques et de la structure du FMI. Il dénonce le « fanatisme du marché » que prônent les économistes du FMI. D'après cette idéologie, le marché livré à lui-même mènera les pays en difficulté à l'équilibre, contrairement à la thèse exposée par l'économiste John Maynard Keynes au milieu des années 1930. Celui-ci (*voir l'encadré 1.1*) oppose au « laisser-faire » prôné par les économistes classiques la nécessité de l'intervention de l'État dans l'économie pour corriger les faiblesses du marché. Les politiques du FMI visaient à l'origine à stimuler la croissance et le développement des pays qui requerraient son aide en leur assurant les fonds nécessaires. Cette orientation a été détournée par des économistes partisans du « laisser-faire », qui cherchent plutôt à appliquer partout où ils interviennent les mêmes politiques restrictives (réduction des dépenses publiques, hausse des taux d'intérêt, etc.) et de privatisation des entreprises et services publics.

Cette orientation a amené des résultats catastrophiques en Russie, en Amérique latine et dans les pays d'Asie soumis à une crise financière à la fin des années 1990 (*voir l'encadré 4.2*). Au lieu de chercher à stimuler la croissance, le FMI a entraîné ces pays dans la récession, accentuant les problèmes sociaux (chômage, pauvreté, etc.) et menant souvent à de graves crises politiques.

D'après Joseph Stiglitz, la structure du pouvoir au sein de l'organisation (le contrôle exercé par les responsables économiques des grands pays développés et le droit de veto américain) a transformé la mission du FMI, qui vise maintenant davantage à protéger les intérêts de la communauté financière qu'à assurer le développement des pays sous sa juridiction.

5.3.5 Les droits de tirage spéciaux

Aux droits de tirage « ordinaires » dont nous venons de parler s'ajoutent, depuis 1969, des droits de tirage « spéciaux » (DTS) qui constituent une monnaie internationale. Les DTS sont le plus important des mécanismes de crédit établis par le FMI. Ce mécanisme a été amené par **le premier amendement aux statuts du Fonds**, adopté par l'Assemblée générale de 1968 et ratifié en juillet 1969. La création par le FMI de cette monnaie internationale vise à réduire la pénurie de réserves monétaires internationales ; en 1967, celles-ci représentaient seulement 36 % des échanges internationaux, contre 57 % en 1958. Un nouvel instrument monétaire s'avérait donc nécessaire pour financer les échanges.

Les DTS sont venus s'ajouter aux réserves initiales alimentées par les quotes-parts alors versées en or et en devises. Ils sont répartis entre les membres proportionnellement à leur quote-part. Mais contrairement au cas des droits de tirage « ordinaires », pour lesquels chaque tirage doit être remboursé en monnaie du pays, depuis 1981, aucun versement n'est requis en contrepartie pour les DTS.

L'originalité des DTS est justement de permettre des tirages sans contrepartie. En ce sens, ces droits ne sont rien d'autre qu'un jeu d'écriture permis par le FMI. La banque centrale de chaque pays participant inscrit au passif* de son bilan les DTS qu'elle reçoit et inscrit à son actif* les DTS qu'elle détient. **Fait important, le DTS n'est pas une monnaie susceptible d'être utilisée dans les paiements entre les pays membres du FMI ; il constitue seulement un droit de se procurer une telle monnaie** (on peut parler de quasi-monnaie). Il appartient au FMI de désigner le pays qui sera obligé d'accepter les DTS et de fournir en contrepartie les devises demandées.

Par exemple, si le Canada veut échanger des DTS contre des dollars américains et que le FMI désigne le Japon comme fournisseur, celui-ci devra remettre les dollars exigés et accepter les DTS. Le FMI désigne les États membres en fonction de la solidité de leur balance des paiements et de leurs réserves. Toutefois, un État membre n'est plus obligé de fournir de la monnaie lorsque ses avoirs en DTS atteignent le triple de son allocation cumulative nette, même si le FMI peut convenir avec lui d'une limite plus élevée.

Le pays qui reçoit les DTS verra changer la composition de ses réserves ; dans notre exemple, les réserves japonaises comporteront plus de DTS et moins de dollars américains. Mais quelle est la valeur de cet actif de réserve dont la part vient d'augmenter? Autrement dit, quel est le taux de change du DTS?

Au départ, la valeur du DTS a été définie en or: un DTS vaut 0,888 gramme d'or, soit le poids correspondant à un dollar américain. En 2002, elle a été déterminée par un panier de quatre monnaies: le dollar américain, l'euro, le yen japonais et la livre sterling.

Le calcul du DTS est décrit dans l'encadré 5.2.

Encadré 5.2

LA COMPOSITION DU DTS AU 19 AOÛT 2002

Pays	Monnaie	Pondération	Poids relatif	Taux de change[a]	Équivalent en dollar É.-U.
États-Unis	Dollar	45	0,577	1,0	0,577000
Union européenne	Euro	29	0,426	0,9806	0,417736
Japon	Yen	15	21,0	118,67	0,176961
Royaume-Uni	Livre sterling	11	0,0984	1,538	0,151339

Source: FMI, *Bulletin,* supplément septembre 2002.

Le 19 août 2002, le DTS valait donc 1,323036 $ US.

a. Le taux moyen du yen est exprimé en yens par dollar, ceux des autres monnaies en dollar par unité monétaire.

L'encadré 5.3, pour sa part, présente les activités de la Banque mondiale et de ses filiales.

Encadré 5.3

LA BANQUE INTERNATIONALE POUR LA RECONSTRUCTION ET LE DÉVELOPPEMENT

La Banque internationale pour la reconstruction et le développement (BIRD), ou Banque mondiale, a été instituée à Bretton Woods en même temps que le FMI. Son objectif, comme son nom l'indique, était de fournir l'aide nécessaire à la reconstruction de pays européens. Par la suite, elle s'est tournée vers le financement de projets dans les pays en développement.

La Banque mondiale est financée par les pays membres (plus de 180 en 2002) et emprunte des capitaux sur les marchés internationaux. Elle est fortement dépendante des États-Unis et le poste de président a été jusqu'ici réservé à un Américain.

La Banque mondiale octroie aujourd'hui des prêts publics aux grands secteurs d'activité, principalement à l'agriculture, à l'énergie et aux transports.

Les filiales

La Banque mondiale a deux filiales : la Société financière internationale et l'Agence internationale pour le développement.

La Société financière internationale (SFI) a été créée en 1956. Son objectif premier est d'encourager les investisseurs locaux et étrangers à placer leurs capitaux dans les entreprises privées des pays en développement. En 1987, la Société octroyait à cette fin 790 millions de dollars américains.

L'Agence internationale pour le développement (AID) a été créée en 1960. Par son entremise, la Banque consent des prêts pour le financement de projets dans des pays qui ne peuvent recourir à d'autres sources. L'objectif de l'AID est d'avancer des fonds à des conditions minimales, c'est-à-dire à des taux d'intérêt presque nuls.

En tant que bailleur de fonds, la Banque mondiale coordonne ses opérations avec celles du FMI. Les prêts ne peuvent être accordés qu'aux membres du FMI et ils sont soumis aux conditions que celui-ci impose. Ainsi, les États dont la politique ne souscrit pas aux orientations de la Banque et du FMI se verront couper les fonds. Tel a été le cas du Chili sous la présidence de Salvador Allende de 1970 à 1973. Par ailleurs, après le coup d'État du 11 septembre 1973, la Banque mondiale a rouvert ses coffres à la dictature militaire du général Pinochet.

5.4 ● De Bretton Woods à la crise de 1971

Le système issu de la Conférence de Bretton Woods porte les germes de sa propre destruction. Il repose sur la stabilité de parités fixes et, d'abord et avant tout, sur celle du dollar américain par rapport à l'or. C'est le gage de la convertibilité. Cela signifie que les États-Unis pourraient convertir en or les dollars détenus à l'étranger au taux de 35 $ l'once. Or, cette fonction entre directement en contradiction avec le rôle du dollar en tant que monnaie internationale. Car, pour assurer les liquidités nécessaires à l'expansion du commerce international et des mouvements internationaux de capitaux, les États-Unis doivent connaître des déficits de la balance des paiements financés grâce à l'émission de monnaie nationale par le Federal Reserve Board; dans la situation contraire (c'était la crainte de Keynes), en cas de surplus de la balance des paiements, un moins grand nombre de dollars circuleraient à l'étranger, les liquidités internationales s'épuiseraient et le commerce entre les pays serait alors ralenti.

Mais la création de liquidités internationales par simple décision de la banque centrale américaine accorde aux États-Unis un privilège important : ceux-ci peuvent payer leurs déficits avec leur monnaie, que les pays étrangers acceptent comme réserve de change. Le Federal Reserve Board n'a qu'à imprimer des dollars pour financer les dépenses américaines à l'étranger. Cela équivaut à signer temporairement un chèque en blanc pour acheter des produits étrangers, et ce, tant et aussi longtemps que les pays vendeurs ne réclament pas la conversion en or des dollars accumulés. C'est là ce qu'on appelle le seigneuriage américain.

C'est ce privilège qui a permis aux États-Unis d'importer plus qu'ils n'exportent, d'investir à l'étranger, de financer la guerre de Corée (1950-1953) puis la guerre du Viêtnam (1965-1975) à crédit, et d'accroître ainsi le nombre des dollars américains détenus à l'étranger. Et plus les dollars s'accumulaient dans les coffres des autres pays, plus la possibilité de les convertir en or diminuait; en outre, la confiance dans le dollar s'estompait peu à peu. C'est la contradiction essentielle du système de Bretton Woods et la source de son effondrement en 1971.

5.4.1   Les accords de Bretton Woods en pratique : 1944-1960

La période 1944-1960 est l'époque où le système fonctionne selon les règles convenues, mais non sans problème. Seul le dollar américain est effectivement convertible en or, en ce sens que le Trésor américain détient suffisamment de réserves pour racheter les dollars détenus à l'étranger (*voir le tableau 5.2*). Le dollar est *as good as gold*, c'est-à-dire aussi bon que l'or. Le Federal Reserve Board joue son rôle de banque émettrice de monnaie mondiale; les États-Unis pourront ainsi financer la reconstruction de l'Europe et du Japon, notamment avec le plan Marshall. Les dollars américains sont transférés à l'étranger par milliards et s'imposent comme la monnaie internationale par excellence.

Par ailleurs, la stabilité des taux de change est fort relative. En 1948, la France dévalue sa monnaie, tandis qu'en 1949 la Grande-Bretagne réduit la valeur de la livre de 30 %, sans que le FMI n'intervienne pratiquement. Le rôle de celui-ci est effacé, son objectif étant, rappelons-le, de veiller à la stabilité des changes. Certains parlent, pour cette période, de «pseudo-fonctionnement du système».

5.4.2   La détérioration et l'effondrement du système : 1960-1971

Durant la période précédente, le stock d'or des États-Unis a chuté régulièrement, tandis que le nombre des dollars détenus à l'étranger augmentait.
Le tableau 5.2 illustre la position américaine vis-à-vis du gage-or du dollar.

Tableau 5.2   Gage métallique du dollar américain

| Année | (en milliards de $ US) | |
	Stock d'or des États-Unis	Dollars détenus à l'étranger[a]
1946	20,7	6,1
1957	22,8	14,0
1960	18,8	18,7
1965	14,1	24,8
1968	10,9	30,1
1971	11,1	55,2
1972	10,5	61,0

a. Engagements extérieurs à court terme.

Source : FMI, *Statistiques financières internationales*.

En 1946, la valeur du stock d'or détenu par les États-Unis est plus de
trois fois supérieure à celle représentée par les dollars détenus à l'étranger ; 14 années plus tard, ce stock couvre à peine ces derniers. Pour le
système de Bretton Woods, c'est un signal d'alarme qui annonce le début
de la fin. En octobre 1960, le dollar est l'objet d'une première spéculation. Les banques centrales étrangères demandent la convertibilité de
leurs dollars en or ; les particuliers, de leur côté, hésitent à conserver leurs
dollars et préfèrent acquérir de l'or sur le marché libre, ce qui en fait augmenter le prix, alors que le système monétaire en suppose la fixité.

Face à ces difficultés et sous la pression des États-Unis, la Grande-
Bretagne, la République fédérale d'Allemagne, la France, la Belgique et
les Pays-Bas constituent le **pool de l'or.** Celui-ci s'engage à intervenir sur
le marché de l'or de Londres en fournissant à la Banque d'Angleterre les
devises ou l'or nécessaires pour maintenir le cours du dollar à 35 $
l'once. Ainsi, lorsque les pressions à la hausse sur le prix de l'or ou à la
baisse sur celui du dollar seront trop fortes, les banques centrales de ces
pays vendront de l'or ou achèteront des dollars américains.

Malgré ce soutien, la situation n'a pas cessé de se détériorer; les dollars ont continué d'affluer sur les marchés extérieurs. En mars 1967, la France se retire du pool de l'or et réclame la conversion en or de ses avoirs en dollars. À la fin de 1967, la spéculation reprend et la vente d'or par les gouvernements, en contrepartie d'achats de dollars, devient de plus en plus onéreuse. Face à ces difficultés et devant la diminution des réserves d'or américaines, les engagements pris en 1961 ne peuvent plus tenir; en mars 1968, le pool de l'or disparaît. Le dollar n'est déjà plus convertible et le stock d'or détenu par le Federal Reserve Board ne représente plus que le tiers des dollars détenus à l'étranger. On doit alors faire un compromis pour retarder l'échéance rendue inévitable; un **double marché** est instauré pour l'or : un marché libre, où le prix de l'or varie selon l'offre et la demande, et un marché « officiel » entre les banques centrales, où l'or se paie 35 $ l'once. Ce compromis met pratiquement fin à la convertibilité du dollar.

Le 15 août 1971, le président Nixon le confirmera officiellement en décrétant l'inconvertibilité du dollar en or. À ce moment, les réserves d'or américaines ne comptent plus que pour le cinquième des dollars détenus à l'étranger. C'est la fin du système de Bretton Woods.

* * *

Les règles fixées en 1944 contenaient le germe de cet échec. Le déficit de la balance des paiements américaine devait alimenter le marché mondial en liquidités internationales. Et la position extérieure des États-Unis n'a cessé de se détériorer tout au long des années 1960, provoquant cet afflux de dollars sur les marchés étrangers. À l'origine de la dégradation de la balance des paiements américaine, on trouve les facteurs suivants :

- les dépenses gigantesques effectuées pour financer la guerre du Viêtnam et l'inflation que ces dépenses improductives ont entraînée aux États-Unis;
- les sorties de capitaux à titre d'investissements étrangers;
- l'affaiblissement de la position concurrentielle du pays face à la remontée de l'Europe et du Japon, et la détérioration conséquente de la balance commerciale.

Le déclin relatif de la puissance américaine a entraîné dans son sillon l'affaiblissement de la monnaie des États-Unis; malheureusement pour le système monétaire international, le dollar américain, comme il en a été convenu à Bretton Woods, était la monnaie internationale.

Résumé   Un système monétaire international établit les règles qui permettent de passer d'une monnaie à une autre et veille à l'approvisionnement en monnaie pour les opérations commerciales et financières internationales. Différents systèmes ont existé. Du xixe siècle jusqu'au début du xxe siècle, c'est le système de l'étalon-or qui a prédominé ; il était basé sur l'utilisation de l'or comme monnaie internationale et comme étalon de mesure des différentes monnaies.

Après la période de bouleversements économiques et monétaires des années 1930, suivie de la Seconde Guerre mondiale, un nouveau système voyait le jour en 1944 : le système de Bretton Woods. Ce système était basé sur l'or et le dollar américain ; la valeur des monnaies y était définie par rapport au dollar, ce dernier équivalant lui-même à une quantité fixe d'or. Le nouveau système s'est doté d'une institution centrale, le Fonds monétaire international, chargé de faire respecter les divers accords signés par les pays membres, dont celui de maintenir des taux de change fixes.

Le système de Bretton Woods reposait sur la convertibilité du dollar à un taux fixe ; selon les règles de ce système, les taux de change des monnaies devaient demeurer fixes et ne pouvaient varier de plus de 10 % sans l'accord du FMI. Mais le dollar américain, sur lequel reposait le système, a été constamment miné par les déficits de la balance des paiements des États-Unis ; vers le milieu des années 1960, il était devenu pratiquement inconvertible.

Après quelques tentatives infructueuses pour soutenir le dollar (pool de l'or, double marché de l'or), le gouvernement américain en suspendait la convertibilité au mois d'août 1971. En décembre de la même année, le dollar était dévalué une première fois ; dès lors, le système de Bretton Woods cessait d'exister. Depuis ce temps, le système monétaire international est en crise, en ce sens que le système de Bretton Woods n'a pas été remplacé.

Questions

1. Quels sont les rôles d'une monnaie?

2. Qu'est-ce qu'un système monétaire international?

3. Décrivez le fonctionnement du système de l'étalon-or.

4. *a)* Quels sont les traits essentiels du système de Bretton Woods?

   b) En quoi ce système se distingue-t-il du système de l'étalon-or?

5. Pourquoi les pays réunis à la Conférence de Bretton Woods cherchaient-ils à définir de nouvelles règles monétaires et commerciales?

6. Quelle est la nature et quel est le rôle du FMI?

7. *a)* Définissez les droits de tirage spéciaux et expliquez ce qui a amené le FMI à créer cette monnaie.

   b) De quelle manière détermine-t-on la valeur du DTS?

8. Définissez le pool de l'or et montrez le rôle qu'il a joué dans la crise du système monétaire international.

9. « La chute du système de Bretton Woods remonte à sa définition même. » Expliquez et commentez cet énoncé.

10. Comparez et évaluez les plans qui ont été présentés à Bretton Woods.

Thème de réflexion

● Le plan Keynes et le système monétaire européen.

Références bibliographiques

BANQUE DES RÈGLEMENTS INTERNATIONAUX, *Rapports annuels.*

CLERC, D., *Les désordres financiers,* Paris, Syros Alternatives, 1988.

DENIZET, J., *Le dollar, histoire du système monétaire international depuis 1945,* Paris, Éditions Fayard, 1985.

FONDS MONÉTAIRE INTERNATIONAL (FMI), *Rapports annuels.*

FONTANEL, J., *Organisations économiques internationales,* 2e éd., Paris, Éditions Masson, 1995.

FRIEDMAN, M., *Inflation et systèmes monétaires,* 2e éd., Paris, Calmann-Lévy, 1969.

GALBRAITH, J.K., « L'ordre mondial selon John Maynard Keynes », *Le Monde diplomatique,* mai 2003, p. 22-23.

Interventions économiques, « De l'ordre des nations à l'ordre des marchés. Bretton Woods, 50 ans plus tard », no 26, automne 1994-hiver 1995.

LELART, M., *Le Fonds monétaire international,* Paris, PUF, 1992.

LENAIN, P., *Le FMI,* 3e éd., Paris, Éditions La Découverte, 2002.

OLIVIER, P., *Le système monétaire international,* Paris, Hatier, 1979.

SAKAKIBARA, E., « The end of market fundamentalism », *Asia Week,* 5 février 1999.

SANDRETTO, R., « Les transformations du système monétaire international », *Les Cahiers français, Supplément : Finances internationales,* no 230, mars-avril 1987, p. 5-8.

STIGLITZ, J.E., *La grande désillusion,* Paris, Éditions Fayard, 2002.

TEULON, F., *La nouvelle économie mondiale,* Paris, PUF, 1993.

CHAPITRE 6 Le système monétaire international après Bretton Woods

OBJECTIFS

APRÈS AVOIR LU CE CHAPITRE, L'ÉLÈVE SERA EN MESURE :

- de décrire le cheminement du système monétaire international après la chute du système de Bretton Woods ;
- d'exposer les conséquences du régime des changes flottants sur les variations des changes ;
- de décrire l'évolution des principales monnaies depuis l'effondrement du système de Bretton Woods ;
- d'évaluer les perspectives du système monétaire international.

L'effondrement du système de Bretton Woods a entraîné une « crise » du système monétaire international ; depuis 1971, aucun autre régime n'a été adopté. Toutefois, depuis ce temps, d'importantes tendances ont marqué l'ordre monétaire international. Bien qu'elles ne constituent pas un système formellement organisé, avec des règles fixées dans une charte, ces tendances influent sur les opérations commerciales et financières réalisées entre les pays.

Dans ce chapitre, nous examinons les grandes tendances de « l'après-Bretton Woods » : le passage du régime des changes fixes au système des changes flottants, l'évolution vers un système multidevises et multipolaire de même que l'expansion du marché privé des devises, lequel se développe parallèlement au marché contrôlé par les banques centrales.

6.1 ● Les accords de la Jamaïque : confirmation du régime des changes flottants et abolition de la référence à l'or

À la suite du décret par lequel le président américain mettait fin à la convertibilité du dollar, celui-ci subissait une première baisse en décembre 1971 ; le prix de l'once d'or passa de 35 $ à 38 $, ce qui équivalait à une dépréciation de 8 %. En février 1973, le dollar se dépréciait une deuxième fois, perdant 10 % de sa valeur par rapport à l'or ; le cours officiel[1] de l'or passa à 42 $ l'once. Le système des parités fixes cédait dès lors la place à un régime de changes flottants[2] ; l'adoption de celui-ci sera confirmée en 1976 par les accords de la Jamaïque.

Réunie à Kingston, capitale de la Jamaïque, l'assemblée générale du FMI (constituée des représentants des pays membres) adoptait un **deuxième amendement aux statuts du FMI**, dont l'entrée en vigueur était fixée à avril 1978. Cet amendement visait à faire du DTS le principal actif de réserve du système monétaire international. À cet effet, on élimina des statuts toute référence à l'or. On voulait aussi faire du DTS l'unité de compte du système monétaire international, de façon que les monnaies s'expriment en DTS et non plus en or et en dollars.

Depuis l'adoption de cet amendement, le DTS peut être détenu comme actif de réserve au même titre que les autres devises internationales ; de plus, il joue le rôle d'unité de compte servant à mesurer les différentes monnaies[3]. Mais le FMI ne l'a pas émis en quantité suffisante pour qu'il puisse s'imposer dans les opérations commerciales et financières. En 1988, le DTS ne représentait que 9 % des liquidités internationales détenues par les autorités monétaires, contre 91 % pour les devises (l'or étant exclu). Malgré les difficultés qu'il a éprouvées au début des années 1970, le dollar était toujours la principale devise détenue par les banques centrales ; en 1988, les réserves de celles-ci étaient composées de dollars à

---

1. Sur le marché libre, l'once d'or atteindra, à la fin de 1973, la valeur de 112,25 $, soit 2,7 fois le cours officiel (selon le FMI, *Statistiques mensuelles*).
2. Même si les taux de change ne sont pas restés tout à fait fixes durant les années 1950 et 1960, certaines règles demeuraient en vigueur pour contrôler le niveau et la fréquence des dévaluations.
3. Par exemple, le 31 juillet 1990, les parités étaient les suivantes : 1,36564 dollar américain = 1 DTS = 2,17956 marks ; donc, 0,627 dollar américain = 1 mark.

64 % (toutefois, la monnaie américaine n'a plus cette qualité essentielle qui en faisait la monnaie du système de Bretton Woods : le dollar n'est plus convertible en or).

Les accords de la Jamaïque consacraient le dollar comme monnaie du système ; en outre, la démonétisation de l'or et la faible création de DTS ont contribué à donner au dollar une plus grande place en tant que monnaie internationale. Les autorités monétaires américaines étaient libres d'émettre des dollars sans être soumises à des contraintes extérieures, comme celle de maintenir le dollar à une quantité fixe d'or.

Le système de Bretton Woods aura finalement été le système de l'étalon-dollar ; comme la livre sterling dans le système de l'étalon-or, le dollar y a joué le rôle principal dans les relations économiques internationales.

Après l'échec de l'entente de Bretton Woods, le système monétaire international sera caractérisé par l'imposition du régime des changes flottants, la constitution d'un système multidevises et la privatisation du marché des devises.

Tableau 6.1 Évolution de la composition des liquidités internationales

(en milliards de $ US et en %)							
Année	Or	%	Liquidités du FMI	%	Devises	%	Total
1948	32,9	68,0	1,6	3,0	13,9	29,0	48,4
1976	40,9	16,5	30,0	12,2	176,3	71,3	247,2
1992	385,3a	–	64,3	6,5	918,2b	93,5	982,5c

a. Au prix du marché de Londres.
b. Dont 69,1 milliards d'ECUS.
c. Or exclu.

Sources : FMI, *Statistiques financières internationales*. Banque des règlements internationaux, *63e rapport*, 1993.

6.2 ● Le régime des changes flottants

Constituant la base des accords de Bretton Woods avec la convertibilité du dollar, le régime des parités fixes a cessé d'exister en raison du flottement du dollar. Depuis lors, les taux de change ont fluctué « librement » selon l'offre et la demande. Un déficit de la balance des paiements doit provoquer des pressions à la baisse sur le prix d'une monnaie, de manière à rendre les exportations plus compétitives et à rétablir à terme l'équilibre de la balance des paiements ; un excédent déclenchera l'effet contraire. Pour les partisans du régime des changes flottants, tel l'économiste américain Milton Friedman[4], le système, laissé à lui-même, tendrait vers la stabilité des parités. La spéculation sur les variations des monnaies constituerait un élément stabilisateur pour celles-ci. Voilà deux thèses que la réalité a contredites : non seulement les parités ont été déstabilisées par le nouveau régime, mais la spéculation des professionnels du change a accentué l'ampleur des fluctuations (*voir le chapitre 4*).

6.2.1   L'instabilité des changes

À court terme, la volatilité quotidienne des changes a crû continuellement. Au milieu des années 1970, rares étaient les journées où les mouvements des principaux taux de change dépassaient 1 % ; les banques centrales considèrent de telles journées comme des « journées de crise ». Or, au début des années 1980, le nombre de ces journées était en moyenne de une ou deux par mois pour le rapport dollar/livre sterling, et de deux ou trois par mois pour le rapport dollar/mark. En 1984, ce nombre doublait ; en 1985, il triplait ; en avril 1985 seulement, il y eut 11 « journées de crise » pour le rapport dollar/mark.

À moyen terme, les écarts du dollar par rapport au mark et au yen ont été considérables. La figure 6.1 illustre ces mouvements.

De 1976 à 1980, le dollar a connu un cycle à la baisse par rapport au mark et au yen, suivi d'une ascension spectaculaire de 1980 à 1985 ; celle-ci était la conséquence directe de la politique monétaire restrictive du Federal Reserve Board qui, dans le but d'attirer au pays les capitaux étrangers, a porté les taux d'intérêt à des niveaux records. Enfin, entre février 1985 et le milieu de 1988, un nouveau retournement du cycle ramenait le dollar à des niveaux inférieurs à sa parité de 1979. Ces profils de « montagnes russes », caractérisés par des montées et des descentes vertigineuses, contredisent les prédictions des partisans des changes flottants quant à la stabilité d'un tel régime.

---

4. M. Friedman, *Inflation et système monétaire*, 2e éd., Paris, Calmann-Lévy, 1969.

Figure 6.1 Taux de change : dollar américain/yen, dollar américain/mark

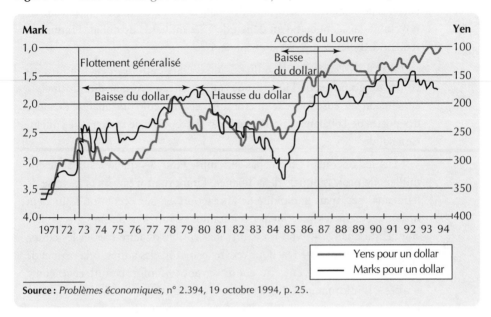

Source : *Problèmes économiques*, n° 2.394, 19 octobre 1994, p. 25.

Saisis de ces contradictions, les pays du Groupe des Sept décidèrent, en 1985 (accords du Plaza) puis en 1987 (accords du Louvre), de réduire l'ampleur de ces fluctuations. Ces accords de coopération ont atteint leurs objectifs; depuis 1987, les taux de change des trois principales devises (le mark, le yen et le dollar) se sont stabilisés.

Toutefois, la spéculation sur les monnaies ne fait qu'accentuer l'instabilité des changes. Les spéculateurs professionnels (cambistes ou agents de change) réalisent des profits sur la vente et l'achat de devises. Leur activité sur le marché des changes tend à amplifier les variations; en effet, les spéculateurs vendent les devises avant que les cours des monnaies soient trop bas, et ils s'efforcent d'acheter avant que ceux-ci atteignent leur sommet (*voir l'encadré 6.1*).

Encadré `6.1`

LA SPÉCULATION ACCROÎT L'INSTABILITÉ DES CHANGES

Le 15 octobre [1987], les résultats — provisoires et non corrigés des variations saisonnières — du commerce extérieur américain d'août tombaient : 15,7 milliards de dollars de déficit. Les opérateurs attendaient un déficit moindre. D'où une brusque panique sur le marché des changes de New York qui, le lundi suivant, se transmettait à Wall Street : c'était le « lundi noir ».

Le 15 janvier 1988, les résultats — toujours provisoires et toujours non corrigés des variations saisonnières — du commerce extérieur américain de novembre faisaient état d'un déficit de 13,2 milliards de dollars : immédiatement, le billet vert se revalorisait de 4 %.

En réalité, l'écart de 2,5 milliards de dollars entre les deux chiffres est l'ordre de grandeur de l'incertitude qui les affecte. Autant dire qu'aucune conclusion sérieuse ne peut en être tirée, et que seule une analyse détaillée des postes de la balance commerciale est susceptible de fonder une conclusion solide.

Mais les opérateurs n'ont pas le temps. Pour les quelques dizaines de milliers de professionnels de la finance, l'important n'est pas la justesse de leurs analyses, mais la rapidité de la réaction. Si, sur l'écran où s'affichent instantanément les indicateurs économiques, un « cambiste » — professionnel du change — voit un chiffre susceptible de faire baisser les cours, il anticipe aussitôt cette réaction. Venant avant tous les autres, cela permet de toucher la différence entre le cours « avant » [l'information] et le cours « après » [l'information]. Et, du même coup, cette vente, en faisant baisser légèrement les cours, justifie l'analyse, concrétise la crainte qui n'était jusqu'alors que potentielle : cette deuxième information [un léger glissement à la baisse] renforce donc la première : les opérateurs qui n'avaient pas bougé sont contraints à le faire, de peur de perdre en conservant une monnaie dont le taux de change baisse. À leur tour, ils vendent.

Ainsi, le cours des monnaies dépend largement non pas des variables « fondamentales », mais de l'idée que s'en font quelques milliers de cambistes répartis à travers le monde, dont « l'efficacité » se mesure à la rapidité du temps de réaction.

Source : D. Clerc, *Les désordres financiers*, Paris, Syros Alternatives, 1988, p. 106-107.

Instabilité généralisée des cours, accentuée par la spéculation d'agents privés qui cherchent à réaliser des profits sur l'échange de devises, telle est la caractéristique du régime qui fait suite à celui des parités fixes.

6.3 ● La constitution de différentes zones monétaires et d'un système multidevises

L'ordre monétaire international ressemble par certains traits au régime de transition qui a suivi l'éclatement du système de l'étalon-or : formation de blocs monétaires (groupes de monnaies liées à une monnaie centrale et flottant les unes par rapport aux autres) et passage d'une économie centrée sur un pôle à une économie multipolaire. Durant les années 1930, après que la Grande-Bretagne eut supprimé la convertibilité-or de la livre sterling, le système s'est fracturé en blocs : un bloc sterling formé des pays commercialement et financièrement rattachés à la Grande-Bretagne ; un bloc dollar (comprenant le Canada) constitué autour des États-Unis ; un bloc or regroupant six pays européens (France, Belgique, Suisse, etc.). Après l'éclatement de ce dernier bloc, une zone franc rassemblait les pays ayant des monnaies coloniales (Afrique de l'Ouest, francophone surtout) autour du franc français. En l'absence d'une véritable devise clé, le système monétaire international comportait plusieurs pôles monétaires.

Durant les années 1970 et 1980, quelques zones monétaires se sont constituées autour des devises les plus importantes : les deux Amériques se sont réunies autour du dollar, la région du Pacifique et les pays d'Asie autour du yen, et les pays d'Europe autour du mark et, désormais, autour de l'euro.

L'émergence de différentes zones monétaires provient des changements survenus dans l'économie mondiale. Au début des années 2000, les États-Unis étaient la puissance économique dominante ; mais leur hégémonie était menacée sur certains plans par leurs principaux concurrents : le Japon et l'Union européenne.

Au faîte de leur puissance en 1944, les États-Unis avaient pu imposer au monde une zone dollar. Aujourd'hui, ils ont moins les moyens d'imposer sans partage leur système et leur monnaie. Un changement qualitatif s'est produit dans l'économie mondiale : on assiste à la mise en place d'un système multidevises, qui n'est pas une étape de transition précédant l'émergence d'une nouvelle devise clé (c'est-à-dire une monnaie nationale qui s'impose dans le système monétaire international).

Voyons maintenant l'importance relative des trois devises autour desquelles se constituent les grandes zones monétaires : le dollar, le yen, le mark et, désormais, l'euro.

6.3.1 Le dollar

En 1998, les réserves de devises des pays étaient détenues à 70 % en dollars, à 11 % en marks et à 5 % en yens. Le dollar était toujours la principale monnaie utilisée dans les activités bancaires internationales ; en effet, plus de 50 % des stocks de devises des banques multinationales étaient constitués de dollars. Dans le marché obligataire international, la moitié des nouvelles émissions (prêts sous forme d'obligations) étaient contractées en dollars. La plupart des produits échangés sur les marchés internationaux sont libellés en dollars. Unité de compte, réserve de valeur et moyen de paiement, le dollar est la monnaie par excellence sur le plan international.

6.3.2 Le yen

Le yen occuperait une place plus importante dans les échanges internationaux si le Japon lui-même avait la volonté de l'imposer. Or, en 1989, la puissance asiatique ne payait que 14,1 % de ses achats à l'étranger en yens, alors que les États-Unis payaient 85 % de leurs importations en dollars, et l'Allemagne, 57 % en marks. Quant aux exportations, seulement 34,7 % des ventes japonaises étaient payables en yens, alors que 96 % des exportations américaines étaient facturées en dollars et que 82 % des exportations allemandes l'étaient en marks[5]. Les autorités japonaises hésitent à laisser le yen jouer son rôle de devise internationale ; elles craignent de perdre un certain contrôle sur la politique monétaire si elles laissent circuler hors du pays une trop grande quantité de yens[6].

Jusqu'au milieu des années 1990, Tokyo s'avérait une place financière d'importance. Le yen occupait une part croissante dans les avoirs des banques (essentiellement les prêts à leurs débiteurs) et figurait plus souvent dans les émissions d'obligations. Puissance financière mondiale, le Japon s'imposait comme la puissance du Pacifique. Autour du Japon gravitent les pays d'Asie qui lui sont liés commercialement et financièrement ; parmi eux, on trouve des pays à très forte croissance comme la Corée du Sud, Taïwan, Hong-Kong et Singapour.

6.3.3 Le mark et, désormais, l'euro

Le mark est la troisième monnaie en importance du système monétaire international. La puissance économique de la RFA a été l'assise sur laquelle s'est appuyé le mark. Celui-ci est devenu la monnaie phare

---

5. FMI, *Bulletin*, 8 Avril 1991, p. 100. *Finances et développement*, juin 1991, p. 4.
6. Ainsi, la masse monétaire américaine a été soumise aux mouvements d'entrées et de sorties de dollars liés à la présence de milliards de dollars sur les marchés extérieurs. Les autorités monétaires ont dû adopter plusieurs mesures visant à enrayer les sorties de dollars.

autour de laquelle gravitent les monnaies des autres pays de l'Union européenne. La fusion de la RDA avec la RFA et l'ouverture des pays de l'Est, partenaires commerciaux de la RFA, ont étendu l'influence du mark dans la zone européenne.

L'euro*, créé en 1999, deviendra une des deux devises clés du système monétaire international. Reposant sur la puissance économique (PIB) et commerciale (exportations) de l'Union européenne, l'euro rivalisera avec le dollar américain sur les marchés mondiaux. Dès les premiers mois de son existence, l'euro est devenu la première devise utilisée dans le marché des euro-obligations.

6.4 ● La privatisation du système monétaire international

Que recouvre l'expression « privatisation du système monétaire » ? Fondamentalement, cela signifie que, depuis la fin des années 1950, le secteur privé a commencé à alimenter lui-même le système économique mondial en liquidités monétaires, rôle que les structures et les institutions officielles établies à Bretton Woods n'assumaient pas convenablement.

Le FMI, qui devait approvisionner le marché en liquidités, n'a pas été à la hauteur de sa mission ; les DTS, créés en 1969, arrivaient trop tard. Leur émission s'avéra insuffisante pour changer le processus qu'avaient instauré les banques privées dès 1958. Bien que, traditionnellement, les liquidités internationales et les réserves officielles* se confondaient, la privatisation du système monétaire international amènera une rupture entre les deux. À la fin des années 1980, les liquidités internationales circulaient en très forte majorité hors des circuits officiels du FMI et des banques centrales, à travers le mécanisme bancaire privé. Dès 1970, le stock privé de devises dépassait le stock officiel ; en 1987, il représentait plus du double de ce dernier. Le tableau 6.2 met en évidence la rapide croissance du stock privé de devises après 1973.

La prépondérance du secteur privé a forcé les autorités officielles à partager leur pouvoir de gestionnaires de la monnaie avec le marché, c'est-à-dire avec les grandes banques internationalisées. En partageant ce pouvoir, les banques centrales ont perdu la responsabilité de déterminer seules le taux de change et de financer le solde de la balance des paiements. Les mouvements monétaires entre pays sont de plus en plus la conséquence de décisions prises par des gestionnaires d'entreprises privées.

L'élargissement du marché financier international a été favorisé par la croissance des eurodevises. L'apparition du marché des eurodevises, ou euromarché, est l'un des phénomènes les plus importants à survenir dans le domaine des finances internationales depuis les 30 dernières années.

6.4.1   Le marché des eurodevises

L'encadré 6.2 définit les principaux instruments du marché des eurodevises.

Encadré 6.2

L'EUROMONNAIE

Eurodevise : monnaie ou devise (par exemple, le dollar américain) déposée dans une banque située à l'extérieur du pays (les États-Unis) qui émet cette monnaie ou cette devise.

Eurodollar : dollar déposé dans une banque située à l'extérieur des États-Unis.

Euro-euro[a] : euro déposé dans une banque située en dehors des pays de la zone euro.

Le critère de distinction entre eurodevise et devise est le lieu du dépôt et non la nationalité de l'institution qui le reçoit. Par exemple, un Américain qui dépose des dollars dans une banque américaine en Suisse est détenteur d'eurodollars. Le préfixe « euro » est lié au fait que ce genre d'opération est d'abord apparu en Europe. Mais aujourd'hui, on pourrait aussi bien parler d'« asiadevise » ou d'« arabodevise ».

Euro-obligation : titre négociable libellé en eurodevises et placé dans les pays autres que celui dont la monnaie sert à dénommer l'emprunt. Ainsi, une obligation en eurodollars placée sur le marché japonais est une euro-obligation.

Eurobanque : banque située à l'extérieur du pays d'émission de la monnaie en laquelle est libellé le dépôt géré. Ainsi, une banque américaine qui est située à Tokyo et qui gère un dépôt en dollars américains est une eurobanque.

Eurocrédits : prêts à terme en eurodevises, consentis à partir de dépôts en euromonnaies par plusieurs banques réunies en un syndicat.

Le marché des eurodevises ainsi que ceux des euro-obligations et des eurocrédits forment, dans leur ensemble, l'**euromarché**.

a. Un euro déposé dans une institution sise à l'extérieur de la zone est un « euro-euro ». Pourquoi ne pas rebaptiser l'euromonnaie « xénomonnaie » (*xenos* pour étranger » ?

L'expansion de ce nouveau marché a été phénoménale. À l'origine, en 1957, les dépôts en eurodevises étaient de 800 000 dollars seulement. De 1973 à 1999, ils sont passés de 132 milliards de dollars américains à 5 350 milliards ; en valeur brute, ils atteignaient 11 067 milliards de dollars, comme l'indique le tableau 6.2. Comparativement, les réserves officielles des banques centrales s'élevaient seulement, en 1988, à 724 milliards de dollars.

Tableau 6.2 Évolution du marché des eurodevises

Année	(en milliards de $ US) Taille brute	Taille nette*a*
1973	247	132
1978	912	377
1983	2 051	875
1988	4 480	1 370
1999	11 067	5 350

a. La taille nette «nettoie» les chiffres bruts des doubles d'écriture engendrés par le calcul des mêmes dépôts dans le bilan de banques différentes. On élimine ainsi les dépôts comptés à plus d'une reprise.

Sources : Banque des règlements internationaux, *Rapport annuel,* et *International Banking and Financial Markets Development.* C. Bito, et P. Fontaine, *Les marchés financiers internationaux,* Paris, PUF, 2000.

6.4.2 L'origine de l'euromarché

Deux éléments ont déterminé la création de l'euromarché. **D'une part**, il y eut une offre de placements de dollars en dehors des États-Unis : durant la guerre de Corée, l'Union soviétique, voulant éviter que les États-Unis gèlent ses avoirs en dollars, dépose ceux-ci dans deux banques soviétiques, la Moscow Narodny Bank à Londres et la Banque commerciale pour l'Europe du Nord à Paris. Ces dollars ainsi déposés seront appelés eurodevises (de *eurobank dollars*).

D'autre part, on assista en Europe à une demande de dollars pour financer des crédits : en 1957, le gouvernement britannique, à cause de la faiblesse de la livre, impose à des non-résidents des restrictions sur les prêts en livres sterling. Les banques londoniennes se tournent alors vers le dollar pour effectuer des prêts à court terme à des non-résidents ; ce sont les premiers europrêts. Il ne s'agit plus de banques américaines qui prêtent en dollars aux États-Unis, mais de banques anglaises qui prêtent ces dollars en Angleterre.

La crise de la livre sterling (menacée d'une forte dévaluation) a renforcé le rôle international du dollar comme monnaie unique avec l'or. De plus, le retour à la convertibilité des monnaies, prévu en 1944, aura finalement lieu en décembre 1958. Ces événements entraînent la mise en place de mécanismes qui permettent d'emprunter, sous garantie de conversion des monnaies, en dehors des pays d'émission. Une société britannique, par exemple, peut ainsi émettre des obligations en livres sterling et les vendre sur les marchés extérieurs, la valeur du capital avancé étant garantie au créancier par la convertibilité des monnaies. Cela a renforcé la propension des détenteurs de capitaux à placer ceux-ci sous forme de prêts hors de leur pays, la mobilité internationale des capitaux s'en trouvant accrue d'autant.

Finalement, à partir des années 1960, les États-Unis devaient, involontairement, favoriser le développement de l'euromarché qui venait d'apparaître. La politique du Federal Reserve Board allait encourager les banques américaines à s'installer en dehors du pays afin d'y gérer des dépôts en dollars américains. Diverses mesures réglementaires créaient les conditions requises pour le développement d'un marché du dollar hors du pays.

La réglementation Q

La réglementation Q est une mesure qui date des années 1930[7]. Le gouvernement américain adoptait alors une panoplie de règlements visant à assurer la sécurité des institutions de crédit, dont plusieurs s'étaient écroulées durant la crise. La réglementation Q impose un plafond aux taux d'intérêt que les banques américaines peuvent appliquer sur les dépôts à terme. Jusqu'au milieu des années 1960, les banques s'inclinèrent devant ces mesures. Mais, en raison de la hausse des taux d'intérêt déclenchée par l'autorité centrale, le Federal Reserve Board, elles perdirent des milliards en dépôts parce qu'elles servaient à leurs déposants

---

7. La plupart des réglementations ont disparu aux États-Unis. Un grand mouvement de déréglementation en matière bancaire, amorcé en 1972 sous le gouvernement Nixon, a pris fin dans les années 1980 sous le gouvernement Reagan. Il a été repris en 1990 sous le gouvernement Bush.

des taux créditeurs inférieurs à ceux des actifs concurrents. De plus, depuis 1957, une partie croissante de la masse monétaire américaine circulait à l'extérieur des États-Unis. Les grandes entreprises américaines, auxquelles les banques devaient refuser du crédit, empruntaient des dollars en Europe par l'intermédiaire de leurs filiales.

Aussi, en 1966, quelques banques américaines décidèrent d'ouvrir leurs propres filiales à l'étranger. Elles furent bientôt imitées par des dizaines d'autres. S'installant à Londres au cœur du marché de l'eurodollar, elles récupérèrent une partie des milliards qui, placés à l'extérieur en vue de meilleurs profits, avaient quitté leurs succursales installées sur le territoire national. Les filiales des banques américaines empruntèrent des eurodollars en offrant des taux supérieurs à ceux permis par la législation nationale et prêtèrent ces sommes aux filiales des firmes américaines faisant affaire à l'extérieur du pays.

La taxe d'égalisation de l'intérêt (*Interest equalization tax*)

La taxe d'égalisation de l'intérêt fut imposée en 1963 (et supprimée en 1974) pour combattre le déficit croissant de la balance des paiements américaine. Cette taxe s'appliquait sur les revenus des résidents américains encaissés au titre de leurs placements sur les marchés étrangers; elle incitait les prêteurs américains à diminuer leurs placements à l'extérieur. À cause de la diminution des fonds accessibles aux États-Unis mêmes, les emprunteurs étrangers se sont détournés du marché de New York pour recourir à l'euromarché où ces mesures fiscales n'étaient pas en vigueur. À côté du marché des eurodevises se créèrent alors des marchés d'euro-obligations.

Le programme volontaire de restriction des crédits à l'étranger (*Voluntary foreign credit restraint program*)

Toujours dans le but de contrer les sorties de capitaux vers l'étranger, le gouvernement américain instaura ce programme dit volontaire qui devint obligatoire en 1968. Ce programme limitait les investissements directs et les crédits américains à l'extérieur selon le niveau atteint à certaines dates. Ces restrictions s'appliquaient aux sièges sociaux américains des entreprises, alors que les filiales et les succursales installées à l'étranger n'y étaient pas tenues.

Les banques américaines ripostèrent à cette mesure en s'implantant massivement à l'étranger. Les investissements directs américains à l'étranger purent ainsi être financés en partie de l'extérieur sous forme d'euro-obligations et de prêts en eurocrédits. Cela stimula les activités bancaires américaines réalisées en dehors du pays. Le marché des filiales bancaires américaines décupla : en 1964, on notait que 11 banques américaines exploitaient 181 filiales à l'étranger ; en 1975, par ailleurs, 126 banques américaines exploitaient 751 filiales dans plus de 80 pays.

* * *

Un système monétaire international privé put ainsi se développer à côté du système monétaire international officiel ; le système privé assume la fonction d'approvisionnement en liquidités que le système officiel remplit mal. Les eurodevises se sont accrues plus rapidement que les réserves officielles du FMI et des banques centrales. Le marché privé a littéralement explosé avec la crise du système officiel, ce qui a entraîné la multiplication des dépôts en eurodollars.

6.5 ● Le système monétaire international : perspectives en ce début de siècle

Aux sommets économiques tenus par les grandes puissances (États-Unis, Allemagne, Japon, France, Grande-Bretagne, Italie, Canada, Union européenne et, depuis peu, Russie), la réforme essentielle du système monétaire international sert de toile de fond aux discussions. L'instabilité des taux de change est un obstacle à la volonté des gouvernements d'« harmoniser » leurs économies en ce qui a trait à la croissance économique, à l'équilibre commercial et financier. Débouchera-t-on sur un nouvel accord officiel qui mettra fin à cette période de transition qui se prolonge depuis presque 30 ans ? Les grands pays n'en sont pas là ; pour y arriver, plusieurs questions doivent être réglées.

6.5.1 La question de la monnaie internationale

Deux monnaies nationales, la livre britannique puis le dollar américain, se sont historiquement imposées comme devises clés. Elles ont rempli cette fonction tant que leur économie respective dominait sans partage l'économie mondiale ; mais la première a perdu ce rôle et la seconde demeure la devise clé malgré l'apparition de l'euro et l'utilisation du yen. Le monde se regroupera pendant un certain temps autour de ces trois devises. À long terme, on pourrait assister à un retour des principes exprimés par John Maynard Keynes en 1944, et à la création d'une monnaie supranationale, du type bancor. Une telle monnaie pourrait être garantie par un standard : l'or, le DTS ou un panier de biens. Ou il pourrait s'agir d'une monnaie fiduciaire internationale, basée comme l'euro sur la confiance et le lien social créés par son utilisation, et sur une entente entre les pays.

6.5.2 La coopération internationale

Ces hypothèses amènent celle d'une coopération entre les pays dans la gestion de l'économie mondiale. Depuis 1975, les puissances occidentales se réunissent annuellement afin de faire le point sur la situation économique et de dégager des perspectives d'action concertée face aux problèmes qu'ils éprouvent. En février 1987, les pays du Groupe des Sept (les sept pays présents aux sommets économiques) concluaient les accords du Louvre. Ceux-ci définissaient deux grandes perspectives : la gestion collective des taux de change, afin de contrôler les flottements qui déstabilisent les économies et le commerce international ; et la coordination des politiques budgétaires (dépenses et revenus des gouvernements) et monétaires (taux d'intérêt surtout). C'est une forme de « coopération forcée » où les pays participants aliènent une partie de leur autonomie de gestion économique[8]. Et, comme on l'a vu précédemment, cette gestion tend à se réaliser dans un système qui comprend plusieurs devises et différents pôles monétaires.

Les débats actuels et ceux qui vont animer les futures discussions sur l'économie internationale porteront sur la façon dont va s'effectuer cette coopération, sur les règles et les structures qui la régiront. Certains analystes proposent de passer d'un système de fait (coopération forcée des grands pays) à un système de droit comprenant un mécanisme formel d'ajustement des taux de change, semblable à celui de Bretton Woods.

L'encadré 6.3 présente les types d'étalons monétaires et les divers systèmes qui ont existé jusqu'à aujourd'hui.

---

8. En 1985, les sept principaux pays industrialisés (États-Unis, Japon, RFA, France, Grande-Bretagne, Italie, Canada) ont créé le Groupe des Sept, composé des ministres des Finances et chargé de coordonner les politiques d'intervention des gouvernements en vue d'assurer une variation ordonnée des parités, celle du dollar notamment.

Encadré 6.3

LES ÉTALONS MONÉTAIRES INTERNATIONAUX

Si l'on se base sur les expériences passées, sur les exemples décrits dans ce chapitre et sur les discussions qui ont suivi la chute du système de Bretton Woods, on peut définir plusieurs types d'étalons monétaires.

Étalon (terme de référence)	Système
L'or	Étalon-or
Une monnaie (le dollar, la livre sterling) convertible en or	Étalon de change-or
Un groupe de monnaies ou une monnaie (le dollar) non convertible en or	Étalon-dollar instauré dans les faits le 15 août 1971
Une monnaie internationale (le DTS) dont la valeur est calculée d'après un panier de monnaies	Solution préconisée à la Jamaïque en 1976
Une monnaie fiduciaire (le bancor) reconnue par la communauté internationale	Plan Keynes proposé à Bretton Woods en 1944

Résumé La chute du système de Bretton Woods a mis fin aux tentatives pour conserver des changes fixes. Après deux dévaluations successives du dollar américain, les changes flottants sont devenus la règle. La Conférence de la Jamaïque, en 1976, a officialisé ce nouveau régime; de plus, l'or était éliminé des statuts du FMI, et le DTS était proclamé nouvel étalon de mesure (unité de compte) de l'organisme.

Le dollar américain, malgré ses difficultés du début des années 1970, demeure la monnaie par excellence du système. Mais la montée de pays rivaux et le déclin relatif des États-Unis amènent la constitution de plusieurs zones monétaires autour des monnaies fortes: le dollar, le yen, le mark et désormais l'euro.

Enfin, le système monétaire, jusqu'alors centré sur les opérations de change des banques centrales des différents États, sera progressivement privatisé par l'apparition et la croissance fulgurante du marché des eurodevises; celui-ci est dominé par les banques commerciales multinationalisées. Le marché privé, où puisent aussi les banques centrales, a supplanté le marché officiel des devises échangées entre les seules banques centrales.

Au début de l'an 2000, la crise du système monétaire international n'est pas encore résorbée, l'ancien système n'ayant pas encore été remplacé. Mais devant la grande instabilité liée au régime des changes flottants, les gouvernements des principaux pays essaient de coordonner leurs politiques économiques et de contrôler les variations des taux de change.

Questions

1. Quelles décisions furent adoptées à la Conférence de la Jamaïque et quelles conséquences ont eues ces décisions pour le système monétaire international?

2. « Le système de Bretton Woods a été, en pratique, le système de l'étalon-dollar. » Commentez cette affirmation.

3. Quels effets a eus l'instauration du régime des changes flottants sur les principales monnaies?

4. Expliquez ce qu'est la « privatisation du système monétaire international ».

5. Indiquez lesquels de ces dépôts constituent des dépôts en eurodevises.

a) Un dépôt en dollars américains dans une banque allemande installée aux États-Unis.

b) Un dépôt en marks allemands dans une banque allemande installée aux États-Unis.

c) Un dépôt en dollars américains dans une banque allemande installée en Allemagne.

d) Un dépôt en dollars américains dans une banque américaine installée en Allemagne.

e) Un dépôt en marks allemands dans une banque américaine installée en Allemagne.

6. Énumérez et expliquez trois facteurs qui ont favorisé le développement de l'euromarché.

7. *a)* Montrez et expliquez l'évolution de l'euro :
- sur les marchés internationaux ;
- par rapport au dollar américain ;
- par rapport au dollar canadien.

b) Évaluez les conséquences de cette évolution pour l'économie de la zone euro.

8. Quels étalons monétaires ont existé sous les différents systèmes monétaires internationaux?

9. Pourquoi les spéculateurs préfèrent-ils les taux de change flottants aux taux de change fixes?

Thèmes de réflexion

● Le rôle du dollar dans l'économie mondiale avantage-t-il les États-Unis ?
● L'euro comme devise clé.

Références bibliographiques

AGLIETTA, M., *La fin des devises clés,* coll. «Agalma», Paris, La Découverte, 1986.

BANQUE DES RÈGLEMENTS INTERNATIONAUX, *Rapports annuels.*

BEKERMAN, G., *Les euro-dollars,* Paris, PUF, 1977.

BERNSTEIN, E.M., «Faut-il un nouveau Bretton Woods ?», *Finances et développement,* septembre 1984, p. 5-10.

CARFANTAN, J.-Y., *Les finances du monde : À la merci des séismes monétaires,* coll. «Points Économie», Paris, Seuil, 1989.

CLERC, D., *Les désordres financiers,* Paris, Syros Alternatives, 1988.

DENIZET, J., *Le dollar, histoire du système monétaire international depuis 1945,* Paris, Éditions Fayard, 1985.

FONDS MONÉTAIRE INTERNATIONAL (FMI), *Rapports annuels.*

FONTANEL, J., *Organisations économiques internationales,* 2e éd., Paris, Éditions Masson, 1995.

FRIEDMAN, M., *Inflation et systèmes monétaires,* 2e éd., Paris, Calmann-Lévy, 1969.

GILL, L., *Économie mondiale et impérialisme,* Montréal, Boréal Express, 1983.

Interventions économiques, «De l'ordre des nations à l'ordre des marchés. Bretton Woods, 50 ans plus tard», no 26, automne 1994-hiver 1995.

LELART, M., *Le Fonds monétaire international,* Paris, PUF, 1992.

LEROUX, F., *Marchés internationaux des capitaux,* Montréal, Presses de l'UQ/HEC-CETAI, 1994.

OLIVIER, P., *Le système monétaire international,* Paris, Hatier, 1979.

ROGOFF, K.S., «Défions-nous des projets grandioses. La coordination de la politique monétaire des États-Unis, du Japon et de l'Europe ne vaut pas les risques et les coûts qui en résultent», *Finances et développement,* mars 2003, p. 56-57.

SANDRETTO, R., «Les transformations du système monétaire international», *Les Cahiers français, Supplément : Finances internationales,* no 230, mars-avril 1987, p. 5-8.

SAUTTER, C., «Le yen, souverain de l'ombre», *Le Monde diplomatique,* février 1988, p. 1, 3.

SAUTTER, C., *Les dents du géant,* Paris, Éditions O. Orban, 1987.

TAVLAS, G.S., «Le rôle international des monnaies : le dollar É.-U. et l'euro», *Finances et développement,* juin 1998, p. 42-45.

TEULON, F., *La nouvelle économie mondiale,* Paris, PUF, 1993.

Le commerce entre pays est devenu un important rouage de l'économie depuis que les pays ont cessé d'appliquer la doctrine mercantiliste, qui préconisait de limiter les achats à l'étranger pour accumuler des réserves d'or. Le commerce international repose désormais sur des théories élaborées il y a environ deux siècles, à la faveur de la révolution industrielle en Angleterre ; depuis, il est devenu l'un des plus importants phénomènes économiques.

Au XXᵉ siècle, le commerce entre pays a été stimulé par la croissance économique*, mais aussi par la formation d'institutions et d'associations vouées à sa promotion. Malgré ces développements, il subsiste encore aujourd'hui de nombreuses barrières aux échanges internationaux, et des négociations se poursuivent dans le but de les réduire. Au chapitre 4, nous avons abordé le commerce international sur le plan comptable ; dans ce chapitre, nous présentons ses fondements théoriques, son évolution depuis quelques décennies et ses caractéristiques principales.

7.1 ● Les fondements théoriques

7.1.1 La théorie des avantages absolus

Au moment où la révolution industrielle* transformait de fond en comble la société britannique, propulsant l'Angleterre au premier rang des puissances mondiales, Adam Smith rédigeait l'un des plus importants ouvrages économiques de l'histoire : *Recherche sur la nature et les causes de la richesse des nations* (1776). Cette œuvre analyse l'économie industrielle britannique et en dégage les traits fondamentaux : la division du travail et sa spécialisation reposant sur les divers métiers (tailleur, cordonnier, fermier, etc.) y sont présentées comme la base de l'échange des marchandises. La division et la spécialisation du travail permettent de travailler de façon plus efficace, c'est-à-dire de produire les biens en moins de temps que si chacun effectuait lui-même toutes les tâches. Produire plus en moins de temps augmente la richesse des nations.

Étendant ce principe à l'échange entre pays, Adam Smith avance la théorie des avantages absolus. Selon cette théorie, si un pays étranger peut nous fournir une marchandise à meilleur coût que celui auquel nous sommes en mesure de la produire, il vaut mieux acheter la marchandise de ce pays, et se concentrer sur la production et la vente des marchandises que nous produisons plus efficacement. Cette théorie allait à l'encontre des principes du mercantilisme*, théorie alors dominante, qui préconisait d'exporter le plus possible tout en se gardant d'importer, afin d'accumuler des réserves d'or.

Le tableau 7.1 illustre de façon simplifiée la théorie de Smith.

Tableau 7.1 Production d'une même quantité de vin et de drap

Pays	(en personnes-heure dans deux pays différents) Vin	Drap
A	80	90
B	60	100

Le pays A possède un avantage absolu dans la production de drap, car il produit la même quantité que le pays B, en moins de temps. Le pays B, quant à lui, produit son vin en moins d'heures que le pays A. Ce dernier se concentrera donc sur la production de drap et importera son vin, tandis que le pays B produira du vin et importera le drap.

7.1.2   La théorie des avantages comparatifs

Le principe selon lequel on devait importer les marchandises qui sont produites ailleurs à meilleur coût est, somme toute, assez facile à admettre. Mais on a mis plus de temps à accepter l'idée que l'on puisse aussi importer des marchandises que l'on produit à meilleur coût chez soi, ce qui est peu réaliste.

C'est au début du XIXᵉ siècle que David Ricardo (*Des principes de l'économie politique et de l'impôt,* publié en 1817) rédigera sa théorie des avantages comparatifs. Cette théorie stipule qu'un pays a intérêt à exporter et à importer des produits même s'il détient un avantage absolu pour chacun des produits. Il suffit, selon Ricardo, qu'un pays bénéficie d'un avantage comparatif, c'est-à-dire qu'il soit relativement plus efficace dans la production de certains biens. Considérons l'exemple même de Ricardo, présenté dans le tableau 7.2.

Tableau 7.2 Production d'une même quantité de vin et de drap

Pays	(en personnes-année dans deux pays différents) Vin	Drap
Portugal	80	90
Angleterre	120	100

N.B. : Curieusement, l'exemple choisi par Ricardo est complètement éloigné de la réalité Portugal-Angleterre : le Portugal était loin de détenir un tel avantage sur l'Angleterre.

Dans ce cas, le Portugal offre un rendement absolument supérieur à celui de l'Angleterre dans la production des deux marchandises ; le Portugal peut produire la même quantité de vin que l'Angleterre avec 80 personnes-année de travail contre 120 pour l'Angleterre, et la même quantité de drap avec 90 personnes-année contre 100 pour l'Angleterre. Ricardo émet l'hypothèse fondamentale suivante : une unité de vin s'échange contre une unité de drap. Le Portugal a un avantage absolu dans la production des deux biens, mais il a un avantage relatif dans celle du vin. En effet, il peut produire du vin de manière relativement plus efficace qu'il ne produit du drap ; il a donc avantage à concentrer ses efforts sur la production de vin, qui ne demande que 80 personnes-année de travail, et à importer le drap que l'Angleterre produit avec 100 personnes-année. Celle-ci affectera 100 personnes-année à la production supplémentaire de drap et exportera ce surplus au Portugal en retour de vin. Le Portugal exportera du vin, dont la production lui demandera 80 personnes-année, pour importer du drap.

Comme l'indique le tableau 7.3, les deux pays y gagnent à la spécialisation et à l'échange. Le Portugal aura la même quantité de vin et de drap pour 160 personnes-année de travail au lieu de 170, un gain de 10 personnes-année, et l'Angleterre aura aussi la même quantité des deux produits pour 200 personnes-année au lieu de 220, ce qui représente un gain de 20.

Tableau 7.3 Avantages de la spécialisation et de l'échange, considérés d'après le nombre de personnes-année nécessaires à la production d'une même quantité de vin et de drap

| | Avant la spécialisation | | | |
Pays	Vin	Drap	Total	
Portugal	80	90	170	
Angleterre	120	100	220	
Monde			**390**	

| | Après la spécialisation | | | |
Pays	Vin	Drap	Total	Gain
Portugal	160	–	160	10
Angleterre	–	200	200	20
Monde			**360**	**30**

D'après Ricardo, la spécialisation de la production et du commerce procure un gain aux parties concernées et au monde dans son ensemble.

7.1.3   La théorie de Heckscher-Ohlin

Au xxe siècle, Eli Heckscher et Bertil Ohlin ont élargi la théorie de Ricardo au cas des facteurs de production. Les deux économistes affirment que chaque pays a intérêt à se spécialiser dans la production des biens qui utilisent les facteurs qu'il possède en abondance par rapport aux autres pays et, conséquemment, à exporter ces biens et à importer les produits qui utilisent les facteurs qui lui manquent. Ainsi, si l'Angleterre dispose de capital en abondance mais a peu de terres, et si l'Australie possède beaucoup de terres, la première a intérêt à se spécialiser dans la production manufacturière, qui demande beaucoup de capital, tandis que la seconde a intérêt à se spécialiser dans la production agricole.

7.1.4 Les écueils de la spécialisation

De Smith à Heckscher-Ohlin, les fondements théoriques du commerce international reposent sur l'importance accordée à la spécialisation du commerce; il serait inefficace (perte de temps et d'argent) de s'acharner à fournir à tout prix des marchandises qui requièrent deux ou trois fois plus de temps de production qu'ailleurs. Mais la réalité s'avère plus complexe que le principe. Ainsi, un pays peut avoir intérêt à fournir lui-même des produits agricoles ou manufacturés qu'il pourrait se procurer à meilleur prix ailleurs: la dépendance vis-à-vis de l'étranger, qui peut découler d'une adhésion dogmatique à la théorie, n'est pas dans l'intérêt des pays.

Dans la quatrième partie de cet ouvrage, nous verrons comment de nombreux pays en développement sont spécialisés dans la production et l'exportation de quelques produits de base (produits agricoles, minéraux ou métaux) et dans l'importation de produits manufacturés. Les théories de Ricardo et de Heckscher-Ohlin justifient en quelque sorte cette situation, car ces pays sont dotés en abondance de terres et de main-d'œuvre comparativement au capital; les pays industrialisés exportent surtout des produits manufacturés qui utilisent intensément le facteur capital.

Le cas du Japon (*voir l'encadré 9.3*) montre qu'un pays qui, au lieu de se soumettre aux données des avantages comparatifs, en crée de nouvelles plus favorables à son économie, a de bien meilleures chances de développement. Il s'agit là d'un exemple de **politique volontariste** d'intervention de l'État qui stimule des secteurs jugés stratégiques.

Une contradiction majeure trahit les principes; **le marché ne répartit pas également les gains de cette spécialisation.** Bien au contraire, les pays spécialisés dans les produits de base s'appauvrissent, car la vente de ces produits leur rapporte de moins en moins par rapport aux sommes qu'ils doivent débourser pour importer des produits manufacturés (le chapitre 13 expose ce phénomène). Les pays en développement qui ont connu une croissance rapide dans les dernières décennies sont ceux qui ont su diversifier leurs échanges et qui ont augmenté la part des produits manufacturés dans leurs exportations.

La théorie elle-même recèle des faiblesses; elle repose sur une hypothèse complètement irréaliste, soit l'immobilité des facteurs de production (capital et travail). Or, bien au contraire, les capitaux se caractérisent par une forte tendance à la mobilité; depuis plus d'un siècle, les mouvements internationaux de capitaux ont connu une très forte croissance.

De plus, une grande partie du commerce international (près de 40 % des biens exportés par les pays développés, selon le Secrétariat américain au commerce) est constituée de transferts intra-entreprise, entre filiales, centres régionaux et siège social ; ces échanges peuvent jusqu'à un certain point échapper aux lois du commerce international.

7.2 ● La croissance du commerce mondial

Le tableau 7.4 illustre la croissance du commerce mondial et celle des principaux pays depuis le début du siècle dernier. Dans la première moitié du siècle, marquée par deux guerres mondiales et la grande crise des années 1930, les exportations ont augmenté moins vite que la production. Mais elles ont crû plus rapidement par la suite. Les exportations occupent une place de plus en plus importante du PIB, ce qui traduit l'ouverture des économies. Celle-ci repose sur deux facteurs principaux : d'une part, le développement des technologies de transport, qui accroît considérablement la vitesse de circulation des marchandises, et celui des techniques de l'information, qui favorise le commerce des services en

Tableau 7.4 Exportations de marchandises en pourcentage du PIB en prix de 1990

	1913	1929	1950	1973	1992
États-Unis	3,7	3,6	3,0	5,0	8,2
Europe de l'Ouest	16,3	13,3	9,4	20,9	29,7
France	8,2	8,6	7,7	15,4	22,9
Allemagne	15,6	12,8	6,2	23,8	32,6
Pays-Bas	17,8	17,2	12,5	41,7	55,3
Royaume-Uni	17,7	13,3	11,4	14,0	21,4
Japon	2,4	3,5	2,3	7,9	12,4
Chine	1,4	1,7	1,9	1,1	2,3
Inde	4,7	3,7	2,6	2,0	1,7
Corée	1,0	4,5	1,0	8,2	17,8
Taïwan	2,5	5,2	2,5	10,2	34,4
Monde	8,7	9,0	7,0	11,2	13,5

Source : *Monitoring the World Economy,* 1820-1992, par Angus Maddison, publication OCDE, 1994, reproduit dans *Problèmes économiques,* n° 2.586, 14 octobre 1998.

particulier; d'autre part, les négociations entreprises depuis 1947 au sein du GATT (Accord général sur les tarifs douaniers et le commerce) poursuivies depuis 1995 au sein de l'OMC (Organisation mondiale du commerce).

La figure 7.1 confirme cette évolution durant les années 1990; la croissance des exportations dépasse nettement celle du PIB (sauf en 2001).

Figure 7.1 Volume des exportations mondiales de marchandises et PIB mondial, 1990-2001

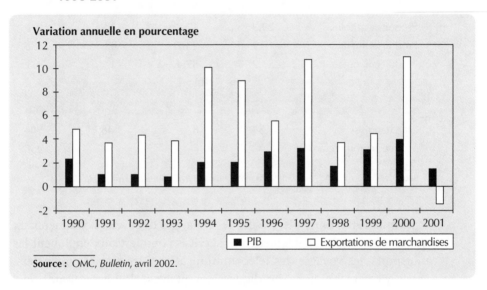

Source : OMC, *Bulletin*, avril 2002.

7.2.1 Le commerce par catégories de produits

Ce sont les pays industrialisés qui ont alimenté la croissance du commerce international, et les produits manufacturés ont été la catégorie de marchandises qui a augmenté le plus rapidement.

Ces résultats dépendent en bonne partie de l'accroissement de la production manufacturière dans les pays développés d'abord, puis, à partir des années 1960, dans plusieurs pays en développement (*voir le chapitre 12*). De plus, les pays industrialisés, qui dominent le commerce mondial, s'échangent surtout des produits manufacturés.

Cette évolution a eu pour effet d'augmenter la prédominance des produits manufacturés dans les exportations mondiales, comme l'indique le tableau 7.5. Leur part est passée de 53,2 % en 1963 à 74,8 % en 2001; celle des produits agricoles est passée de 29,2 % à seulement 9,1 %, tandis que celle des minéraux diminuait sensiblement durant la période. La baisse des prix des produits agricoles par rapport à ceux des produits manufacturés a aussi joué un rôle déterminant dans la réduction de la part du commerce des produits agricoles.

Tableau 7.5 Exportations mondiales de marchandises et de services commerciaux, années choisies

Exportations	(en pourcentage des exportations mondiales)			
	1963	1975	1990	2001
Produits agricoles	29,2	17,2	12,5	9,1
Produits minéraux	16,9	23,7	14,2	13,2
Produits manufacturés	53,2	57,4	73,3	74,8
	(en milliards de dollars)			
Marchandises	154	873	3 485	5 984
Services commerciaux	–	–	–	1 458

Sources : GATT-AGETAC, *Le commerce international.* OMC, *Bulletin,* avril 2002, [en ligne : www.wto.org].

Depuis 1980, toutefois, ce sont les échanges de services commerciaux qui ont crû le plus rapidement ; les services commerciaux englobent les transports, les voyages, les télécommunications, les services financiers, les services techniques (juridiques, comptables, de bureautique), etc. Les progrès des technologies de l'information ont permis de dissocier la production et la consommation de ces activités ; ainsi, la comptabilité de Swiss Air était faite en Inde, la saisie des textes d'une maison d'édition française sera effectuée par des techniciens au Maroc, etc. La part des services commerciaux dans le commerce mondial ne cesse de s'accroître. Le commerce électronique qui se développe dans les pays de l'OCDE renforce cette tendance.

7.2.2 Le commerce par régions et par pays

Le commerce (exportations et importations) des marchandises est concentré dans les pays industrialisés. En raison de son bassin de population et de son niveau de vie élevé, l'Europe occidentale est la première région commerciale du monde ; près de la moitié du commerce des marchandises transite par ses frontières. Suivent ensuite l'Asie et l'Amérique du Nord, avec respectivement le quart et le sixième du commerce mondial.

Si on consulte la liste des plus grands exportateurs de marchandises, on remarque aux premiers rangs la présence des grandes puissances occidentales et du Japon ; on constate aussi que les nouveaux pays industrialisés d'Asie se rapprochent. La Chine occupe le 6e rang et se classera fort probablement parmi les cinq premiers pays d'ici quelques années. Pour les services commerciaux, les puissances occidentales, États-Unis en tête, sont nettement dominantes. La production de services est l'élément le plus dynamique de leur croissance et elles y détiennent d'importants avantages comparatifs (*voir le tableau 7.6*).

Tableau 7.6 Principaux exportateurs classés d'après leur part dans le commerce mondial des marchandises et des services commerciaux, 2001

			(en milliards de $ et en %)		
Marchandises			**Services commerciaux**		
Pays	**Exportations**		**Pays**	**Exportations**	
États-Unis	730,8	11,9	États-Unis	263,4	18,1
Allemagne	570,8	9,3	Royaume-Uni	108,4	7,4
Japon	403,5	6,6	France	79,8	5,5
France	321,8	5,2	Allemagne	79,7	5,5
Royaume-Uni	273,1	4,4	Japon	63,7	4,4
Chine	266,2	4,3	Espagne	57,4	3,9
Canada	259,9	4,2	Italie	57,0	3,9
Italie	241,1	3,9	Pays-Bas	51,7	3,5
Pays-Bas	229,5	3,7	Belgique – Luxembourg	42,6	2,9
Hong-Kong – Chine	191,1	3,1	Hong-Kong – Chine	42,4	2,9
Belgique	179,7	1,8	Canada	35,6	2,4
Mexique	158,7	1,6	Chine	32,9	2,3
Rép. de Corée	150,4	1,5	Autriche	32,5	2,2
Taïwan	122,5	1,2	Rép. de Corée	29,6	2,0
Singapour	121,8	1,1	Danemark	26,9	1,8

N.B. : Les chiffres relatifs au commerce extérieur portent sur les exportations provenant du territoire d'un pays (exportations nationales–territoriales). Selon Michel Beaud (1989), ce calcul traduit mal la réalité, car aux exportations provenant du territoire d'un pays devraient s'ajouter celles des filiales des firmes multinationales originaires du pays. La prise en considération des exportations nationales–mondiales au lieu des exportations nationales–territoriales représenterait, dans le cas des États-Unis, une augmentation d'environ 40 % de leurs exportations de produits manufacturés. Aux fins de comparaison internationale, il faudrait appliquer le principe aux exportations japonaises et allemandes qui seraient, elles aussi, gonflées d'un certain pourcentage.

Source : OMC, *Bulletin,* avril 2002, [en ligne : www.wto.org].

7.3 ● Le libre-échange et le protectionnisme

7.3.1 Le libre-échange

Le libre-échange est le système économique dans lequel les biens et les services circulent librement, sans aucune barrière. Il repose sur la théorie des avantages comparatifs, qui stipule que les pays devraient exporter les biens et les services qu'ils produisent le plus efficacement, et importer ceux que les pays étrangers produisent le plus efficacement. Le respect de ce principe garantirait à l'économie mondiale une affectation optimale des ressources et un bien-être supérieur. Selon cette théorie, toute entrave, de nature tarifaire ou non tarifaire, réduit le bien-être de l'ensemble : en effet, les barrières auxquelles un pays doit faire face amènent celui-ci à produire des marchandises qu'il pourrait se procurer à l'étranger à meilleur coût. Sur le plan théorique, le libre-échange reçoit l'appui de la majorité des économistes.

7.3.2 Le protectionnisme

Le protectionnisme vise à protéger le marché national contre la concurrence des produits étrangers. On observe deux grandes catégories de barrières : les tarifs et les obstacles non tarifaires.

Les tarifs sont des droits à payer sur des produits étrangers : il s'agit de droits d'accise qui majorent le prix des produits importés d'une certaine somme par unité, ce qui favorise la vente du produit local. Les tarifs touchent parfois des produits qui n'ont pas de concurrent national ; ils ne visent alors qu'à procurer au gouvernement des revenus supplémentaires.

La protection tarifaire est aujourd'hui beaucoup moins importante que les obstacles non tarifaires. Ceux-ci constituent une forme de protection variée, qui comprend principalement :

- les quotas* ou contingentements : ceux-ci déterminent les quantités maximales d'un produit qui peuvent être importées à l'intérieur d'une période donnée ;
- les restrictions volontaires des exportations : elles sont exigées par les pays importateurs et visent à amener le pays exportateur à limiter ses exportations dans un marché, sous peine de se voir restreindre l'accès à ce marché ;
- les normes relatives aux produits nationaux : elles stipulent les conditions auxquelles doivent satisfaire les produits étrangers pour avoir accès au marché national ;

- la passation de marchés publics : cette mesure favorise les producteurs nationaux lorsque le gouvernement local accorde des contrats ;
- la procédure d'admission : il s'agit des règles ou de formalités douanières qui peuvent ralentir l'accès des produits étrangers au marché national ;
- les politiques industrielles des gouvernements : la politique industrielle est la tentative délibérée d'un gouvernement pour influer sur le niveau et la composition de la production industrielle nationale. Elle englobe des mesures diverses : subventions directes à la production, concessions fiscales, crédits de recherche et développement, aide aux régions en difficulté, etc.

7.3.3 Les motivations sous-jacentes au protectionnisme

Bien qu'en théorie le libre-échange recrute plus d'adeptes que le protectionnisme, ce dernier s'est imposé dans de nombreuses économies industrialisées et en développement. Cette pratique est motivée par plusieurs raisons.

La diversification de l'économie

La théorie des avantages comparatifs, fondement du libre-échange, prône que la spécialisation de la production est le gage d'un bien-être supérieur pour le monde entier. Mais le principe demeure fortement théorique pour une économie soumise à des réalités comme la dépendance vis-à-vis de l'extérieur pour l'approvisionnement en produits stratégiques : produits alimentaires essentiels, produits nécessaires à l'industrie, machinerie et équipement, produits électroniques (robotique, informatique, etc.). Le Canada, pays hautement industrialisé, accuse un certain retard pour ce qui est des produits de haute technologie, en particulier les appareils électroniques de bureau, la machinerie industrielle, les produits électriques et les instruments scientifiques. Le Canada étant placé devant le choix d'importer ces produits ou de les produire sur place en fixant des tarifs sur leur importation, le protectionnisme peut, à court terme, s'avérer économiquement justifié pour ce pays.

De nombreux pays en développement sont spécialisés dans l'exportation de produits de base (*voir le chapitre 13*) ; ceux qui veulent diversifier leur économie doivent souvent recourir à des mesures visant à protéger les secteurs nouveaux qu'ils veulent exploiter. Le protectionnisme a été un facteur majeur dans l'industrialisation de plusieurs pays en développement.

La protection des industries naissantes

Pour les économies parfois incapables d'affronter à court terme la concurrence des pays industrialisés, l'industrie qui cherche à s'établir a souvent besoin de protection. Taïwan et la Corée du Sud, deux nouveaux pays industrialisés, ont appuyé leur industrialisation par des barrières protectionnistes. Le Japon lui-même a construit ses secteurs de pointe sous la direction d'un superministère de l'Industrie qui tenait les produits étrangers éloignés du marché national.

D'autres arguments sont aussi avancés pour justifier le protectionnisme. Plusieurs États préfèrent réserver la production militaire aux entreprises nationales. En outre, dans certains cas, comme cela se produisit dans le Québec des années 1970, le gouvernement peut viser à augmenter le degré d'autosuffisance agricole (production nationale/ consommation nationale).

* * *

En résumé, les arguments en faveur du libre-échange semblent logiques : le monde a tout à gagner à favoriser une ouverture des frontières économiques. Mais les gains ne sont pas également répartis entre les nations. Les pays déjà plus industrialisés sont en meilleure position pour en capter une plus large part. Cela amène certains pays à élever des barrières pour assurer le développement de leur économie ou de certains secteurs stratégiques. Lorsqu'elles sont sélectives et temporaires, ces barrières peuvent, à long terme, se révéler très bénéfiques pour un pays ; dans la période d'après-guerre, plusieurs économies parmi les plus performantes, comme Taïwan, la Corée du Sud et le Japon, en ont fait l'expérience.

Certains économistes présentent le libre-échange « moins comme un mécanisme pour promouvoir l'efficacité que comme une déréglementation qui permet aux multinationales de s'implanter là où les coûts salariaux, incluant les avantages sociaux publics et privés, sont les plus faibles et où elles peuvent obtenir les concessions fiscales les plus intéressantes[1] ». Les multinationales, ajoute l'auteur de ces lignes, tentent constamment de dresser les gouvernements (nationaux, mais aussi régionaux et locaux) les uns contre les autres, créant ainsi une pression à la baisse sur les salaires et les programmes sociaux.

---

1. R. Rose, « Le libre-échange et les programmes sociaux », *Relations*, janvier-février 1996, p. 20.

7.4 ● Les institutions du commerce mondial et les associations économiques régionales

La crise des années 1930 et la Seconde Guerre mondiale ont sérieusement compromis la croissance du commerce international. Aussi, après 1945, diverses institutions internationales ont été créées pour favoriser l'expansion de ce commerce, et de nombreuses associations ont été formées pour ouvrir les frontières économiques.

7.4.1 Le GATT

Le GATT (General Agreement on Tariffs and Trade), appelé en français Accord général sur les tarifs douaniers et le commerce, a été pendant 46 ans la plus importante des institutions instaurées pour favoriser la croissance du commerce international. Durant cette période, il établissait le cadre économique, financier et institutionnel du fonctionnement du commerce mondial. Signé en 1947 par 23 pays représentant 80 % du commerce mondial, dont le Canada et les États-Unis, cet accord touchait 111 pays en 1993. Il reposait sur trois principes fondamentaux :
- un traitement égal et non discriminatoire pour tous les pays membres ; ce traitement est basé sur le principe de « la nation la plus favorisée », qui stipule qu'un pays doit accorder à chaque membre le même traitement qu'il accorde à tout autre partenaire ;
- la réduction des tarifs consécutifs à des négociations multilatérales ;
- l'élimination des quotas d'importation et des autres barrières non tarifaires.

Comme son successeur actuel, l'Organisation mondiale du commerce, le GATT était un forum visant à négocier les réductions de barrières douanières sur une base multilatérale. De 1947 à 1995, il a constitué, comme le Fonds monétaire international et la Banque mondiale (*voir le chapitre 5*), l'un des piliers de l'ordre économique établi au lendemain de la Seconde Guerre mondiale. Les réductions étaient négociées dans le cadre de séries de négociations.

Les séries de négociations (voir encadré 7.1)

Entre 1947 et 1994, huit séries de négociations ont eu lieu.

Les cinq premières séries de négociations ont permis de réduire ou d'éliminer les tarifs douaniers sur un nombre imposant de produits.

Dès 1947, 123 accords avaient été signés, couvrant environ 45 000 mesures tarifaires ; le cadre des négociations et le nombre de participants ont été considérablement élargis durant cette période.

Les sixième et septième séries ont élargi à la fois le champ des négociations et le nombre de participants. Les négociateurs se sont attaqués aux obstacles non tarifaires et à la libéralisation des produits agricoles, prenant en considération les positions des pays en développement.

La huitième et dernière série de négociations (Uruguay Round, 1986-1994) a duré sept ans. Elle a achoppé longtemps sur la question des subventions agricoles, terrain d'un véritable bras de fer entre les États-Unis et la Communauté européenne.

Les tarifs douaniers existant encore ont été réduits du tiers ; plus de 40 % des échanges de marchandises dans le monde se feront en franchise totale (sans barrière tarifaire). Mais la plus importante réalisation a été l'ouverture de nouveaux champs d'application des accords : agriculture, textile, services et propriété intellectuelle notamment, comme le souhaitait la partie américaine.

Dans le domaine agricole, les volumes d'exportations subventionnées seront réduits de 21 % en six ans et les systèmes de quota seront remplacés par des systèmes de tarification douanière[2] ; élevés au début, les tarifs ont diminué substantiellement jusqu'à l'an 2000, selon l'échéancier prévu dans l'accord.

Dans le secteur des textiles, les pays développés devront ouvrir leurs marchés aux produits des pays en développement. Les quotas imposés en 1974 par marché et par type de produit par l'Accord multifibres disparaîtront en dix ans et les tarifs douaniers devraient diminuer.

Des pas timides ont été franchis dans le domaine des services, lesquels occupent une place de plus en plus grande dans le commerce international. Une attention particulière leur est accordée au sein de l'Organisation mondiale du commerce ; les services financiers, l'aéronautique, les transports maritimes et l'audiovisuel font l'objet de négociations. Des ententes ont été conclues dans le domaine de la propriété intellectuelle ; les brevets, les droits d'auteur et les marques de commerce seront désormais protégés ; c'est l'une des plus importantes victoires remportées par les États-Unis au cours de cette négociation.

---

2. Au Canada et au Québec, l'agriculture doit se réorganiser sur ces nouvelles bases ; depuis 1995, le système de quota en vigueur dans toutes les régions est peu à peu démantelé, et les frontières s'ouvrent de plus en plus aux produits étrangers.

Encadré 7.1

LES CYCLES DE NÉGOCIATION DU GATT-OMC

Année	Lieu/nom	Domaines couverts	Pays
1947	Genève	Droits de douane	12
1949	Annecy	Droits de douane	13
1951	Torquay	Droits de douane	38
1956	Genève	Droits de douane	26
1960-1961	Genève (Dillon Round)	Droits de douane	26
1964-1967	Genève (Kennedy Round)	Droits de douane et mesures antidumping	62
1973-1979	Genève (Tokyo Round)	Droits de douane, mesures non tarifaires et accords-cadres	102
1986-1994	Genève (cycle d'Uruguay)	Droits de douane, mesures non tarifaires, règles, services, propriété intellectuelle, règlement des différends, textiles, agriculture, création de l'OMC	123
2002-2004	Doha	Biens et services, droits de douane, mesures non tarifaires et antidumping, subventions, accords commerciaux, propriété intellectuelle, environnement, règlement des différends, etc.	144

Source: OMC, 2001, «Un commerce ouvert sur l'avenir», [en ligne: http://www.wto.org], mis à jour par Anne McQuirk dans *Finances et Développement,* septembre 2002.

7.4.2 L'Organisation mondiale du commerce

Durant son existence, le GATT a permis de réduire de plus de 90 % les tarifs douaniers. De 40 % en 1947, la moyenne des tarifs douaniers des pays industrialisés a chuté à moins de 4 % en 1993. Toutefois, entre 1966 et 1986, les obstacles non tarifaires ont progressé de 23 % par année; ils ont été réduits lors de la huitième et dernière série de négociations.

Afin de faire face aux nouveaux défis en matière de commerce international (agriculture, services, propriété intellectuelle, montée du régionalisme avec l'Union européenne, ALENA, intensification des relations entre les pays asiatiques, etc.), l'Uruguay Round a créé l'Organisation mondiale du commerce (OMC). Cet organisme, chargé de gérer et d'élargir l'accord intervenu en 1993, procède par négociations continues plutôt que par négociations ponctuelles (les séries).

Créée officiellement le 1er janvier 1995, l'OMC est gouvernée par une **Conférence ministérielle** : composée de l'ensemble de représentants des membres, elle est l'autorité suprême de l'organisation. Cette Conférence a lieu tous les deux ans. Entre deux réunions, les fonctions de la Conférence sont assurées par le **Conseil général. Trois comités généraux**, le Conseil du commerce des marchandises, le Conseil du commerce des services et le Conseil des aspects des droits de propriété intellectuelle, agissent sous la conduite du Conseil général. Enfin, d'autres comités plus spécialisés sont reliés à ces conseils : comité de l'agriculture, organe de supervision des textiles, comité antidumping*, etc. Des négociations permanentes se déroulent au sein de ces comités. Un organisme spécial, l'**Organe de règlement des différends,** traite les plaintes des pays membres et, éventuellement, tranche les litiges ; ses décisions ont alors force de loi pour les parties. Là où le GATT était surtout un accord de bonne conduite qui permettait aux pays membres d'y échapper à l'occasion, l'OMC interdit à un pays de se faire justice lui-même. Les États-Unis ont émis de sérieuses réserves à ce pouvoir supranational ; le Congrès américain a instauré un droit de regard sur les décisions de l'OMC qui seraient défavorables au pays.

Les négociations intensives au sein de l'OMC ont mené en 1997 à l'Accord général sur le commerce des services (AGCS) et à un accord dans l'important secteur des télécommunications (téléphonie, transmission des données, télex, télégraphe, etc.). L'AGCS fixe un cadre de travail dans lequel peuvent s'insérer différents cycles de négociation. L'Accord couvre quelques grandes catégories de services dont les services aux entreprises, les services financiers, les communications, la construction et l'ingénierie, la distribution, la culture, l'éducation, les services hospitaliers, l'environnement, le tourisme, le transport, et une catégorie « Autres » (incluant, par exemple, l'énergie), en tout plus de 160 secteurs sont visés. Les négociations de l'Accord multilatéral sur l'investissement (AMI) se font maintenant à l'OMC, après avoir abouti à un échec au sein de l'OCDE. L'AMI visait à introduire dans la zone de l'OCDE la règle du « traitement national » et celle de « la nation la plus favorisée » : la première oblige les pays signataires de l'Accord à consentir au capital des pays adhérents le même traitement qu'au capital national ; la seconde oblige le pays qui a accordé un certain traitement à un investisseur étranger à l'élargir à tout autre investisseur étranger. Le pouvoir accordé aux entreprises et aux investisseurs privés étrangers a paru trop élevé aux différents États membres de l'OCDE, qui ont refusé de signer l'Accord (*voir l'encadré 7.2*).

Encadré 7.2

L'AMI : DEUX POINTS DE VUE

Selon l'OCDE, l'AMI favoriserait les investissements internationaux en leur accordant une meilleure protection. L'augmentation des investissements étrangers accroîtrait le bien-être économique dans les pays développés et dans les pays en développement. Les pays recherchent ces investissements afin de profiter de leurs retombées positives, notamment en matière de gestion et de technologie. Les investissements étrangers contribuent au maintien de l'emploi dans le pays d'origine, tout en y stimulant les exportations de marchandises et de services.

Les États adhérant à l'Accord conserveraient le droit de prescrire les conditions dans lesquelles les entreprises exerceraient leurs activités à l'intérieur de leur territoire. Ainsi, la souveraineté politique de ces États ne serait pas aussi menacée qu'on le dit.

Selon Mme Lori M. Wallach, directrice de Public Citizen's Global Watch, les droits y seraient réservés aux entreprises et aux investisseurs internationaux, tandis que les gouvernements assumeraient toutes les obligations. Les pays signataires de l'Accord perdraient le droit d'établir des politiques favorisant le développement du capital national. Un investisseur étranger qui s'estimerait lésé par une politique réservant à des entreprises nationales l'exploitation des ressources naturelles ou exigeant l'emploi de la main-d'œuvre locale pourrait poursuivre l'État concerné et être indemnisé pour les pertes présumément subies.

Un investisseur étranger pourrait également être indemnisé s'il était privé de la vente d'un produit interdit par une norme nationale. En bref, les opposants à l'AMI y voient une atteinte à la souveraineté des États. Les règles de cet accord procurent aux entreprises privées le droit de poursuivre un État qui ne respecte pas l'accord, et à un État le droit de poursuivre un autre État, mais la possibilité pour un État de poursuivre un investisseur n'est pas évoquée.

Source : «Mondialisation et gouvernance mondiale», *Problèmes économiques*, nos 2.611-2.612, 7-14 avril 1999, p. 73-77 ; OCDE, *Synthèse*, no 6, 1998 ; Lori M. Wallach, *Le monde diplomatique, Manière de voir*, no 42, nov.-déc., 1998.

Une nouvelle série de négociations générales, qualifiée de «cycle du millénaire», devait débuter en l'an 2000. Cette série, qui devait durer trois ans, visait principalement à lever les tarifs restants et les subventions des gouvernements à la production et à l'exportation. Mais, réunis à Seattle en décembre 1999, les 135 pays membres n'ont pas réussi à s'entendre sur les sujets à négocier. L'Union européenne a refusé d'engager la négociation sur l'élimination des subventions à l'agriculture; les États-Unis ont voulu introduire la question des mesures antidumping pour décourager les exportations d'acier des pays en développement à des prix jugés déloyaux. Les pays en développement ont refusé d'intégrer à l'ordre du jour les normes du travail (droit d'association, travail des enfants, etc.) et les normes environnementales, sujets amenés par les pays développés, États-Unis en tête. Ils revendiquent également un meilleur accès aux marchés des pays riches, particulièrement dans les secteurs industriels où, du fait d'une main-d'œuvre abondante et bon marché, ils bénéficient d'un avantage comparatif, et dans le secteur agricole, fortement subventionné dans les pays riches.

L'OMC devra également ouvrir au public les négociations dont les conséquences pour les pays membres sont parfois extrêmement contraignantes; les décisions de l'Organe de règlement des différends menacent les juridictions nationales de ces pays et limitent leur pouvoir de gestion économique.

En novembre 2001, la conférence de Doha (Qatar) a adopté un cadre de négociation dont on retrouve les principaux éléments dans l'encadré 7.1. Au cours de cette conférence, l'OMC a fixé au 31 décembre 2004 la date limite de toutes les négociations qui doivent se conclure par un accord. En août 2003, une entente est intervenue sur la question des médicaments génériques. Les pays pauvres peuvent désormais se procurer à moindre coût les versions génériques de médicaments qui permettent de contrôler certaines épidémies (malaria, sida, tuberculose, etc.).

En septembre 2003, se tenait à Cancún (Mexique) une conférence de mi-parcours. Parmi les questions abordées durant cette conférence, on peut noter: la question des subventions aux exportations agricoles et les «enjeux de Singapour» (la protection des investissements [*voir l'encadré 7.2*], les marchés publics, les contrats des gouvernements, etc.). Les pays en développement (PED) ont jugé insuffisantes les réductions aux subventions agricoles des États-Unis et de l'Union européenne. Ainsi, la conférence s'est soldée par un échec. L'échéance du 31 décembre 2004 fixée par l'OMC pourra donc difficilement être respectée.

7.4.3 L'association économique et la coopération régionale

Les négociations organisées dans le cadre du GATT puis de l'OMC sont un aspect de la coopération économique internationale. Elles ont pour objet de lever les obstacles qui établissent les frontières économiques des pays. Mais il existe des formes d'association économique qui, tout en étant limitées à un nombre plus restreint de pays, vont plus loin que les accords réalisés à l'échelle mondiale. L'association économique peut prendre les formes décrites dans l'encadré 10.1 : zone de libre-échange, union douanière, marché commun, union monétaire.

Selon les accords du GATT, le principe de « la nation la plus favorisée » stipule que toute réduction tarifaire accordée à un pays, tout avantage commercial est automatiquement étendu à tous les membres. Mais dans le cas d'associations économiques ou d'accords commerciaux à base régionale, le GATT fait abstraction de cette clause : les avantages ne sont pas considérés comme devant être étendus à l'ensemble des pays contractants ; mais l'association régionale doit éviter de poser de nouveaux obstacles au commerce avec les pays tiers.

L'encadré 7.3 résume les principaux accords régionaux négociés dans le cadre du GATT durant ses 46 années d'existence. On y trouve les grandes associations régionales : dans les pays développés, l'Union européenne, l'Association européenne de libre-échange et, récemment, l'ALENA (incluant le Mexique, pays en développement qui fait la jonction avec le reste de l'Amérique latine) ; dans les pays en développement, l'Association latino-américaine de libre-échange et, récemment, le MERCOSUR ; dans les ex-pays socialistes, l'Accord de libre-échange d'Europe centrale.

Ces dernières années, les manœuvres commerciales régionales se sont intensifiées. Les membres de l'Association des nations de l'Asie du Sud-Est (Brunei, Indonésie, Malaisie, Philippines, Singapour, Thaïlande, Viêtnam) ont signé, en 1992, un accord prévoyant la création d'une zone de libre-échange avant 2006. Dans les Amériques du Nord et du Sud, les dirigeants de 34 États se sont donné pour but la création d'une zone de libre-échange d'ici 2005. En 1994, 18 pays riverains du Pacifique (Asia-Pacific Economic Cooperation), dont les États-Unis, la Chine, le Japon et le Canada, ont convenu de lever les barrières commerciales d'ici 2020 ; si ce projet se concrétise, il entraînera la création de la plus grande zone de libre-échange du monde. Enfin, l'Union européenne, le MERCOSUR (zone de libre-échange entre ces deux associations prévue pour 2005) et l'ALENA tendent à se rapprocher.

Encadré 7.3

LES PRINCIPAUX ACCORDS RÉGIONAUX NOTIFIÉS AU GATT DE 1947 AU 1er JANVIER 1995

Désignation	Membres	Date de signature
Union douanière franco-italienne (intégrée à la CEE en 1957)	France, Italie	13-09-1947
Communauté européenne du charbon et de l'acier (intégrée à la CEE en 1957)	République fédérale d'Allemagne, Belgique, France, Italie, Luxembourg, Pays-Bas	25-03-1957
Communauté économique européenne (y compris la Communauté européenne de l'énergie atomique)	1. Allemagne occidentale, Belgique, France, Italie, Luxembourg, Pays-Bas 2. Danemark, Irlande, Royaume-Uni (1973) 3. Grèce (1981) 4. Espagne, Portugal (1986)	10-06-1958
Zone de libre-échange centro-américaine (intégrée au Marché commun centro-américain en 1960)	Costa Rica, Salvador, Guatemala, Honduras, Nicaragua	04-01-1960
Association européenne de libre-échange	1. Autriche, Danemark, Norvège, Portugal, Royaume-Uni, Suède, Suisse 2. Départ, en 1973, du Danemark et du Royaume-Uni, qui adhèrent à la CEE 3. Adhésion de l'Islande en 1970 4. La Finlande devient membre à part entière en 1986 5. Départ, en 1986, du Portugal, qui adhère à la CEE	18-02-1960
Association latino-américaine de libre-échange (remplacée par l'Association latino-américaine d'intégration en 1980)	1. Argentine, Brésil, Chili, Mexique, Pérou, Paraguay, Uruguay 2. Colombie et Équateur (1961)	1960
Marché commun centro-américain	Costa Rica, Salvador, Guatemala, Honduras, Nicaragua	13-08-1964
Marché commun arabe	République arabe unie	1968
Union douanière et économique de l'Afrique centrale	Congo (Brazzaville), Gabon, République centrafricaine, Tchad	

Accord	Membres	Date
Accord de libre-échange des Caraïbes (remplacé par la Communauté et le marché commun des Caraïbes en 1974)	Barbade, Guyane, Jamaïque, Trinité-et-Tobago	1968
Pacte andin	Bolivie, Colombie, Équateur, Pérou, Venezuela	1969
Arrangements commerciaux préférentiels de l'ANASE	1. Indonésie, Malaisie, Philippines, Singapour, Thaïlande 2. Brunei (1988)	24-02-1977
Association latino-américaine d'intégration	Argentine, Bolivie, Brésil, Chili, Colombie, Équateur, Mexique, Paraguay, Pérou, Uruguay, Venezuela	1979
Accord de rapprochement économique Australie–Nouvelle-Zélande	Australie, Nouvelle-Zélande	28-03-1983
Acte unique européen (modifie la Communauté européenne du charbon et de l'acier, la Communauté économique européenne et la Communauté européenne de l'énergie atomique)	Allemagne occidentale, Belgique, Danemark, Espagne, France, Grèce, Irlande, Italie, Luxembourg, Pays-Bas, Portugal, Royaume-Uni	1986
Accord de libre-échange canado-américain	Canada, États-Unis	02-01-1988
Marché commun du Sud (MERCOSUR)[a]	Argentine, Brésil, Paraguay et Uruguay	26-03-1991
Accord de libre-échange	Membres de l'AELE	
République fédérative tchèque et slovaque/AELE	République fédérative tchèque et slovaque	20-03-1992
Accord de libre-échange nord-américain (ALENA)	Canada, États-Unis et Mexique	17-12-1992
Accord de libre-échange d'Europe centrale	Hongrie, Pologne, République slovaque et République tchèque	21-12-1992
Accord de libre-échange entre la Colombie, le Venezuela et le Mexique[b]	Colombie, Venezuela et Mexique	13-06-1994

a. Accords commerciaux préférentiels notifiés au titre de l'article xxiv.
b. Accords notifiés au titre de la clause d'habilitation de 1979.

Source : Tiré du GATT, reproduit dans *Problèmes économiques*, nᵒˢ 2.415-2.416, 15-22 mars 1995.

7.4.4 L'Accord de libre-échange canado-américain

Plus près de nous, l'Accord de libre-échange canado-américain représente une importante association économique et constitue, pour le Canada, un élément déterminant de son avenir économique.

Cet accord a été négocié dans le cadre de l'article XXIV du GATT, qui régit la formation des zones de libre-échange. Il ne s'oppose pas aux principes défendus par cette organisation mondiale ; en cas d'association économique, la clause de « la nation la plus favorisée » n'a pas à être étendue à l'ensemble des pays membres du GATT.

L'Accord de libre-échange canado-américain a été signé le 2 janvier 1988, après 20 mois de négociations intensives ; il entrait en vigueur le 1er janvier 1989. Ses objectifs majeurs sont les suivants :

- éliminer toutes les barrières tarifaires qui entravent le commerce des marchandises entre les deux pays ;
- réduire les obstacles aux investissements transfrontaliers et libéraliser le commerce des services ;
- établir des règles et des institutions propres à assurer l'administration commune de l'Accord et le règlement des différends.

L'abolition des tarifs douaniers

En tant que parties contractantes aux accords du GATT, le Canada et les États-Unis avaient déjà abaissé leurs barrières tarifaires de telle sorte que, en 1988, 80 % des exportations canadiennes entraient en franchise (exemptes de droits de douane) aux États-Unis, et 65 % des exportations américaines transitaient librement vers le Canada. Les tarifs restants ont été abolis complètement sur une période de dix ans, se terminant le 1er janvier 1998.

Le libre-échange ne s'applique qu'aux produits d'origine canadienne ou américaine. Selon l'Accord, est « d'origine » tout produit dont 50 % ou plus de la valeur des matériaux et des coûts de fabrication sont canadiens ou américains. Cette règle vise à éviter que l'on réexporte vers l'un des deux pays des produits d'autre origine soumis à des barrières tarifaires dans l'un des deux pays. Ainsi, une exportation japonaise soumise à un taux de 10 % ou à un contingentement aux États-Unis ne peut être importée au Canada, puis réexportée aux États-Unis ; elle doit concentrer 50 % de contenu canadien, ce qui oblige le producteur japonais à transformer au Canada le produit qu'il destine au marché américain.

Les services, les investissements et l'énergie

Le fait de prendre en considération le commerce des services, les investissements de même que le séjour temporaire des membres des professions libérales et des gens d'affaires à l'étranger est l'un des volets les plus importants de l'Accord. À ce sujet, une règle fondamentale du GATT est reprise : celle du « traitement national », qui stipule que, devant la loi, Canadiens et Américains devront être traités sur un pied d'égalité. Il ne pourra y avoir de discrimination fondée sur l'origine contre les résidents de l'autre pays. Une compagnie d'assurances américaine installée au Canada et une compagnie d'assurances canadienne installée aux États-Unis, de même que l'investisseur américain au Canada et l'investisseur canadien aux États-Unis, seront soumis aux mêmes lois que les firmes du pays où a lieu l'opération ; ces règles ont inspiré l'Accord multilatéral sur l'investissement (AMI) discuté à l'OMC.

Le Canada se réserve toutefois le droit d'examiner les tentatives américaines pour contrôler les entreprises de pétrole, de gaz et d'uranium, de services de transport et d'activités culturelles.

Ces mesures donnent à l'Accord une envergure qui dépasse la notion de libre-échange, laquelle se résume à la libre circulation des marchandises entre deux ou plusieurs pays.

Dans le domaine de l'énergie, le Canada obtient en principe un accès sans discrimination pour ses exportations ; les États-Unis, qui s'approvisionnent depuis longtemps au Canada, obtiennent un accès plus sûr aux sources d'énergie canadiennes en cas de pénurie mondiale. Dans une telle situation, le Canada aurait le droit de limiter le volume de ses exportations d'énergie vers son partenaire, mais il serait tenu de fournir aux importateurs leur proportion habituelle de la production canadienne. Le prix du marché doit prévaloir dans la vente de ces ressources ; ainsi, on ne pourra plus vendre l'électricité canadienne aux Américains à un prix plus élevé qu'aux Canadiens, à moins que déjà l'électricité ne se vende plus cher aux États-Unis.

La Commission mixte du commerce

La mise en œuvre de l'Accord et le règlement des différends relèveront de la Commission mixte du commerce. Dans les cas d'application générale, les différends seront portés devant cette commission qui, à son tour, pourra soumettre à l'arbitrage d'un groupe d'experts les cas de litige qu'elle ne peut régler. La décision de ces experts sera alors sans appel.

Dans certains cas (droits antidumping*, droits compensatoires*, par exemple), le recours aux arbitres est toujours prévu. La Commission, formée avec l'ALENA d'un représentant par pays, a pour mandat de vérifier si les lois (canadienne, américaine, mexicaine) ont été respectées.

Un bilan mitigé

En 1999, après dix années de libre-échange canado-américain, le débat sur ses conséquences économiques et sociales a commencé. Les partisans du libre-échange ont souligné l'importante croissance des exportations canadiennes vers les États-Unis (169 % en 10 ans), la signature subséquente de l'ALENA et les négociations pour la création d'une zone de libre-échange entre les Amériques. Pour les opposants, l'Accord de libre-échange a entraîné le démantèlement progressif de l'État-providence et la détérioration des programmes sociaux, telle l'assurance-emploi[3]. Les exportations ont certes augmenté, mais les Canadiens se sont appauvris ; pendant ces dix années, le revenu moyen disponible par habitant au Canada a régressé de 5 %.

7.4.5   L'Accord de libre-échange nord-américain

Au début des années 1990, les relations des deux partenaires ont été assombries par le protectionnisme américain ; les industries canadiennes du porc, du bois d'œuvre, de l'automobile, des viandes, de l'acier et du magnésium ont été touchées par des droits compensatoires et antidumping. Afin d'éviter ces pratiques abusives des Américains, contraires à l'esprit du libre-échange, le Canada chercha en vain à inclure une définition plus précise de la subvention dans le protocole de libre-échange Canada–États-Unis–Mexique.

Signé le 12 août 1992, un nouvel accord, l'ALENA, étend au Mexique le cadre de l'entente canado-américaine de 1988 ; celle-ci a été modifiée lors de la négociation à trois : l'ALE, restructuré et élargi, est devenu l'ALENA. Celui-ci s'étend à l'agriculture, à la fabrication, aux services et

---

3. Les mesures sociales au Canada ont tendance à se rapprocher à la baisse de celles en vigueur aux États-Unis. Ainsi, le resserrement des règles de l'assurance-emploi a réduit la proportion des chômeurs qui touchent des prestations ; de cinq chômeurs sur six dans les années 70 et 80, ils n'étaient plus que deux sur six en 1998 à percevoir des prestations. Le régime d'assurance-emploi se compare, selon l'économiste Pierre Fortin, aux régimes des États du sud des États-Unis. Ce sont les jeunes et les travailleurs précaires qui sont exclus du régime, bien qu'ils doivent y contribuer lorsqu'ils travaillent.

aux industries financières. Les droits de douane applicables aux produits considérés comme nord-américains d'après les règles d'origine de l'Accord seront éliminés, soit au moment précis de l'entrée en vigueur de cet accord, le 1er janvier 1994, ou progressivement sur des périodes de 5, 10 et 15 ans, selon les produits. L'élimination des droits de douane d'après les termes de l'Accord de libre-échange de 1988 se poursuivra selon le calendrier établi dans cet accord.

Dans le domaine des produits, certaines règles ont été établies qui vont à l'encontre du libre-échange à l'échelle mondiale ; ainsi, les fabricants de vêtements devront désormais s'approvisionner en Amérique du Nord pour leurs fils et tissus, de manière que leurs tissus soient exportés à l'intérieur de la zone en franchise de douane (des quotas d'exportation pour les produits utilisant les fils et tissus hors zone ont été accordés pour les premières années). Les producteurs canadiens qui importaient des fils et tissus européens et asiatiques, moins coûteux et de meilleure qualité, devront se tourner vers les fournisseurs nord-américains s'ils veulent que leurs produits soient exemptés des droits douaniers.

Dans le domaine de l'automobile, le contenu nord-américain sera relevé de 50 % à 62,5 %, ce qui diminuera les achats hors zone de pièces et de produits semi-finis ; pour éviter de se conformer à cette nouvelle règle, les producteurs étrangers pourraient être tentés de s'installer aux États-Unis plutôt qu'au Canada ou au Mexique, car leur production est surtout écoulée sur le marché américain. Selon David Worts, représentant des fabricants de voitures japonaises au Canada, cette mesure risque d'encourager les constructeurs japonais à bâtir leurs nouvelles usines aux États-Unis.

Dans le domaine des services, chaque pays aura plus facilement accès au marché de ses partenaires, ce dont pourraient profiter des industries canadiennes comme celles des services téléphoniques, des télécommunications et du transport. Quant aux services financiers, les banques mexicaines s'ouvriront à la participation étrangère ; des intérêts étrangers pourront contrôler une plus grande part de leur capital. Cette mesure a été chaudement accueillie par l'Association des banquiers canadiens, dont les membres y voient la possibilité d'élargir leur marché.

Quant à l'épineuse question de l'environnement, elle a fait l'objet d'un arrangement parallèle dont il sera question un peu plus loin.

L'échéancier prévu pour la levée des barrières commerciales est différent pour le Mexique afin de tenir compte de son degré de développement ;

ainsi, dès la ratification de cet accord, environ 70 % des exportations mexicaines vers les partenaires du Mexique seront exemptées de taxes, contre seulement 40 % des exportations canadiennes et américaines vers le Mexique. Les négociateurs mexicains ont réussi à soustraire le secteur pétrolier de l'entente, de façon à maintenir le contrôle et la propriété de l'industrie dans les mains des Mexicains. L'agriculture mexicaine risque toutefois de faire les frais de cet accord ; le coût de revient du maïs et du haricot, par exemple, est beaucoup plus élevé qu'aux États-Unis et au Canada.

Un débat à l'échelle du continent

Pour les gouvernements et la majorité des industriels de la zone, la division du travail introduite par cet accord accroîtra la prospérité dans les trois pays ; la spécialisation de la production et du commerce devrait augmenter la productivité, ce qui amènerait une baisse des prix des biens de consommation et une augmentation des salaires réels. Le Canada et le Mexique s'assurent un accès à leur principal marché d'exportation, et la superpuissance américaine est mieux placée pour affronter ses rivaux asiatiques — Japon en tête — et européens.

D'après certains experts, dont Gordon Ritchie, ex-négociateur adjoint de l'Accord canado-américain, l'accord de 1992 a détérioré la position du Canada ; les concessions des négociateurs canadiens (quant aux industries du vêtement et de l'automobile, quant à l'absence de précision concernant les subventions et le renforcement du mécanisme de règlement) sont trop importantes par rapport aux gains possibles qu'elles ont permis (ouverture du marché mexicain).

Certains industriels ont joint leurs voix à ces critiques, mais l'opposition est venue principalement des milieux syndicaux. Au Canada, les syndicats ont insisté pour que les négociations incluent la question de l'environnement et les programmes sociaux. La continentalisation de l'économie devrait se fonder sur l'amélioration des conditions de travail et des conditions de vie des travailleurs des trois pays (*voir l'encadré 7.4*). Les syndicats — tant canadiens qu'américains — craignent que le faible niveau des salaires et des mesures sociales au Mexique ainsi que la quasi-inexistence (ou le non-respect par le gouvernement mexicain) des lois portant sur l'environnement n'attirent les entreprises américaines et canadiennes dans ce pays. La concurrence qui s'ensuivrait entraînerait au

Nord un nivellement par le bas des conditions de travail et des conditions de vie[4]. Ces positions sont partagées au Mexique ; pour M. Cuauhtemoc Cardenas, président du Parti révolutionnaire démocratique, le commerce doit être pris comme un instrument de développement, c'est-à-dire qu'un tel accord doit inclure le droit social des travailleurs et doit être basé sur une réglementation commune des droits du travail, des droits sociaux et de l'environnement[5].

Des arrangements parallèles à l'ALENA

Sous la pression des lobbies environnementalistes et syndicaux américains, les trois pays ont entamé des discussions parallèles à l'ALENA (c'est-à-dire ne nécessitant pas l'ouverture de l'entente elle-même) sur la protection de l'environnement et les normes du travail. Les discussions ont débouché au mois d'août 1993 sur un accord parallèle au terme duquel deux commissions seront créées : une sur la protection de l'environnement et une sur les normes du travail. Tout litige concernant l'un de ces sujets devrait être tranché par la commission concernée ; dans les cas de la protection de l'environnement, le Canada a obtenu une concession de taille : c'est la Cour fédérale canadienne qui trancherait la question et non la Commission tripartite. Parallèles à l'accord, ces règles ont peu de prise sur la protection de l'environnement et sur les conditions de travail.

Une zone nord-américaine dominée par les États-Unis

L'ALENA regroupe trois pays très différents ; la superpuissance américaine, le Canada, pays industrialisé de puissance moyenne, et le Mexique, pays du tiers-monde, en voie d'industrialisation rapide (*voir l'annexe*). En 1991, les relations commerciales entre ces trois pays étaient aussi inégales (*voir le tableau 7.7*).

---

4. Ces craintes ne sont pas sans fondement quand on considère l'état de la démocratie mexicaine, dominée depuis des décennies par un parti unique. Les lois sur le travail y favorisent outrageusement l'entreprise. Au mois d'août 1992, par exemple, au moment où l'ALENA faisait les manchettes des journaux, la compagnie allemande Volkswagen, sise à Puebla, au sud de Mexico, profitait d'une décision d'un tribunal du travail qui lui permettait de congédier légalement ses 15 000 ouvriers en grève et d'embaucher d'autres travailleurs, tout en leur offrant un contrat totalement adapté à ses besoins. (*La Presse*, 20 août 1992, p. B6.)
5. C. Rudel, « Mexique : le défi américain », *Croissance*, no 353, octobre 1992, p. 35.

Tableau 7.7 ALENA (part des exportations en 1991)

Destinataire	Pays exportateurs (en pourcentage)		
	Canada	États-Unis	Mexique
Canada	–	17,1	3,1
États-Unis	69,2	–	72,9
Mexique	1,0	7,0	–

Source : FMI, *L'année internationale 1993*, Paris, Seuil, février 1993.

L'Accord de libre-échange nord-américain concerne au premier chef le Mexique et les États-Unis ; le Canada s'y est associé par la force des choses, en raison de son propre accord avec les États-Unis ; le Mexique livre 3 % de ses exportations au Canada et celui-ci, seulement 1 % de ses exportations au Mexique. Tant le Canada que le Mexique dépendent commercialement de leur grand voisin : le Canada y écoule 69 % de ses exportations (cette part tend aujourd'hui vers les 90 %) et le Mexique, 73 %. Les États-Unis, pôle de gravité de l'économie mondiale, maintiennent, quant à eux, la majeure partie de leurs relations économiques avec les pays de l'Union européenne et le Japon. L'Accord pourrait devenir la première étape d'une association plus avancée, l'union monétaire étant déjà envisagée au Canada et au Mexique. Toutefois, les accords conclus et ceux en voie de négociation dans les Amériques ne comportent pas de clauses sociales efficaces ni de fonds d'aide au développement régional et social comme ceux qui ont permis un rattrapage économique dans les pays les plus pauvres de l'Union européenne.

Depuis l'entrée en vigueur de l'ALENA, le Mexique et le Canada ont continué à subir des mesures protectionnistes américaines. Aussi les deux pays ont-ils contracté de nombreux accords avec des pays d'Amérique latine et sont à négocier un accord de libre-échange avec l'Union européenne.

7.4.6 La Zone de libre-échange des Amériques

Les négociations visant à créer d'ici 2005 la Zone de libre-échange des Amériques (34 pays sauf Cuba) ont débuté en 1998. Elles reposent à l'origine sur un projet du gouvernement américain lancé en 1990 : l'*Enterprise for the Americas Initiative*.

L'ALENA représente la plus grande zone économique en matière de PIB et de population, essentiellement à cause de la présence américaine (89 % du PIB et 70 % de la population de la zone). La présence américaine dans une zone place celle-ci d'emblée aux premiers rangs sur le plan quantitatif; c'est le cas aujourd'hui pour l'ALENA, ce sera le cas pour la ZLEA : parmi les 34 pays de la future zone, les États-Unis à eux seuls représenteront près de 80 % de la puissance économique. En Amérique du Sud, le Brésil, importante puissance régionale, l'Argentine, et deux petits pays, le Paraguay et l'Uruguay, ont formé en 1991 une zone de libre-échange régionale, le MERCOSUR (le Chili et le Mexique sont associés mais non membres de l'association). Le tableau 7.8 montre l'importance quantitative de l'ALENA, du MERCOSUR, de la future ZLEA et de l'Union européenne sur le plan du PIB et de la population.

Tableau 7.8 ALENA, MERCOSUR, ZLEA, Union européenne en 1998

Association	PIB (En milliards de $ US)	Population (En millions)
Union européenne	8 361	379
ALENA	9 180	397
(dont États-Unis)	(8 179)	(270)
MERCOSUR	1 109	210
(dont Brésil)	(767)	(166)
ZLEA (prévue pour 2005)	10 600	800

Sources : *OCDE en chiffres,* 1999 ; Banque mondiale, *Rapport sur le développement dans le monde,* 2000.

La réduction des barrières tarifaires est en partie réalisée par les associations régionales — l'ALENA au nord, le MERCOSUR au sud. La suppression de ces barrières ouvre la porte aux transferts de capitaux qui migrent vers les zones à population élevée, à bas salaires et à faibles réglementations (normes du travail, normes environnementales, etc.). Le processus de production est ainsi découpé en activités qui se réalisent dans plusieurs pays; c'est l'aspect central de la mondialisation de l'économie (*voir le chapitre 2*).

Dans le cadre des négociations de libre-échange, les entrepreneurs exigent une grande liberté des capitaux et une indépendance croissante face aux gouvernements. Le principe du « traitement national » intégré à l'ALENA, dont s'inspire l'Accord multilatéral sur l'investissement discuté à l'OMC, porte atteinte à la souveraineté des États et entraîne des conséquences fâcheuses pour les gouvernements et les populations qui les financent (*voir l'encadré 7.4*).

Encadré 7.4

UN CAS DE TRAITEMENT NATIONAL

La multinationale des produits chimiques Ethyl a poursuivi pour « expropriation » le gouvernement canadien qui, en 1997, avait projeté de bannir des pompes à essence l'additif polluant que l'entreprise produisait. Devant les conséquences possibles de cette poursuite, le gouvernement canadien a versé à la compagnie 13 millions de dollars américains en dédommagement (Ethyl réclamait 251 millions de dollars américains) et a retiré le projet de loi interdisant le transport et l'entreposage de MMT au Canada. Tout cela est rendu possible parce que la clause « Expropriation » de l'ALENA stipule que : « Aucun pays de l'ALENA ne peut exproprier directement ou indirectement les investissements d'investisseurs de l'ALENA [...]. Les investisseurs doivent recevoir promptement une compensation financière égale à la juste valeur marchande de l'investissement exproprié, ainsi que tous les intérêts applicables. » (ALENA, *Vue d'ensemble et description,* Gouvernement du Canada, août 1992.)

Des poursuites semblables ont été intentées contre les gouvernements américain et mexicain pour un total de plusieurs milliards de dollars américains.

La ZLEA projette d'étendre ces principes aux 34 pays des Amériques (Cuba étant pour le moment exclu). Libre-échange des marchandises, libéralisation du commerce des services et des mouvements de capitaux, marchés publics, etc., sont à l'ordre du jour.

La ZLEA représente un élargissement mineur de l'ALENA (un huitième à peine du marché) et elle aura des conséquences moins lourdes pour le Canada que celui-ci. La main-d'œuvre moins coûteuse des pays de la zone Sud constitue un attrait certain pour certaines activités de production nécessitant du travail moins qualifié, et l'ouverture du secteur des services offre aux entreprises canadiennes des marchés intéressants, tout comme l'ALENA a ouvert les portes du Mexique aux investissements dans le secteur des services.

Des options alternatives pour les Amériques

Un regroupement international de groupes de la société civile (syndicats, groupes de recherche, etc.) a produit un texte où des options alternatives aux positions des gouvernements et des milieux d'affaires sont présentées. Le document *Des alternatives pour les Amériques* [http://www.web.net/~comfront/alts4americas/fra/fra.html] souhaite à cette négociation une **meilleure transparence** (elle a été ignorée durant la campagne électorale canadienne 2000). Des règles internationales portant sur les **normes du travail** (droit d'association, travail des enfants, santé-sécurité, etc.), la **diversité culturelle** et l'**environnement** devraient faire partie des discussions. Les normes reconnues par l'Organisation internationale du travail pourraient guider les négociations sur les droits du travail. La **santé** et l'**éducation** sont des droits qui ne doivent pas être liés à la capacité de payer; les négociations ne doivent pas les transformer en marchandises équivalentes au chocolat ou aux automobiles. Les investissements étrangers peuvent être intégrés à un plan de développement national, ce qui, dans le cas de l'ALENA, est fortement limité[6].

Une zone monétaire

L'Union européenne fait partie de la zone euro; c'est la deuxième zone monétaire du monde, avant la zone yen, limitée volontairement par le Japon, et après la zone dollar. La ZLEA est une région de la zone dollar. Certains pays (Argentine et Équateur, entre autres) lorgnent vers la dollarisation de leur économie. Le Canada est le pays le plus semblable aux États-Unis, le seul où est actuellement envisageable une union monétaire précédée d'un marché unique des marchandises, des services, des capitaux et des personnes comme celui de l'Union européenne. Évidemment, le rapport de forces en Amérique est fort différent, les États-Unis s'opposant à la création d'une autre monnaie que le dollar américain dans les Amériques et à toute intervention d'un autre pays dans l'élaboration de sa politique monétaire. Le Canada y perdrait alors son pouvoir de gestion de la masse monétaire et des taux d'intérêt.

---

6. Aucun des pays de l'ALENA ne peut imposer de « prescriptions de résultats » spécifiées à tout investissement sur son territoire, qu'il s'agisse de niveaux déterminés d'exportation, de contenu national minimal, de préférence donnée aux producteurs nationaux, d'équilibre d'échanges, de transfert de technologies ou de fourniture obligatoire d'un produit. ALENA, *Vue d'ensemble et description*, Gouvernement du Canada, août 1992.

Résumé Il y a environ deux siècles, la théorie des avantages absolus et celle des avantages comparatifs ont jeté les bases du commerce entre les pays. Depuis, les échanges internationaux sont devenus un aspect majeur des relations économiques internationales.

Au cours des 30 dernières années, la croissance du commerce des marchandises a dépassé celle de la production, traduisant l'ouverture plus grande des pays à ces échanges. Parmi les produits exportés, ce sont les produits manufacturés vendus par les pays industrialisés qui ont connu la plus forte augmentation ; ils représentent plus des deux tiers des exportations mondiales. Les pays industriels à économie de marché sont les plus grands exportateurs, mais certains pays en développement font maintenant partie du peloton de tête.

Deux principes opposés, le libre-échange et le protectionnisme, se font concurrence sur le plan des politiques d'échange.

Le GATT est une organisation qui a été créée en 1947 dans le but de promouvoir le libre-échange entre les pays en organisant des négociations pour la réduction des entraves au commerce. Huit séries de négociations ont permis de réduire les barrières tarifaires de plus de 90 % ; les barrières non tarifaires, qui avaient augmenté avant la dernière ronde, ont alors fait l'objet d'intenses négociations. Le 1er janvier 1995, le GATT était remplacé par l'Organisation mondiale du commerce.

Parallèlement au GATT-OMC, de nombreuses associations économiques visant à intensifier les échanges sur une base régionale ont été mises sur pied. On trouve de telles associations sur tous les continents, tant au sein des pays industrialisés que dans les pays en développement. L'Union européenne est certes la plus importante d'entre elles. En 1989, un traité de libre-échange entre le Canada et les États-Unis est entré en vigueur. Le 1er janvier 1999, les tarifs entre les deux pays étaient éliminés. En janvier 1994 entrait en vigueur l'ALENA, traité de libre-échange regroupant le Canada, les États-Unis et le Mexique. En 1998, des négociations visant à créer la Zone de libre-échange des Amériques étaient engagées.

Questions

1. Distinguez la théorie des avantages absolus de la théorie des avantages comparatifs. Quel changement la seconde amène-t-elle par rapport à la première? Illustrez chacune des théories par un exemple différent de celui présenté dans ce chapitre.

2. Voici des données fictives sur les États-Unis et le Canada concernant le nombre de personnes-semaine nécessaires à la production d'une même quantité de réfrigérateurs et d'ordinateurs.

	Réfrigérateurs	Ordinateurs
États-Unis	85	80
Canada	95	100

   a) Dans la production de quel(s) produit(s) les États-Unis ont-ils un avantage absolu?

   b) Quel produit choisiront-ils d'exporter? Pourquoi?

3. Critiquez la théorie des avantages comparatifs sur les plans théorique et pratique.

4. *a)* Au Canada, le lait américain se vend 0,80 $ le litre et le lait canadien, 1 $ le litre (les prix sont en dollars canadiens). Quel est le tarif nécessaire (en %) pour rendre le lait canadien aussi concurrentiel que le lait américain?

   b) Pour chacun des cas suivants, dites de quelle catégorie de barrières non tarifaires il s'agit:

   1) Le Canada interdit l'importation de chemises qui n'ont pas de boutonnières de 1,5 cm.

   2) Le Canada oblige les importateurs de chaussures à dédouaner leur marchandise dans le port de Gaspé.

   3) L'Union européenne décide de fermer ses portes au bœuf américain parce que celui-ci est nourri aux hormones non acceptées dans ses pays membres.

   4) Le gouvernement du Canada concède des avantages fiscaux aux entreprises œuvrant dans le secteur des technologies de l'information.

   5) Le Canada interdit l'importation de fromages fabriqués avec du lait non pasteurisé.

   6) L'Union européenne refuse d'importer les marchandises produites par des enfants de moins de 12 ans.

5. Quelles ont été les réalisations majeures du GATT de 1947 à 1995?

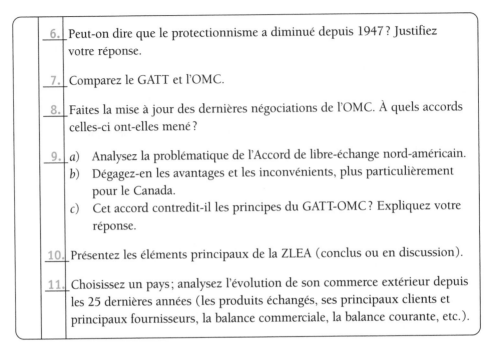

6. Peut-on dire que le protectionnisme a diminué depuis 1947 ? Justifiez votre réponse.

7. Comparez le GATT et l'OMC.

8. Faites la mise à jour des dernières négociations de l'OMC. À quels accords celles-ci ont-elles mené ?

9. *a)* Analysez la problématique de l'Accord de libre-échange nord-américain.
   b) Dégagez-en les avantages et les inconvénients, plus particulièrement pour le Canada.
   c) Cet accord contredit-il les principes du GATT-OMC ? Expliquez votre réponse.

10. Présentez les éléments principaux de la ZLEA (conclus ou en discussion).

11. Choisissez un pays ; analysez l'évolution de son commerce extérieur depuis les 25 dernières années (les produits échangés, ses principaux clients et principaux fournisseurs, la balance commerciale, la balance courante, etc.).

Thèmes de réflexion

- Le rôle du protectionnisme dans le développement des pays (Angleterre, États-Unis, Japon, Canada, etc.).
- Le bilan de l'Accord de libre-échange canado-américain.
- La Zone de libre-échange des Amériques.
- L'OMC.

Références bibliographiques

ALLEN, W.R., *International Trade Theory,* New York, 1969.

BEAUD, M., *Introduction à l'économie du Québec,* Montréal, Études Vivantes, 1989, p. 252-281.

BRUNELLE, D. et DEBLOCK, C., *Le libre-échange par défaut,* Montréal, VLB Éditeur, 1989.

CASSEN, B., « Fallacieuse théorie du libre-échange », *Le Monde diplomatique,* novembre 1999, p. 16-17.

CASSEN, B., « Inventer ensemble un protectionnisme altruiste », *Le Monde diplomatique,* février 2000, p. 22-23.

CHALMIN, P., « GATT : le bilan de l'Uruguay Round », *Problèmes économiques,* no 2.370, 6 avril 1994, p. 1-7.

DEBLOCK, C., *L'Organisation mondiale du commerce,* coll. « Points chauds », Montréal, Éditions Fides, 2002.

DOSTALER, G., «David Ricardo, à l'assaut du protectionnisme», *Alternatives économiques,* n⁰ 209, décembre 2002.

GATT-OMC, *Le commerce international,* [en ligne : www.wto.org].

GILL, L., «Les chausse-trappes d'un traité inégal», *Le Monde diplomatique,* janvier 1989, p. 20-21.

GOUVERNEMENT DU CANADA, *Accord de libre-échange nord-américain Canada – États-Unis – Mexique,* août 1992.

GOUVERNEMENT DU CANADA, MINISTÈRE DES FINANCES, *Accord de libre-échange entre le Canada et les États-Unis : une évaluation économique,* Ottawa, 1988.

Justice, «Le libre-échange : une idée centenaire», avril 1989, p. 21-28.

LAÏDI, Z., «Faut-il brûler l'OMC? Un argumentaire extrémiste à réfuter», *Le Devoir,* 8 septembre 2003, p. A7.

LAIRD, S. et YEATS, A., «Les obstacles non tarifaires dans les pays industrialisés, 1966-1986», *Finances et développement,* mars 1989, p. 12-13.

LASSUDRIE-DUCHÊNE, B. et ÜNAL-KESENCI, D., «L'avantage comparatif, notion fondamentale et controversée», dans CEPII, *L'économie mondiale 2002,* Paris, Éditions La Découverte, 2001.

LE GALL, S. et AUSSILLOUX, V., «Quel poids donner aux normes sociales dans le commerce international?», *Problèmes économiques,* n⁰ 2.641, 24 novembre 1999, p. 1-10.

MARTI, S., «Le Mexique paraît être le principal bénéficiaire de l'ALENA», *Le Monde,* sélection hebdomadaire, 13-19 septembre 1992, p. 9.

PROULX, Y., «L'après-GATT et le secteur agroalimentaire», *Relations,* juillet-août 1994, p. 186-187.

RAINELLI, M., *Le commerce international,* coll. «Repères», Paris, Éditions La Découverte, 2002. p. 13-19.

CHAPITRE 8

L'exportation des capitaux et les firmes multinationales

OBJECTIFS

APRÈS AVOIR LU CE CHAPITRE, L'ÉLÈVE SERA EN MESURE :

- de distinguer les investissements de portefeuille et les investissements directs à l'étranger ;
- de distinguer les principales firmes multinationales ;
- de décrire les changements survenus dans les principaux pays exportateurs et importateurs de capital ;
- de présenter quelques théories reliées à l'exportation des capitaux.

Le chapitre 7 portait sur les échanges de marchandises, qui constituent le plus ancien rouage de l'économie internationale. Mais les capitaux aussi traversent les frontières ; l'exportation de capitaux a donné naissance à une forme particulière d'entreprise : les firmes multinationales*. Sur le plan économique, il arrive que certaines d'entre elles soient plus importantes que plusieurs États-nations. La multinationalisation des firmes a pris naissance dans les pays développés, mais aujourd'hui certaines de ces entreprises proviennent des pays en développement.

8.1 ● Les investissements de portefeuille et les investissements directs à l'étranger

Les mouvements internationaux de capitaux se présentent sous deux formes principales : les investissements, ou placements, de portefeuille et les investissements directs à l'étranger (IDE).

Le premier type de mouvements internationaux de capitaux, les investissements de portefeuille, concerne les placements effectués dans des obligations ou des actions de sociétés situées à l'extérieur des pays de résidence des investisseurs ; ce type de placements n'exige pas de participation à la gestion des sociétés étrangères. Les marchés internationaux ont vu se multiplier ce type d'opérations depuis les années 1960 en raison de l'expansion des marchés des eurodevises*. Des centaines de milliards de dollars sont transférés quotidiennement d'un pays à l'autre, souvent à la suite d'un simple coup de téléphone ; une maison de courtage de New York peut ainsi émettre sur le marché international des obligations du gouvernement américain valant plusieurs milliards de dollars. L'investissement de portefeuille croît plus rapidement que l'investissement direct.

Contrairement aux investissements de portefeuille, les investissements directs à l'étranger (IDE) sont effectués dans le but de réaliser une production, de biens ou de services, à l'extérieur des frontières nationales de l'entreprise, ce qui nécessite évidemment une participation à la gestion de la société étrangère, sinon le contrôle de celle-ci. Dans ce cas, il ne s'agit plus seulement de capitaux qui sont placés à l'étranger, mais d'une société qui étend ses activités à d'autres pays ; l'opération se réalise par la construction de nouvelles unités de production ou par l'acquisition de sociétés existantes. Les firmes multinationales qui sont à l'origine de ces mouvements de capitaux sont, avec les banques multinationales, les principaux acteurs de la scène économique mondiale.

8.2 ● Les firmes multinationales

Les firmes multinationales (FMN) sont des entreprises qui possèdent ou contrôlent des filiales dans plusieurs pays[1]. Celles-ci sont financièrement et juridiquement reliées à la société mère (par exemple, la société General Motors du Canada est reliée à General Motors à Detroit). Les activités des FMN sont aussi diversifiées que celles des secteurs économiques auxquels elles appartiennent, qu'il s'agisse d'une usine d'automobiles, d'un puits de pétrole, d'une banque, d'une compagnie d'assurances, d'un service d'ingénierie, etc.

Faisant affaire à l'échelle mondiale, les FMN réalisent des chiffres d'affaires qui dépassent le PIB de nombreux pays. Ainsi, au début de l'an 2000, avec un chiffre d'affaires frisant les 200 milliards de dollars, General

---

1. Il existe différentes définitions de la firme multinationale. Voir l'ouvrage de B. Bonin, *L'entreprise multinationale et l'État,* Montréal, Études vivantes, 1984, p. 7-17.

Motors se classait parmi les 25 premières puissances économiques, dépassant plus de 200 pays pour ce qui est de la dimension économique. Le tableau 8.1 présente les 25 premières sociétés multinationales, industrielles et commerciales quant aux actifs détenus à l'étranger. Ce sont les entreprises des secteurs des télécommunications, du pétrole, des véhicules motorisés et de l'équipement électrique et électronique qui dominent.

Les activités étrangères des FMN, en ce qui concerne la production, l'emploi et l'actif, peuvent représenter jusqu'à 90 % des activités totales de ces firmes. Globalement, les 600 plus grandes FMN industrielles concentrent plus de 25 % de la production des marchandises des pays à économie de marché ; cela illustre bien leur importance dans l'économie mondiale. De plus, les exportations associées à ces firmes représentent jusqu'à 80 % ou 90 % du total des exportations de certains pays, comme les États-Unis et le Royaume-Uni. Ce sont ces firmes qui réalisent la grande majorité des investissements directs à l'étranger ; et ce sont les banques multinationales qui servent d'intermédiaires pour les transferts internationaux de capitaux de placement.

8.3 ● Les investissements directs à l'étranger

8.3.1 Les pays d'origine

Le stock d'investissements directs à l'étranger a connu une progression spectaculaire depuis 1960 ; il est passé de 67,7 milliards de dollars en 1960 à 524,6 milliards en 1980, puis à 3 541,4 milliards en 1997. Le tableau 8.2 présente la répartition de ce stock par pays d'origine et par régions.

En 1997, ce sont les pays développés à économie de marché qui sont les premiers détenteurs de capitaux à l'étranger, leur part représentant 90,5 % du stock d'IDE ; les pays en développement en détiennent 9,7 % et les pays de l'Europe centrale et orientale, un maigre 0,2 %.

Avec 907 milliards de stock, ce sont les États-Unis qui viennent en tête du peloton, leur domination s'étant consolidée après la Seconde Guerre mondiale. Durant la reconstruction qui a suivi cette guerre, l'écart s'est creusé entre les firmes américaines et celles des autres pays industrialisés. Les États-Unis ont acquis durant la période une avance technologique et des techniques de gestion qui ont constitué l'assise de l'implantation de leurs firmes dans les autres pays ; les entreprises américaines étaient alors des producteurs efficaces de biens durables (automobiles, électro-ménagers, etc.) et de produits électroniques, et elles dominaient la plupart des secteurs les plus avancés sur le plan technologique. Cela explique en bonne partie pourquoi, en 1960, les Américains détenaient près de la moitié du stock mondial d'IDE.

Tableau 8.1 Les 25 premières sociétés mondiales non financières selon les actifs étrangers en l'an 2000

Société	Nationalité	Activités	Actifs étrangers (en milliards de dollars)
Vodafone	Royaume-Uni	Télécommunications	221,2
General Electric	États-Unis	Équipement électrique et électronique	159,2
Exxon-Mobil	États-Unis	Pétrole	101,7
Vivendi-Universal	France	Divers	93,3
General Motors	États-Unis	Véhicules motorisés	75,2
Royal Dutch-Shell	P.-B./R.-U.	Pétrole	75,1
BP	Royaume-Uni	Pétrole	57,5
Toyota Motors	Japon	Véhicules motorisés	56,0
Telefònica	Espagne	Télécommunications	56,0
Fiat	Italie	Véhicules motorisés	52,8
IBM	États-Unis	Équipement électrique et électronique	43,1
Volkswagen	Allemagne	Véhicules motorisés	42,7
Chevron Texaco	États-Unis	Pétrole	42,6
Hutchison Wampoa	Hong-Kong, Chine	Divers	41,9
Suez	France	Électricité, gaz et eau	38,5
DaimlerChrysler	Allemagne – États-Unis	Véhicules motorisés	n.d.
News Corporation	Australie	Médias	36,1
Nestlé	Suisse	Aliments et boissons	35,3
TotalFinalElf	France	Pétrole	33,1
Repsol YPF	Espagne	Pétrole	31,9
BMW	Allemagne	Véhicules motorisés	31,2
Sony	Japon	Équipement électrique et électronique	30,2
E.On	Allemagne	Électricité, gaz et eau	n.d.
ABB	Suisse	Machinerie et équipement	28,6
Philips Electronics	Pays-Bas	Équipement électrique et électronique	27,9

n.d. : non disponible.

Source : ONU, *World Investment Report,* 2002.

Tableau 8.2 Répartition du stock d'IDE par pays d'origine et par régions

Pays, régions	1960 Valeur (en milliards de $ US)	1960 % du total	1980 Valeur (en milliards de $ US)	1980 % du total	1997 Valeur (en milliards de $ US)	1997 % du total
Pays développés à économie de marché	67,0	99,0	509,2	97,0	3 192,5	90,5
États-Unis	31,9	47,1	220,2	41,6	907,5	25,3
Royaume-Uni	12,4	18,3	80,4	13,3	413,2	11,7
Japon	0,5	0,7	19,6	3,8	284,6	8,0
Allemagne	0,8	1,2	43,1	8,2	326,0	9,2
Suisse	2,3	3,4	21,5	4,1	156,7	4,4
Pays-Bas	7,0	10,3	42,1	8,1	213,2	6,1
Canada	2,5	3,7	23,8	4,6	137,7	3,8
France	4,1	6,1	23,6	4,6	226,8	6,4
Italie	1,1	1,6	7,3	1,3	125,1	3,5
Suède	0,4	0,6	5,0	1,1	74,8	2,0
Autres	4,0	5,9	12,6	2,4	306,9	9,6
Pays en développement	0,7	1,0	15,4	3,0	342,2	9,7
Europe centrale et orientale	–	–	1,0	0,1	6,7	0,2
Total	67,7	100,0	524,6	100,0	3 541,4*a*	100,0

a. 6 852 milliards en 2001.

Sources : ONU, «Transnationals Corporations in World Development», *The CTC Reporter,* n⁰ 26, automne 1988. *World Investment Report,* 1998 et 2002.

Ici comme ailleurs, la concurrence des autres pays industrialisés a progressivement miné la domination américaine. Depuis les années 1970, les entreprises originaires d'autres pays ont rattrapé de façon certaine les FMN américaines.

Ce sont les firmes japonaises qui se sont le plus détachées du peloton, grâce à leur avance technologique dans les industries lourdes (acier, aluminium, industries chimiques), la construction automobile, les machines-outils, les appareils photographiques et, surtout, l'électronique. De plus, les entreprises japonaises ont mis au point de nouvelles techniques d'organisation, tel le juste-à-temps, qui consiste à maintenir au minimum les stocks de matières premières et de produits intermédiaires. Cette technique de gestion permet de réduire les aires dévolues à l'entreposage des stocks ainsi que les coûts s'y rattachant. Enfin, l'État japonais appuie systématiquement les firmes nationales dans leurs efforts d'expansion; les taux d'intérêt sur le marché intérieur sont maintenus à un faible niveau, ce qui réduit le coût du capital.

La hausse de la productivité des firmes étrangères par rapport à celle des firmes nationales est l'un des principaux facteurs du déclin relatif des États-Unis dans le domaine de l'investissement à l'étranger. Le stock d'IDE des États-Unis a continué de croître à un rythme élevé, mais la part du pays est passée de 47 % en 1960 à 25 % en 1997. Pendant ce temps, la part du Japon passait de 0,7 % en 1960 à 8,0 % en 1997. Dans les années 1980, le Japon est devenu le premier pays exportateur de capitaux, sa part du stock d'IDE s'étant rapprochée de celle des États-Unis. L'ex-RFA (aujourd'hui l'Allemagne) a aussi multiplié sa part par plus de 7, celle-ci passant de 1,2 % à 9,2 % durant ces 37 années. La Suisse a vu sa part presque doubler.

Un phénomène majeur s'est produit depuis 1960 : certains pays en développement ont donné naissance à des FMN. La part de ce groupe de pays a plus que triplé durant la période; le Brésil, la Corée du Sud, l'Arabie Saoudite et le Koweït sont les principaux exportateurs de capitaux de cette catégorie. Les deux premiers pays ont connu un intense processus d'industrialisation et les deux derniers ont placé à l'étranger leurs surplus pétroliers.

L'encadré 8.1 établit une distinction importante entre stock et flux.

Encadré 8.1

LES STOCKS PAR OPPOSITION AUX FLUX

Le stock et le flux sont deux notions importantes à distinguer. Le **stock** se rapporte à une quantité établie à un moment donné. Ainsi, en 1960, le stock de capital détenu sous forme d'investissements à l'étranger était de 67,7 milliards de dollars américains contre 3 541,4 milliards en 1997. Il s'agit de deux quantités déterminées à un moment précis. Le **flux** représente une variation entre deux moments. Ainsi, l'investissement direct à l'étranger était de 423,7 milliards en 1997; cela signifie que le stock d'IDE s'est accru de 423,7 milliards cette année-là (abstraction faite du désinvestissement et des réinvestissements de profits).

Les pays industriels monopolisent 85 % des investissements directs à l'étranger (*voir le tableau 8.3*).

Au milieu des années 1980, l'IDE japonais a connu un véritable boom. Avant cette date, il représentait annuellement 5 à 6 milliards de dollars américains. Mais, en 1990, il atteignait 48 milliards, loin devant tout autre pays.

Tableau 8.3 Investissements directs

	(en milliards de $ US, moyenne annuelle)			
	1976-1980	**1981-1985**	**1986-1990**	**1997**
Total des sorties	**39,5**	**43,0**	**162,8**	**423,7**
Pays industriels	38,7	41,3	154,0	359,2
dont : États-Unis	16,9	8,4	25,1	114,5
Japon	2,3	5,1	32,1	26,0
Royaume-Uni	7,8	9,2	28,1	58,2
Autres pays d'Europe	9,8	14,6	59,4	137,5
Pays en développement	0,8	1,7	8,9	61,1
dont : Amérique latine et Caraïbes	0,2	0,2	0,6	9,1
Asie	0,1	1,1	7,8	50,7
Total des entrées	**31,8**	**52,6**	**147,6**	**400,5**
Pays industriels	25,3	34,9	124,1	233,1
dont : États-Unis	9,0	19,1	53,1	90,7
Japon	0,1	0,3	0,3	3,2
Royaume-Uni	5,6	4,3	21,7	6,7
Autres pays d'Europe	8,7	9,9	38,8	101,5
Pays en développement	6,5	17,7	23,5	148,9
dont : Amérique latine	3,7	4,7	5,8	56,1
Asie	2,1	4,9	13,7	86,9
Europe centrale et orientale	0,0	0,0	0,2	18,4

Sources : Banque des règlements internationaux, *Rapport annuel,* Bâle, 1995. ONU, *World Investment Report,* 1998.

Les entreprises japonaises s'implantent d'abord aux États-Unis. Puis, au début des années 1990, en prévision de l'ouverture du marché unique, elles acquièrent des entreprises européennes, créent des filiales dans le secteur de l'automobile et mettent sur pied des entreprises conjointes (*joint venture*) avec des sociétés européennes.

Plusieurs facteurs sont à l'origine de cet essor :

- tout d'abord, l'accumulation d'excédents à la balance courante*
  (*voir la figure 9.2*) ;
- ensuite, la mondialisation croissante des activités de production,
  en raison de l'internationalisation des horizons des entreprises
  dans le monde entier ;
- puis, les tendances protectionnistes présentes aux États-Unis et en
  Europe, qui incitent les entreprises japonaises à remplacer une partie de leurs exportations en déplaçant la production à l'étranger ;
  cette production en terre étrangère n'est plus soumise aux barrières
  tarifaires des pays hôtes ;
- enfin, la forte hausse du yen, qui diminue le coût des exportations
  de capitaux.

À la fin des années 1990, cette tendance s'amenuisait. Le phénomène
le plus marquant de ces dernières années reste l'apparition de nouveaux
exportateurs de capitaux, les nouveaux pays industrialisés d'Asie (*voir le
chapitre 12*) ; ainsi, Hong-Kong, Singapour, Taïwan et la Corée du Sud
investissent dans les pays voisins, tels la Thaïlande, l'Indonésie, le Viêtnam
et la Chine, où les salaires sont moins élevés.

8.3.2 Les pays d'accueil

L'accumulation rapide du stock d'IDE aux États-Unis (*voir le tableau 8.4*)
demeure le phénomène marquant de la période. En 1975, les pays de
l'Europe de l'Ouest occupaient le premier rang parmi les régions d'accueil des capitaux étrangers. Dans les années 1990, les États-Unis étaient
devenus la première terre d'accueil de ces capitaux. En effet, le marché
américain a accueilli des milliards d'investissements étrangers entre
1975 et 1997 ; ceux-ci ont littéralement explosé, bondissant de 27,7 milliards à 184,6 milliards en 1985 puis à 720,8 milliards en 1997.

Le capital étranger est attiré aux États-Unis par la dimension du
marché. En outre, depuis le début des années 1980, certains pays industrialisés, particulièrement le Japon et la RFA, disposent de capitaux excé-
dentaires provenant de surplus croissants de la balance courante ; les
États-Unis, quant à eux, recourent massivement à ces capitaux pour
financer leurs déficits croissants de la balance courante ; d'autres pays
développés, notamment le Royaume-Uni, le Canada et les Pays-Bas, participent à cette vague d'investissements étrangers aux États-Unis. Le marché
unique européen attire également les investisseurs.

Dans l'ensemble, ce sont les pays développés à économie de marché
qui reçoivent la grande majorité des capitaux étrangers ; on a vu plus haut
que ces pays étaient également les principaux exportateurs de capitaux,

leur part atteignant 90,5 % du stock d'IDE en 1997. L'investissement direct à l'étranger est donc essentiellement un mouvement de transfert de capitaux entre pays développés.

Dans les années 1990, les investissements directs vers les pays en développement ont considérablement augmenté, les firmes multinationales cherchant à réduire leurs coûts de production.

Tableau 8.4 Répartition du stock d'IDE par pays et par régions d'accueil

Pays, régions	1975 Valeur (en milliards de $ US)	1975 % du total	1985 Valeur (en milliards de $ US)	1985 % du total	1997 Valeur (en milliards de $ US)	1997 % du total
Pays développés à économie de marché	185,3	75,1	478,2	75,0	2 349,4	67,8
Europe de l'Ouest	100,6	40,8	184,3	28,9	1 276,4	36,7
États-Unis	27,7	11,2	184,6	29,0	720,8	20,8
Japon	1,5	0,6	6,1	1,0	33,1	1,0
Autres	57,0	23,1	109,2	17,1	319,1	9,2
Pays en développement	61,5	24,9	159,0	25,0	1 043,7	30,2
Afrique	16,5	6,7	22,3	3,5	65,2	1,9
Asie	13,0	5,3	49,6	7,8	593,7	17,2
Amérique latine et Caraïbes	29,7	12,0	80,5	12,6	375,4	10,7
Autres	2,3	0,9	6,6	1,0	7,4	0,2
Europe centrale et orientale	–	–	–	–	62,4	1,8
Total	246,8	100,0	637,2	100,0	3 455,5*a*	100,0

a. 6 846 milliards en 2001.

Sources : ONU, «Transnationals Corporations in World Development», *The CTC Reporter,* n⁰ 26, automne 1988. *World Investment Report,* 1998 et 2002.

La part des pays en développement parmi les pays d'accueil d'IDE a augmenté dans les années 1990. Les marchés de ces pays sont généralement trop petits pour attirer les firmes étrangères, mais ils sont dotés d'avantages qui permettent de minimiser les coûts de production : main-d'œuvre à bon marché, charges sociales moins onéreuses, lois sur l'environnement moins rigoureuses et matières premières abondantes et peu coûteuses. Pour ces pays, toutefois, le capital étranger occupe une part beaucoup plus grande du PIB; leurs économies, plus que celles des pays développés, sont influencées par les activités des FMN. Des secteurs stratégiques, comme l'industrie manufacturière ou les mines, sont sous contrôle extérieur et sont soumis aux décisions et aux intérêts de ressortissants étrangers.

Entre 1975 et 1997, la répartition du stock d'IDE a changé dans les régions en développement; l'Asie a vu sa part augmenter considérablement, tandis que celle de l'Afrique a été réduite à presque rien; la part de l'Amérique latine, quant à elle, est restée stable. Les FMN sont attirées par la présence des facteurs énoncés plus haut, mais elles cherchent aussi des marchés nouveaux pour écouler leurs produits. L'Afrique offre peu d'intérêt à cause de la pauvreté de ses populations; les pays plus riches d'Asie et d'Amérique latine, en particulier les pays nouvellement industrialisés, ont des marchés nationaux plus invitants. De plus, dans le cadre de leur stratégie de mondialisation de la production, les FMN s'installent là où la main-d'œuvre est non seulement abondante et moins exigeante, mais aussi plus productive, ce qu'elles trouvent surtout dans les nouveaux pays industrialisés d'Asie et d'Amérique latine, et dans certains ex-pays socialistes en transition vers l'économie de marché.

Au milieu des années 1990, parmi plus de 160 pays en développement, 20 recevaient 85 % du total d'IDE dans ces régions. Cinq pays ont retenu à eux seuls plus de la moitié des entrées totales de capitaux: ce sont la Chine, le Brésil, le Mexique, la Thaïlande et l'Indonésie, des pays peuplés et industrialisés bénéficiant de marchés en expansion ainsi que d'une main-d'œuvre peu coûteuse et encadrée par des lois favorables à l'entreprise.

8.4 ● Les théories relatives aux firmes multinationales

Qu'est-ce qui amène les firmes nationales à s'implanter à l'extérieur de leurs frontières? De nombreuses théories ont été avancées pour expliquer cette situation. Les deux premières théories que nous présentons ici inscrivent le phénomène des multinationales dans un cadre global: celui de l'impérialisme*.

8.4.1 L'exportation de capital reliée à la concentration du capital

D'après Lénine, principal dirigeant de la révolution russe, l'impérialisme est le stade monopoliste du capitalisme. La définition qu'en donne Lénine comprend cinq éléments[2]:

---

2.   Lénine, *L'impérialisme, stade suprême du capitalisme*, Paris, Éditions sociales, 1971, p. 124.

1° concentration de la production et du capital parvenue à un degré de développement si élevé qu'elle a créé les monopoles*, dont le rôle est décisif dans la vie économique ;

2° fusion du capital bancaire et du capital industriel et création, sur la base de ce « capital financier », d'une oligarchie financière ;

3° l'exportation des capitaux, à la différence de l'exportation des marchandises, prend une importance toute particulière ;

4° formation d'unions internationales de monopoles capitalistes se partageant le monde ;

5° fin du partage territorial du globe entre les plus grandes puissances capitalistes.

Selon cette analyse, l'exportation de capital est reliée au développement de l'économie de marché ; c'est le capitalisme des monopoles qui crée les conditions requises pour l'expansion de l'exportation des capitaux.

Le passage du capitalisme concurrentiel au capitalisme des monopoles est amené par la concentration du capital. Ainsi, le capital de l'industrie et des banques augmente, et la concurrence entraîne la disparition des entreprises les plus fragiles. Les firmes industrielles et bancaires grossissent aussi en achetant des concurrents ou en fusionnant avec eux. Les monopoles industriels et bancaires tissent entre eux des liens serrés par l'achat d'actions et l'échange d'administrateurs.

Il se crée sur cette base de puissants groupes financiers qui contrôlent des masses de capitaux de plus en plus considérables. Les détenteurs de ce capital financier cherchent à rentabiliser au maximum les capitaux dont ils disposent. Or, le marché national n'offre pas toujours les meilleures possibilités ; c'est souvent à l'extérieur des frontières nationales que l'on trouve les conditions les plus avantageuses, celles qui offrent le meilleur rendement. Le capital est alors exporté dans ces régions où le profit est maximisé.

8.4.2 Le système de l'économie mondiale

Charles-A. Michalet[3] partage cette théorie qui lie exportation des capitaux et concentration économique. D'après cet auteur, les firmes multinationales sont des entreprises nationales de grande taille issues de secteurs concentrés. Elles étendent leurs activités à l'étranger pour deux raisons principales :

- sur le plan de la production, elles essaient de tirer profit de l'inégalité des coûts de production d'un pays à l'autre, surtout en ce qui concerne les salaires ;

---

3. C.-A. Michalet, *Le capitalisme mondial*, Paris, PUF, 1985.

- sur le plan de la commercialisation, elles cherchent à franchir les barrières tarifaires imposées par les autres pays, à diminuer les coûts de transport et à profiter d'une meilleure localisation pour affronter les concurrents locaux ou étrangers.

Les écarts salariaux sont un aspect important pour les firmes qui investissent à l'étranger, mais leur objectif principal demeure la recherche d'une plus grande part de marché.

La FMN étend ainsi à un niveau mondial le processus de production jadis inscrit dans un cadre national. La production qui était exportée s'effectue désormais sur le territoire d'exportation, la commercialisation cédant la place à la production. Pour Michalet, donc, la FMN est à la fois le produit et l'agent de l'internationalisation de l'économie, et elle exerce ses activités à l'échelle mondiale tant sur le plan de la production que sur celui de la commercialisation.

8.4.3   Le modèle de l'oligopole international

Pour l'économiste canadien Stephen Hymer[4], les FMN s'implantent dans les industries concentrées et les marchés oligopolistiques*. Ces firmes possèdent un avantage technologique, organisationnel ou autre. C'est dans les industries où la technologie est la plus complexe et où les barrières dues aux économies d'échelle sont importantes que l'on trouve la majorité des IDE (l'étude de cet économiste est basée sur l'économie américaine). Les multinationales organisent le monde en prenant pour exemple leur propre organisation interne ; Hymer part de celle-ci et cherche à démontrer que le monde est organisé sur la base même de ce modèle. Pour effectuer ce parallèle, il s'inspire d'une théorie américaine de l'organisation (la théorie de Chandler[5]) concernant l'évolution des structures organisationnelles des entreprises.

Selon cette théorie, dans les grandes entreprises nationales et multinationales, il existe trois niveaux de pouvoir. Le niveau III, le plus bas, est constitué par l'ensemble des tâches d'exécution. Il s'agit de la gestion au jour le jour dans le cadre préétabli du plan de production. Le niveau II, celui de la direction intermédiaire, est chargé de coordonner les activités du niveau III. Enfin, le niveau I est celui où s'élabore le plan général de la firme, celui où se déterminent les grandes orientations.

---

4. S. Hymer, *The International Operations of National Firms*, Cambridge, MIT Press, 1976.
5. A. Chandler, *Strategy and Structure*, Cambridge, MIT Press, 1963.

Hymer reproduit cette structure à l'échelle mondiale et classe les pays selon ces trois niveaux d'organisation. Au bas de l'échelle se trouvent les pays qui n'ont d'autres richesses que la main-d'œuvre et les ressources naturelles. Ils reçoivent les industries les plus simples exigeant un bas niveau de connaissances technologiques. Les activités y sont très spécialisées et le degré d'autonomie des unités de production, limité au maximum. À ce niveau correspondent les pays en développement les plus démunis. Leurs activités sont contrôlées et organisées par le niveau intermédiaire, qui est situé dans les grandes villes des pays du tiers-monde ayant atteint un niveau de développement plus élevé. Cette situation est justifiée par le besoin de cadres et de spécialistes, par la proximité des marchés financiers et des moyens de communication de masse (aéroports internationaux, médias, etc.). Au sommet de cette hiérarchie, la direction de niveau I est située dans les grandes métropoles : New York, Londres, Paris, Tokyo, Bonn, etc.

La division internationale du travail issue de ce modèle réserve à certains pays industrialisés l'essentiel de la production de machinerie, de technologie ainsi que les fonctions d'organisation et de direction. Aux pays en développement, on réserve certaines fonctions de direction, sous le contrôle des centres de décision, et les tâches d'exécution reliées à la présence de main-d'œuvre et de ressources naturelles.

8.4.4 La théorie du cycle du produit

Pour Raymond Vernon[6], la vie d'un produit passe par trois étapes auxquelles correspondent le nouveau produit, le produit mûr (*maturing product*) et le produit standardisé.

Le **nouveau produit** est d'abord lancé dans les pays les plus développés, au premier rang desquels se trouvent les États-Unis. Au cours de cette étape, la création et le lancement du produit ont lieu dans les pays où la demande et les conditions de coût le permettent. La taille étroite du marché, conséquence de la nouveauté du produit, et la stabilité de la demande par rapport au prix exigent de l'entreprise une communication rapide avec les fournisseurs et les concurrents. Pour ces raisons, le nouveau produit est fabriqué à proximité du marché final et il reste cantonné dans les pays où il est lancé.

---

6. R. Vernon, « International Investment and International Trade in the Product Cycle », *Quarterly Journal of Economics,* mai 1966, p. 190-207.

Le **produit mûr** est caractérisé par un certain degré de standardisation à la fois pour ce qui est de ses éléments propres et pour ce qui est de ses méthodes de production. La demande s'accroît, mais les barrières technologiques et la présence d'économies d'échelle nées de la production de masse limitent l'entrée d'autres concurrents sur le marché national (dans l'étude de Vernon, il s'agit du marché américain). Des concurrents apparaissent à l'étranger. La diffusion de la technologie dans des pays développés entraîne pour les firmes américaines la nécessité de déplacer leur production vers ces économies.

Le **produit standardisé** est caractérisé par la connaissance précise des procédés de fabrication et par leur simplification. De plus, les conditions de vente — le marketing — sont entièrement maîtrisées. La production du bien est alors déplacée vers l'endroit où elle sera la plus économique. Ainsi, les produits dont la fabrication exige le plus de travail seront déplacés vers les pays moins développés, où les coûts de main-d'œuvre sont plus faibles.

Dans ce cadre-ci, les pays développés, les États-Unis en premier lieu, détiennent un monopole en ce qui concerne la recherche et le développement ainsi que l'innovation; la division du travail qui s'ensuit repose sur le contrôle de la production de connaissances scientifiques et techniques. Les pays en développement sont chargés de mettre en œuvre la technologie produite dans les pays développés. Ils connaissent un certain degré d'industrialisation, mais celle-ci demeure dépendante du savoir produit dans les pays développés.

8.4.5 Les firmes multinationales issues des pays en développement

Dans les années 1960, on a vu émerger de nouvelles FMN issues, cette fois, des pays en développement ayant atteint un certain degré d'industrialisation. Des FMN brésiliennes, argentines, mexicaines, mais surtout sud-coréennes et taïwanaises, sont apparues. L. Wells[7] s'est penché sur ce phénomène. Selon lui, ces entreprises relèvent en majorité d'industries qui possèdent des technologies mûres. Leurs avantages spécifiques seraient les suivants :

1. Elles sont capables d'adapter les technologies de grande échelle des pays industrialisés à une fabrication à moindre échelle dans leur pays respectif. Il en résulte une technologie qui exige souvent plus de travail et qui réduit considérablement les coûts de production.

---

7. L. Wells Jr., « Third world multinationals », *Multinational Business,* nᵒ 1, 1980, p. 13-19.

2. Elles peuvent réduire les coûts d'administration et de gestion, la rémunération du personnel y étant plus faible que celle du personnel de direction envoyé par les FMN concurrentes des pays industrialisés.

3. Pour pallier le manque de capitaux et le manque d'expérience dans les transactions internationales, la plupart de ces entreprises s'associent à des entreprises de pays hôtes (*joint venture*). Cette stratégie augmente leur capacité concurrentielle par rapport aux FMN des pays industrialisés.

D'une façon générale, le produit et la technologie offerts par les FMN des pays en développement semblent mieux adaptés aux marchés moins solvables de ces pays. Wells considère que ces caractéristiques font partie d'un phénomène plus général au sein du cycle du produit. Ainsi, la technologie produite aux États-Unis est souvent reprise par les firmes européennes et japonaises, qui l'adaptent pour desservir des marchés à revenus plus bas et qui l'exportent vers des pays semi-industrialisés, lesquels, à leur tour, la modifient et l'implantent dans des pays moins avancés.

8.5 ● Les banques multinationales

Les banques multinationales (BMN), qui investissent dans des activités financières en territoire étranger, sont une forme de firmes multinationales. Leur présence sur la scène internationale est de plus en plus marquée. Elles se sont développées surtout à partir des années 1960, accusant un retard sur les autres types d'investissements directs à l'étranger.

L'investissement direct à l'étranger a connu trois phases, à l'image du développement des économies : le secteur primaire a d'abord dominé (plantations, mines, extraction pétrolière, etc.) depuis le début jusqu'au milieu du XXe siècle ; puis, les industries manufacturières ont suivi ; enfin, le secteur tertiaire (comprenant les différentes catégories de services, tels le tourisme, le commerce, les activités financières, etc.) reçoit maintenant la plus grande part des investissements directs à l'étranger.

De nombreuses banques multinationales sont ainsi apparues dans les années 1960 dans le sillon des firmes des secteurs primaire et manufacturier. Leur multiplication au début de la décennie s'explique d'abord par la forte croissance des échanges commerciaux : les banques ont accompagné leurs clients à l'étranger, contribuant ainsi à la création d'un réseau bancaire mondial. Cette implantation reliée au financement du commerce international avait déjà connu un précédent au moment où les banques suivaient les entreprises des métropoles dans les colonies des grandes puissances (mentionnons, par exemple, la Haute Banque anglaise et la Haute Banque française au XIXe siècle).

Ensuite, vers le milieu des années 1960 jusqu'au milieu des années 1970, la croissance des BMN a été stimulée par l'expansion du marché des eurodevises* (*voir le chapitre 6*). Celui-ci a d'abord été alimenté par les sorties de capitaux des États-Unis; puis, il a été gonflé, dans les années qui ont suivi les chocs pétroliers de 1973 et de 1979, par les énormes excédents financiers des pays producteurs de pétrole. Durant cette période, les banques se sont établies à l'étranger surtout pour mieux participer aux opérations de financement international (dépôts en dollars à l'extérieur des États-Unis et recyclage des pétrodollars* vers les pays développés et les pays en développement). Les grandes banques des pays développés se sont installées dans les pays du Proche-Orient producteurs de pétrole et dans les « paradis fiscaux », ou places bancaires internationales, où leur sont garanties de meilleures conditions d'opération.

Un troisième facteur explique pourquoi les banques s'implantent à l'étranger : elles cherchent à percer de nouveaux marchés et tentent de diversifier leurs portefeuilles pour diminuer les risques financiers. À partir du milieu des années 1970, les banques ont été de plus en plus actives sur le marché des changes, où s'offrent de nouveaux types d'activités financières porteuses de profit.

Le capital bancaire a ainsi élargi sa place dans le stock d'actifs à l'étranger. En 1950, seulement 0,8 % de l'actif américain à l'étranger provenait du secteur bancaire, contre 6,3 % en 1985. Mais c'est le Japon qui s'est le plus illustré dans le secteur : profitant de taux d'épargne quatre fois plus élevés qu'aux États-Unis, les banques japonaises ont pu accumuler des masses de capitaux qui leur ont permis de s'imposer sur le marché bancaire international. Au 31 décembre 1990, les six plus grandes banques du monde et 11 des 15 plus grandes étaient japonaises.

Les banques japonaises sont avantagées par certains facteurs structurels propres à l'économie du pays : l'épargne nationale est très élevée et est encouragée par les mesures fiscales, contrairement à ce qui se passe aux États-Unis, où le système de taxation est plus favorable à l'emprunt et à la consommation; en outre, le système de sécurité sociale, notamment le régime de retraite, y est très déficient, ce qui oblige les Japonais à épargner une large part de leur revenu. Enfin, le système bancaire bénéficie lui aussi de milliards d'excédents à la balance courante, qui s'accumulent au pays et qui sont de nouveau prêtés à l'étranger, en particulier au gouvernement américain.

La crise financière qui a ébranlé le capital bancaire japonais dans les années 1990 a sérieusement affaibli sa position sur le plan international. À la fin des années 1990, le système financier japonais a dû être financé à coups de centaines de milliards de dollars pour éviter la catastrophe. Des banques importantes ont reculé dans l'ordre mondial, d'autres ont dû fusionner pour résister à la tempête. À la fin de 1999, comme le montre le tableau 8.5, le panorama avait beaucoup changé. Parmi les 15 premières, on trouvait trois banques japonaises, toutes les trois étant le fruit d'une fusion.

Tableau 8.5 Les 15 plus grandes banques du monde

Rang	Société	Pays	Avoirs (en milliards de $ US)
1.	IBJ + DKB + Fuji	Japon	1 212
2.	Sumitomo + Sakura*a*	Japon	925
3.	Deutsche Bank	Allemagne	868
4.	BNP – Paribas	France	691
5.	UBS	Suisse	688
6.	Citygroup	États-Unis	669
7.	Bank of America	États-Unis	618
8.	Bank of Tokyo Mitsubishi	Japon	580
9.	HypoVereinsbank	Allemagne	541
10.	HSBC Holdings + Republic New York	R.-U. – É.-U.	535
11.	ABM Amro Bank	Pays-Bas	507
12.	Crédit suisse	Suisse	475
13.	ING	Pays-Bas	464
14.	Crédit agricole	France	457
15.	Société Générale	France	450

a. Fusion en voie de réalisation.

Source : American Banker, dans *Le Devoir*, 15 octobre 1999.

8.5.1 Les formes d'implantation à l'étranger des banques multinationales

Lorsqu'une grande banque d'un pays développé s'implante à l'étranger, elle n'ouvre pas nécessairement une succursale, c'est-à-dire une entreprise qui est habilitée à effectuer toutes les opérations bancaires dans le pays d'accueil, sous la responsabilité juridique de la société mère.

La principale forme d'implantation à l'étranger est plutôt le bureau ou l'agence de représentation. À partir d'un tel bureau ou d'une telle agence, qui ne sont pas habilités à effectuer directement des opérations bancaires, des représentants de la banque installés sur place recueillent des informations sur la situation économique et politique du pays d'accueil; ils fournissent des conseils aux entreprises industrielles ou commerciales du pays d'origine qui sont intéressées à investir dans le pays hôte ou à y écouler leurs produits, et tentent de nouer des relations avec les banques locales.

La filiale est une autre forme d'implantation. C'est une entité créée par la société mère, qui y détient la majorité des actions. La décision de procéder à la mise sur pied d'une succursale ou d'une filiale dépend de la législation en vigueur dans le pays d'origine et le pays d'accueil. Ainsi, certains pays acceptent les succursales étrangères, mais interdisent la création de filiales.

Enfin, les banques multinationales participent aussi à des associations bancaires avec des banques étrangères, comme les syndicats bancaires qui sont constitués sur une base temporaire à l'occasion du lancement et du placement d'emprunts sur le marché des eurocrédits*.

Résumé L'exportation de capitaux se réalise sous forme d'investissements de portefeuille (prêts, actions, etc.) et sous forme d'investissements directs (mises sur pied d'entreprises). Ce phénomène est relié à l'expansion des firmes multinationales, qui étendent leurs activités à plusieurs pays. Les activités de ces firmes sont souvent plus importantes que l'activité économique de plusieurs pays.

Ce sont les États-Unis qui détiennent le plus important stock de capitaux à l'étranger, mais leur domination s'est amoindrie depuis quelques décennies devant la montée des autres pays industrialisés, particulièrement le Japon et l'ex-RFA (Allemagne). Sur le plan de l'accueil des capitaux, les États-Unis sont de loin le principal pays hôte, devançant l'Europe de l'Ouest en entier. Les pays en développement, quant à eux, ne reçoivent que le quart des capitaux étrangers et investissent peu à l'étranger. Mais on assiste depuis quelques années à un phénomène nouveau : l'apparition de firmes multinationales issues de pays en développement.

Plusieurs analystes se sont penchés sur les phénomènes de l'exportation des capitaux et de la multinationalisation des firmes. Certains relient ces phénomènes au développement de l'économie mondiale ; selon eux, l'exportation de capitaux serait inhérente au développement de l'économie de marché à son stade monopoliste. Les activités de production, concentrées à l'origine dans un seul pays, se déplaceraient d'un pays vers le reste du monde. D'autres y voient aussi la conséquence d'une économie concentrée où les firmes qui bénéficient d'avantages technologiques et organisationnels sont poussées à étendre leurs activités au reste du monde.

Quant à la théorie du cycle du produit, elle considère l'investissement direct à l'étranger comme une étape normale de la vie d'un produit. La production d'un bien passe par diverses phases : innovation, maturation et standardisation ; plus le produit s'uniformise, plus sa production tend à se déplacer vers les lieux où les coûts sont moins élevés. La création de firmes multinationales dans les pays en développement s'explique par ces avantages relatifs aux coûts de production et est reliée à cette phase de la vie du produit où l'adaptation de la technologie aux conditions de ces pays est rendue possible.

Une forme particulière de FMN a connu un essor depuis le début des années 1960 : les banques multinationales. Jusqu'au début des années 1990, celles-ci ont été dominées par le Japon ; la crise financière asiatique et la fragilité des banques japonaises ont sapé leur domination.

Questions

1. Sous quel poste (investissement de portefeuille ou investissement direct) placez-vous les activités suivantes :
   a) l'ouverture d'une filiale de la Banque Royale en Jamaïque ?
   b) l'achat d'obligations d'Hydro-Québec par une banque suisse ?
   c) l'achat de magasins américains par une entreprise canadienne ?
   d) l'implantation d'une usine de Hyundai au Québec ?
   e) l'achat d'obligations du gouvernement américain par une banque japonaise ?
   f) l'achat de 10 000 $ US d'actions IBM par un Canadien ?

2. Décrivez et expliquez les principaux changements survenus en ce qui a trait à l'origine des capitaux investis à l'étranger.

3. Décrivez et expliquez les principaux changements survenus en ce qui concerne l'accueil des capitaux étrangers.

4. Exposez brièvement, en les comparant, deux théories relatives à l'exportation de capital.

5. L'exportation, par une firme américaine, d'un capital de dix milliards de dollars américains au Canada et l'importation américaine de marchandises canadiennes d'une même valeur constituent, sur le plan comptable, deux entrées équivalentes de devises au Canada. Montrez en quoi ces opérations diffèrent sur le plan économique.

6. Quels facteurs ont favorisé la croissance des banques multinationales depuis le début des années 1960?

7. Expliquez les nouvelles tendances de l'investissement direct à l'étranger en Asie et en Europe orientale.

8. Établissez un lien entre ces phénomènes et une théorie décrite dans le chapitre.

9. À quelle(s) théorie(s) associez-vous chacun des phénomènes suivants:
   a) La compagnie de vêtements Levi Strauss ferme la moitié de ses usines d'Amérique du Nord pour réaménager sa production là où les coûts de l'abondante main-d'œuvre sont inférieurs.
   b) La firme Toyota construit une usine d'automobiles en Ontario pour se rapprocher du marché américain.
   c) Les banques canadiennes fortement concentrées cherchent à placer leurs capitaux au Mexique.
   d) La production d'automobiles étant de plus en plus simplifiée, General Motors ouvre des usines de production au Mexique.

10. Les investissements étrangers directs des pays développés sont dirigés majoritairement vers d'autres pays développés. À l'aide des théories présentées, expliquez ce phénomène.

11. Montrez le lien entre la hausse du yen et la croissance des investissements étrangers japonais durant les années 1980.

Thème de réflexion

● Le lien entre l'exportation des capitaux et la mondialisation de l'économie.

Références bibliographiques

ANDREFF, W., *Les multinationales,* Paris, Éditions La Découverte, 1996.

BONIN, B., *L'entreprise multinationale et l'État,* Montréal, Études vivantes, 1985.

CHESNAIS, F., *La mondialisation du capital,* Paris, Syros, 1994.

CLAIRMONTE, F.F., « Les services, ultimes frontières de l'expansion pour les multinationales », *Le Monde diplomatique,* janvier 1991, p. 10-11.

HYMER, S., *The International Operations of National Firms,* Cambridge, MIT Press, 1976.

LÉNINE, *L'impérialisme, stade suprême du capitalisme,* Paris, Éditions sociales, 1971.

LÉVY, B., *Les affaires internationales: l'économie confrontée aux faits,* Boucherville, Gaëtan Morin Éditeur, 1989.

MICHALET, C.-A., *Le capitalisme mondial,* Paris, PUF, 1985.

MUCCHIELLI, J.L., *Multinationales et mondialisation,* Paris, Éditions du Seuil, 1998.

NIOSI, J., *Les multinationales canadiennes,* Montréal, Boréal Express, 1982.

ONU, *World Investment Report.*

VERNON, R., « International Investment and International Trade in the Product Cycle », *Quarterly Journal of Economics,* mai 1966, p. 190-207.

WELLS, L. Jr., « Third world multinationals », *Multinational Business,* no 1, 1980, p. 13-19.

TROISIÈME PARTIE

Pays développés et économies en transition vers le marché

CHAPITRE 9

Les grandes économies : la rivalité États-Unis – Japon – Union européenne

OBJECTIFS

APRÈS AVOIR LU CE CHAPITRE, L'ÉLÈVE SERA EN MESURE :

- de comparer l'évolution des grandes économies ;
- de comprendre et d'expliquer le déclin relatif des États-Unis ;
- de décrire les problèmes actuels des États-Unis ;
- de comprendre et d'expliquer la montée du Japon ;
- de cerner les faiblesses de l'économie japonaise ;
- d'évaluer l'économie canadienne.

Toutes les grandes puissances de l'histoire ont connu un cheminement similaire : une ascension vers les sommets, une période d'hégémonie*, c'est-à-dire de prépondérance économique, militaire et politique, puis un déclin sous le poids des contradictions, la grande puissance devenant souvent après un certain temps une puissance secondaire.

Du XVIIIe siècle, où s'est amorcée la révolution industrielle* qui a bouleversé le monde de la production et la société dans son ensemble, jusqu'aux premières années du siècle dernier, la Grande-Bretagne domine le monde. Au XXe siècle, elle est supplantée par son ancienne colonie d'Amérique, les États-Unis. Ceux-ci seront au sommet de leur puissance après la Seconde Guerre mondiale et ils domineront sans partage l'économie mondiale jusque vers la fin des années 1960. Ils sont encore aujourd'hui la principale puissance économique, mais ils doivent partager leur pouvoir avec d'autres pays.

C'est cette transformation du rapport des forces économiques au sein des puissances industrielles qui est le thème de ce chapitre.

Dans les chapitres précédents, nous avons survolé l'évolution générale de différents phénomènes au cours des 50 dernières années. Nous allons maintenant approfondir les changements importants qui sont survenus parmi le groupe des grands pays industrialisés durant la même période.

On peut y observer deux grandes tendances. D'abord, on note la montée et le maintien de l'hégémonie américaine qui fait des États-Unis, sur le plan économique, un chef de file dans la plupart des branches industrielles ; cette tendance commence à se renverser dans les années 1960, le leadership américain déclinant tout au long des années 1970 et 1980. En parallèle, on assiste à la remontée de deux économies détruites par la guerre, celle du Japon et, au sein de la Communauté économique européenne (CEE), celle de la République fédérale d'Allemagne (RFA). Associés l'un à l'autre, les deux processus amèneront une ère nouvelle où la domination d'un centre sera remplacée par l'existence simultanée de plusieurs pôles régionaux : l'Amérique du Nord (États-Unis et Canada), l'Union européenne en Europe et un bloc asiatique autour du Japon. On est passé de l'hégémonisme à la multipolarité.

9.1 ● La suprématie américaine

9.1.1 Une hégémonie incontestée

Au lendemain de la Seconde Guerre mondiale, les États-Unis sont confortablement installés au sommet de l'économie mondiale. Leur production dépasse à elle seule celle de tous les autres pays de l'OCDE réunis ; leur puissance apparaît d'autant plus grande que les plus importantes économies d'Europe et d'Asie sont en pleine reconstruction.

Sur le plan monétaire, grâce à leurs ventes aux pays belligérants, les États-Unis haussent leurs réserves d'or à l'équivalent de 20 milliards de dollars, soit les deux tiers du total mondial. En 1944, ils sont en mesure d'imposer au monde leur proposition de système monétaire international. De plus, la richesse qu'ils ont accumulée durant la guerre, associée au potentiel productif qu'ils ont alors développé, leur permet de financer la reconstruction de l'Europe et du Japon.

Sur le plan intérieur, durant les années 1950 et 1960, les fonctions de l'État s'étendent à plusieurs sphères de la vie économique et sociale (sécurité sociale, recherche du plein emploi) ; le pays crée alors ce système d'État-providence que tous les pays industrialisés mettront progressivement sur pied dans les années d'après-guerre. Tout au long de cette période, au sein d'un marché en pleine ébullition, le processus de concentration industrielle s'accentue. De gros capitaux sont ainsi réunis dans les comptes des entreprises industrielles et financières. À la recherche d'un maximum de profit, celles-ci investissent une partie croissante de leurs capitaux à l'extérieur du pays, en Europe surtout, où les marchés se développent, et dans certaines régions du tiers-monde*, où elles peuvent acquérir les matières premières et énergétiques nécessaires à leur expansion. Le Canada demeure leur principale source d'approvisionnement en fer, en cuivre, en nickel, en pétrole et en gaz naturel.

Au milieu des années 1960, le gouvernement Johnson, devant les tensions sociales qui perturbent les villes du nord du pays, s'attache à réaliser son projet de *great society* ; celui-ci comprend des mesures contre le chômage des jeunes et prévoit la hausse du salaire minimum ainsi que l'octroi de nouveaux crédits pour l'éducation et la santé, de même que la réduction du taux d'imposition des sociétés. Ces mesures entraînent une augmentation des dépenses publiques et une diminution de revenu qui accroissent le déficit de l'État, lequel est accentué par l'intensification de l'effort militaire au Viêtnam et les dépenses consacrées à l'entretien des bases militaires dans les pays alliés (Turquie, Grèce, Maroc, etc.). À ces sorties de dollars pour la protection de l'« empire » s'ajoutent les investissements étrangers des sociétés multinationales pour l'achat et la création d'entreprises industrielles à l'extérieur des États-Unis.

Les difficultés financières du pays et du gouvernement sont contournées pendant un certain temps par l'émission d'eurodollars* constituant des reconnaissances de dettes libellées en dollars et détenues par des étrangers. Ces reconnaissances de dettes représentent des créances envers les États-Unis, dont les détenteurs pourront exiger le remboursement ultérieurement. Cet état d'endettement précipitera la crise du dollar et du système monétaire international en 1971 (*voir le chapitre 5*). La dévaluation du dollar américain améliore la compétitivité des exportations américaines, ce qui permet d'atténuer le déficit de la balance commerciale ; en 1972, celle-ci est même excédentaire.

Mais la guerre du Viêtnam continue de miner l'économie américaine, accentuant à la fois le déficit budgétaire et le déficit de la balance des paiements ; en 1974-1975, la fin du conflit sera l'un des facteurs à l'origine de la récession.

Dominant le monde sur les plans économique, politique et militaire dans la période d'après-guerre, les États-Unis ont vu leur leadership décliner, à tout le moins sur le plan économique, en raison du fardeau financier que le maintien et l'élargissement de leur puissance exigeaient. Pendant ce temps, les puissances que la guerre avait brisées se sont relevées, en partie grâce à l'aide américaine ; leurs économies prendront une place de plus en plus grande, tandis que celle des États-Unis sera **relativement** réduite.

9.1.2 Une domination partagée

Seule puissance d'importance sur le plan militaire, dominant les institutions internationales (FMI, BIRD, ONU), comment peut-on dire des États-Unis qu'ils ont connu un déclin? Ce déclin n'est pas absolu, mais relatif au rattrapage et à la croissance des autres pays. Il s'agit d'un changement relatif du rapport de force sur le plan économique (PIB, exportations, etc.).

La place des États-Unis dans l'ensemble des pays industrialisés a diminué jusqu'au milieu des années 1990, comme l'indique le tableau 9.1.

La part des États-Unis dans le PNB/PIB de l'ensemble des pays de l'OCDE est passée de 61,6 % en 1950 à 31,4 % en 1995; durant la même période, celle du Japon passait de 2,9 % à 22,3 % et celle de l'Allemagne, de 5 % à 10,9 % (incluant l'ex-RDA). Ce changement s'est accéléré à partir du milieu des années 1960; de 50 %, la part américaine diminue à 31,4 % en 1995, tandis que celle du Japon s'accroît rapidement, passant de 6,5 % à plus de 20 % du total. Toutefois, depuis 1995, la part des États-Unis s'est accrue tandis que celle du Japon a diminué (ces derniers changements sont dus également aux variations des taux de change durant la période).

Ces changements dans la position relative des principaux pays sont liés au taux de croissance de leur économie respective au cours de la période.

Tableau 9.1 PNB/PIB des principales économies dans la zone de l'OCDE

Pays	(en pourcentage du total de l'OCDE)				
	1950[a]	1965	1995	2002	2002[e]
États-Unis	61,6	50,0	31,4	39,5	32,4
Japon	2,9[b]	6,5	22,3	15,2	20,2
Allemagne[c]	5,0	8,1	10,9	7,5	9,5
France	6,1	7,0	7,0	5,4	6,4
Royaume-Uni	8,0	7,1	4,9	5,9	4,8
Italie	3,1[d]	5,1	4,9	4,5	4,3
Canada	3,5	3,7	2,5	2,7	2,6

a. PNB.
b. 1952.
c. Avant 1991, RFA.
d. 1951.
e. Au prix et au taux de change de 1995.

Sources : OCDE, *Statistiques des comptes nationaux*, tableau tiré de *L'Observateur*, juin-juillet 1993. *Principaux indicateurs économiques*, mars 1996. *OCDE en chiffres. Principaux indicateurs économiques*, septembre 2003.

Depuis les années 1950 jusqu'aux années 1990, les États-Unis ont connu une croissance plus lente que celle des autres grands pays à économie de marché, à l'exception du Royaume-Uni. Le Japon, la RFA, la France et l'Italie, en reconstruction, ont eu durant les années 1950 des taux de croissance largement supérieurs à celui des États-Unis. Durant les années 1950 et 1960, la performance du Japon a été plus de deux fois supérieure à celle des États-Unis, et cette supériorité s'est maintenue durant les années 1970 et 1980. Dans les années 1990, les États-Unis ont connu la plus longue phase d'expansion de leur histoire, dépassant les autres pays sur ce plan, augmentant l'écart de PIB qui s'était réduit jusque-là.

Sur le plan du commerce extérieur, le déclin de la puissance américaine est plus apparent. À ce chapitre, les États-Unis ont même quitté momentanément le premier rang qu'ils occupaient depuis plus de 40 ans (*voir le tableau 9.2*). (Bien sûr, la plus grande puissance commerciale demeure l'Union européenne, dont nous traiterons au prochain chapitre.)

Tableau 9.2 Répartition des exportations (FOB[a]) des principaux pays dans la zone de l'OCDE

| Pays | (en pourcentage du total) | | |
	1965	1995	2002
États-Unis	22,4	15,0	15,5
Allemagne[b]	14,8	16,4	13,6
Japon	7,0	15,0	9,8
France	8,3	8,0	6,9
Royaume-Uni	11,1	6,0	6,3
Italie	6,0	6,8	5,5
Canada	6,7	3,9	5,6

a. Contrat ou prix stipulant que le transport d'une marchandise (et tous les droits qu'elle aura à subir) est à la charge de l'exportateur jusqu'au point d'embarcation.

b. RFA avant 1991.

Sources : OCDE, *Statistiques des comptes nationaux*, années choisies. *L'Observateur*, juin-juillet 1996. *OCDE en chiffres*, 1999 . *Principaux indicateurs économiques*, septembre 2003.

Les États-Unis qui, en 1956, réalisaient la moitié des exportations de l'OCDE, se retrouvaient au milieu des années 1990 au deuxième rang derrière l'Allemagne (alors la RFA). Ici, on ne parle plus d'hégémonie ni même de domination. Toutefois, dans le secteur des services commerciaux, les États-Unis dominent aisément leurs concurrents (*voir le chapitre 7*).

9.2 ● Le déclin relatif

Le passage de l'hégémonie économique américaine à la simple primauté se manifeste dans le déclin relatif de la compétitivité industrielle du pays, c'est-à-dire dans la diminution de sa capacité de livrer sur les marchés étrangers des biens manufacturés au moindre coût. De 1950 à 1987, la productivité de l'économie américaine a crû moins rapidement que celle de ses principaux concurrents; le Japon, l'Allemagne et la France ont fait les bonds les plus marqués par rapport aux États-Unis, comme le montre le tableau 9.3.

Tableau 9.3 Indice de la productivité

| | PIB par heure-personne (États-Unis = 100) | | | |
	1950	1960	1973	1987
Japon	15	20	46	61
Allemagne	30	46	64	80
France	40	49	70	94
Italie	31	38	64	79
Royaume-Uni	57	56	67	80
Canada	75	79	83	92

Source : OCDE, *Revue économique de l'OCDE*, n⁰ 22, printemps 1994.

Le rattrapage effectué par ces pays, particulièrement dans le secteur manufacturier, a contribué à réduire la part des États-Unis dans la valeur de la production manufacturière des pays développés, cette part étant passée de 57 % à 21 % entre 1948 et 1980. Ce rattrapage est aussi la cause principale de la montée du Japon et de l'Allemagne, qui se classent aux premiers rangs parmi les pays exportateurs de produits manufacturés.

Bellon et Niosi décèlent trois raisons majeures qui expliquent le déclin relatif des États-Unis : l'émergence d'une économie multipolaire à l'échelle mondiale, le fardeau de l'hégémonie militaire des États-Unis et l'absence d'une politique industrielle nationale.

9.2.1 La montée des pays rivaux

La restructuration du système d'économie de marché depuis la Seconde Guerre mondiale résulte d'abord du rattrapage de l'Europe et du Japon ; mais aussi, dans le tiers-monde, quelques *nouveaux pays industrialisés* (Corée du Sud, Taïwan, Hong-Kong, Singapour, Brésil, Mexique, Chine) sont apparus au cours des années 1960 et 1970, suivis plus récemment d'une autre vague (Inde, Thaïlande, Malaisie, Indonésie, Turquie). Les États-Unis doivent affronter ces nouveaux concurrents du Sud qui ont réussi à s'emparer d'une partie du marché mondial et de leur marché intérieur dans le textile et le vêtement, l'acier, de même que les produits manufacturés comme les navires et les automobiles.

Sur le plan industriel, les États-Unis sont dépassés dans le secteur de l'acier, où leur part de la production mondiale est passée de 47 % en 1950 à 11 % en 1985. Cette situation est la conséquence directe d'une perte de compétitivité ; les entreprises américaines ont connu l'un des plus faibles taux de conversion d'équipement de production dans le monde industrialisé. La nouvelle méthode de fonte continue (*continuous casting*) touchait environ 30 % de l'industrie américaine en 1983, contre 86 % de l'industrie japonaise et 61 % de l'industrie européenne. En raison du retard technologique des aciéries américaines, le Japon produisait la tôle laminée à des coûts unitaires inférieurs de 30 % ; cet avantage comparatif a permis à ce pays de se hisser au premier rang des producteurs mondiaux en 1985.

Dans l'industrie de l'automobile, la part américaine de la production mondiale d'automobiles et de camions est passée de 79 % en 1946 à 27 % en 1985 ; le Japon, ici encore, est devenu le premier producteur mondial (représentant 28 % du total en 1985 ; en 1994, à la suite de l'implantation de nombreuses filiales japonaises aux États-Unis, ceux-ci reprenaient la première place) et le premier exportateur de véhicules motorisés. Dans ce secteur, les innovations majeures en matière de produits ont été réalisées en Europe (pneu à carcasse radiale, suspension à roues indépendantes, traction avant, etc.) ; en matière de procédés, les innovations proviennent surtout du Japon (robots et machines à contrôle numérique). La faiblesse de l'industrie américaine a été telle que les dirigeants des grandes sociétés ont dû demander l'intervention de leur gouvernement pour qu'il force les Japonais à restreindre leurs exportations vers le marché intérieur ; celles-ci ont ainsi été limitées jusqu'en avril 1985 à 1,65 million de voitures par année (au milieu des années 1990, ce chiffre était toujours en vigueur).

Dans le domaine de l'électronique, qui va des produits domestiques (radios, téléviseurs, magnétoscopes, etc.) à l'informatique en passant par les télécommunications et les semi-conducteurs, les États-Unis ont pour la première fois subi un déficit commercial en 1984. C'est dans le secteur de l'électronique domestique que le phénomène s'est le plus fait sentir. En 1982, le Japon, avec des noms prestigieux comme Sony, Sanyo, Toshiba, Mitsubishi et Hitachi, accaparait déjà 38 % du marché américain des téléviseurs et 100 % de celui des magnétoscopes. Au milieu des années 1980, la domination américaine dans le secteur des circuits intégrés (liés à l'industrie des micro-ordinateurs, entre autres) était elle-même menacée. Et le MITI (Ministry of International Trade and Industry) ainsi que les compagnies Hitachi et Fujitsu affectaient de fortes sommes à la recherche dans la conception de superordinateurs capables de travailler à de très grandes vitesses.

Dans les industries de haute technologie en général (industrie aérospatiale, informatique et équipement, électronique et composantes, pharmacie, machines et équipement électrique), les États-Unis viennent en tête selon le critère « intensité de recherche et développement », c'est-à-dire le rapport des dépenses en R-D aux coûts de production. Leur balance commerciale dans les produits de haute technologie est positive mais, depuis 1980, le Japon a accru sa part de ce marché.

9.2.2 Le fardeau militaire

Comme l'indique le tableau 9.4, aux États-Unis, la part de PIB consacrée à la défense est plus importante que dans tout autre pays industrialisé. À la fin des années 1980, l'écart entre l'État américain et ses deux plus proches rivaux, le Japon et l'Allemagne, s'était accru. Bien que les dépenses militaires puissent contribuer à la recherche et à la mise au point de technologies dans des secteurs de pointe (semi-conducteurs, composantes électroniques, radios, téléviseurs, etc.), à long terme leur poids dans l'économie nuit à l'élaboration de technologies nouvelles qui pourraient directement être mises sur le marché et donner lieu à la création de produits compétitifs. Les dépenses militaires constituent, pour le capital, un fardeau improductif dont les retombées sont indirectes et, pour la société, un gaspillage de ressources financé par l'impôt.

En 1990, aux États-Unis, on réservait seulement 1,9 % du PIB aux dépenses civiles de recherche et développement, contre 3 % au Japon et 2,7 % en Allemagne. Or, on peut observer une corrélation inverse entre le taux de croissance de la production et la productivité de l'industrie manufacturière, d'une part, et les dépenses militaires, d'autre part. Les États-Unis et le Royaume-Uni affichent le taux de croissance le plus lent en raison de l'ampleur des dépenses militaires, tandis que le Japon et l'Allemagne croissent plus rapidement en affectant plus de ressources à la recherche et au développement non militaires. En somme, la suprématie militaire américaine a été maintenue au prix d'un rendement industriel inférieur.

Tableau 9.4 Dépenses militaires totales en pourcentage du PIB

	1979-1980	1989-1990
États-Unis	5,3	5,7
Japon	0,9	1,0
Allemagne	3,3	2,9
France	3,9	3,6
Italie	2,1	2,3
Royaume-Uni	4,6	4,0
Canada	1,8	2,0

Source : OCDE, *Perspectives économiques,* juin 1992.

9.2.3 L'absence d'une politique industrielle nationale

L'État américain fournit aux entreprises un soutien financier important et varié, mais cette aide ne correspond à aucun plan d'ensemble : elle est accordée pour résoudre des difficultés ponctuelles, comme dans le cas du sauvetage de la société Chrysler, et s'adresse parfois à l'ensemble du monde des affaires, mais il n'existe pas de réelle politique industrielle. Une telle politique exige la coordination des interventions du gouvernement dans le but d'accroître la productivité de l'ensemble ou de certains des secteurs de l'économie. Elle peut s'appliquer dans différents domaines : recherche et développement, accroissement de la compétence par l'éducation, activités commerciales, techniques et financières.

Une telle coordination n'existe pas aux États-Unis à cause du morcellement du processus de décision et du caractère éclaté des interventions industrielles ; tous deux dépendent de la structure politique du pays et du rôle des nombreux groupes de pression qui exercent un lobbying constant, mais pièce à pièce, auprès des centres de décision (Maison-Blanche,

Chambre des représentants, Sénat). Les États-Unis sont le seul pays industrialisé à reconnaître le lobbying comme une forme de gouvernement légale et légitime ; très structurée, cette activité permet la représentation permanente des grandes composantes de la société (agriculture, banques, industries, etc.) qui exercent des pressions pour l'obtention de mesures particulières. Chaque organisation peut être très efficace dans son secteur, mais l'ensemble de la politique économique n'est pris en charge par aucune d'entre elles.

D'autres facteurs ont désavantagé l'économie américaine. Le coût du capital, beaucoup plus élevé qu'au Japon, a forcé les investisseurs à privilégier les rendements à court terme au détriment des objectifs à long terme. Or, les orientations nouvelles susceptibles de renforcer les secteurs menacés par la concurrence étrangère requièrent des visées à long terme et nécessitent des changements technologiques qui peuvent nuire à la rentabilité à court terme.

9.3 ● Une puissance financière affaiblie

L'affaiblissement relatif de l'économie américaine a modifié la position financière du pays ; au milieu des années 1980, pour la première fois depuis 70 ans, les avoirs étrangers aux États-Unis dépassaient les avoirs américains à l'étranger.

9.3.1 Les deux déficits

La décennie 1980 aux États-Unis a souvent été décrite comme celle du « reaganisme », du nom de Ronald Reagan, qui a rempli deux mandats consécutifs à la présidence de 1981 à 1989. Le « reaganisme » est un courant général, sans être une politique au sens propre. Sa base théorique puise à des écoles différentes : la théorie de l'offre, qui prône la relance de l'investissement et la réduction tant des dépenses que des recettes de l'État ; le monétarisme, qui suggère le contrôle strict de la masse monétaire et la réduction des dépenses publiques pour relancer l'économie ; jusqu'à un certain point, le keynésianisme, qui propose au contraire de relancer l'économie à l'aide d'une politique expansionniste d'augmentation des dépenses et de réduction des revenus.

Monétaristes et économistes de l'offre préconisent certaines mesures en guise de solution de remplacement aux politiques keynésiennes qui sont responsables, selon eux, des problèmes principaux : inflation, chômage et baisse de la croissance. À l'encontre du keynésianisme, ils proposent :

- de réduire les interventions directes de l'État qui ne concernent pas les entreprises (en particulier les programmes sociaux, les pensions, les subventions aux plus démunis) ;
- de réduire la réglementation qui limite la concentration des entreprises ou la fusion et l'achat d'entreprises ;
- d'accroître les interventions du gouvernement sur le plan monétaire afin de contrôler la création de monnaie et de réduire l'inflation, de diminuer le déficit budgétaire pour permettre un transfert de ressources vers les entreprises industrielles.

La politique du gouvernement Reagan s'est inspirée en partie de ces préceptes pour réduire le fardeau fiscal des entreprises et effectuer des compressions budgétaires dans le domaine social, en particulier dans les secteurs de la santé et de l'éducation. Malgré ces mesures, le budget de l'État fédéral n'a cessé d'augmenter durant les mandats du président Reagan. Auparavant, il était passé de 19,5 % du PNB dans les années 1960 à 20,9 % dans les années 1970 ; en 1986, après le premier mandat du président Reagan, il atteignait 23,7 % du PNB, ce qui entrait en contradiction avec la volonté expresse d'en réduire le poids.

Héritage de cette politique, le déficit du budget fédéral a littéralement explosé pour atteindre des sommets historiques en période de paix. La figure 9.1 met en évidence le solde de l'État américain de 1979 à 2003.

En 1979, le déficit fédéral américain se chiffrait à 40,2 milliards, soit 1,6 % du PIB ; en 1986, il atteint un sommet de 221 milliards, soit l'équivalent de 5,2 % du PIB (contre 6,2 % en 1983). L'augmentation a été causée par une réduction des revenus perçus par l'État et par une majoration continue des dépenses, en particulier celles destinées à la défense.

Les déficits cumulés depuis 1982 posent à l'État américain un problème de taille : où puiser les fonds nécessaires pour combler un tel écart entre les dépenses et les revenus ? La réponse viendra de l'extérieur du pays, plus particulièrement de l'Orient.

Une bonne partie des excédents de la balance courante japonaise a été canalisée dans l'achat d'obligations* et de titres américains, ce qui a soulevé les critiques des milieux financiers, comme l'illustre l'encadré 9.1.

Figure 9.1 Solde budgétaire de l'État américain, 1979-2003 (en % du PIB)

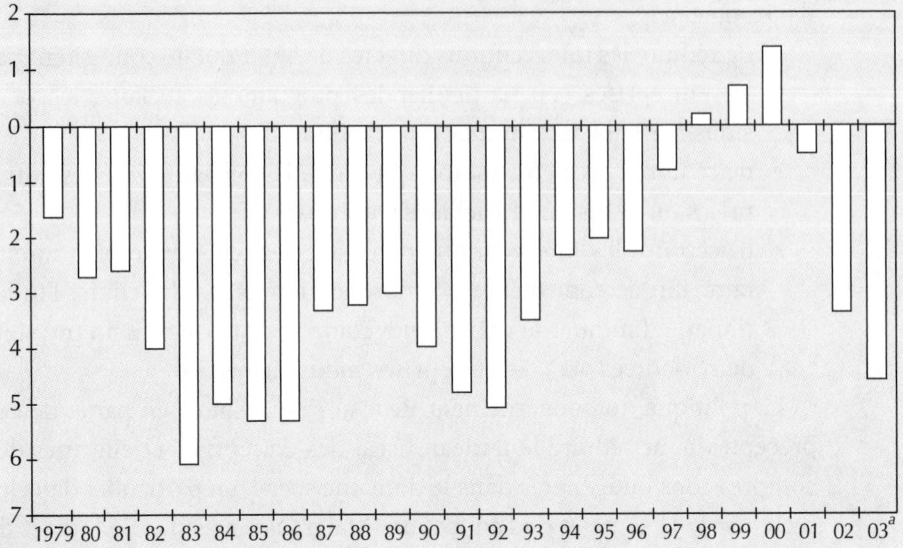

a. Prévision pour 2003.

Source : OCDE, *Perspectives économiques,* juin 1992, juin 1993, juin 1996, décembre 1999, juin 2003.

Encadré 9.1

LES ÉTRANGERS MODÈLERONT-ILS LES POLITIQUES DE BUSH ?

Dans une interview diffusée avant son élection, George Bush (père) indiquait que la question du déficit budgétaire occupait une place marginale dans la liste de ses priorités... Mais, depuis le 8 novembre, le président élu n'a cessé de rappeler sa détermination de régler le problème du budget fédéral. Qu'est-ce qui peut expliquer ce changement d'attitude ? M. Bush s'est peut-être heurté au troublant héritage de son prédécesseur. À cause de l'augmentation rapide de la dette extérieure depuis 1981, les États-Unis ont cédé aux étrangers une partie du contrôle de leur économie. [...]

Les chiffres sont éloquents. Depuis 1979, les titres du Trésor et des corporations américaines détenus à l'étranger ont été multipliés par six. Les besoins annuels de capital étranger ont été gonflés de 154 millions de dollars à 1 milliard de dollars. Et les États-Unis, premier créditeur mondial avec un actif net de 95 milliards de dollars, sont devenus le premier débiteur avec des engagements extérieurs nets de plus de 400 milliards de dollars. [...]

M. Bush n'a pas grand choix. Même s'il détient les rênes du pouvoir, il a déjà senti le joug des créanciers étrangers. S'il les ignore, il pourrait affronter une grève du dollar, selon les mots de la Brookings Institution. Les investisseurs étrangers pourraient cesser d'acheter des titres américains, le dollar tomberait, les taux d'intérêt augmenteraient et les États-Unis pourraient s'enliser dans une nouvelle récession.

Hot money ?

Titres américains et dépôts bancaires détenus par des investisseurs étrangers privés

	(en milliards de $)	
	1979	1987
Titres du Trésor	14	78
Titres des sociétés	59	344
Dépôts bancaires	110	539

Source : Department of Commerce.

Source : A. Murray, *The Wall Street Journal*, 5 décembre 1988. (Traduction libre de l'auteur.)

Après l'explosion de la première moitié des années 1980, le déficit budgétaire s'est résorbé vers la fin de la décennie. En 1993, devant la remontée fulgurante du déficit, le président Clinton présente un ambitieux programme de réduction des dépenses et d'augmentation de l'impôt (touchant principalement les personnes à revenu élevé) qui correspond à près de 500 milliards de dollars sur une période de quatre ans. Les hausses d'impôt, les rentrées fiscales liées à l'expansion et la réduction des dépenses militaires et sociales ont effacé le déficit budgétaire dès 1998. Toutefois, en 2002, la baisse des rentrées due à la récession et à la réduction des impôts, combinée à un accroissement des dépenses militaires, mettait fin à trois années d'excédents budgétaires. La lutte contre le terrorisme initiée en 2003 par le gouvernement Bush a accru les dépenses militaires et le déficit budgétaire. Le deuxième déficit, celui des balances courantes, est quant à lui de plus en plus menaçant, comme l'indique la figure 9.2.

Figure 9.2 Balances courantes : États-Unis, Japon, Allemagne, 1981-2002

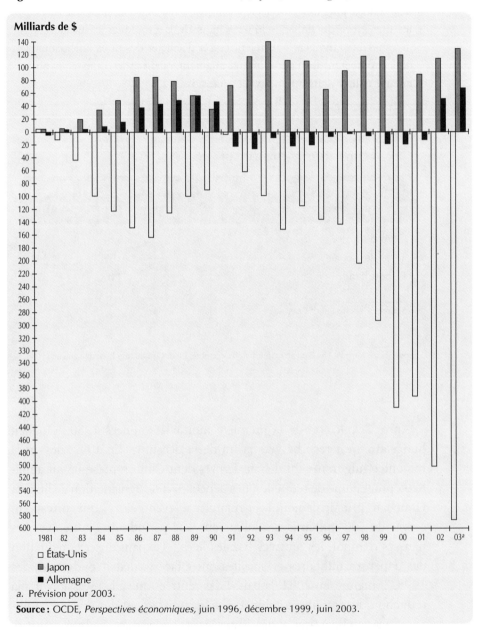

Milliards de $

☐ États-Unis
◼ Japon
■ Allemagne

a. Prévision pour 2003.

Source : OCDE, *Perspectives économiques,* juin 1996, décembre 1999, juin 2003.

La balance des opérations courantes des États-Unis s'est profondément détériorée au début des années 1980. La perte de compétitivité de l'industrie américaine sur les marchés internationaux a causé un déficit de plus en plus marqué de la balance commerciale (les exportations moins les importations) ; en outre, les recettes sous forme d'intérêts et de profits rapatriés de l'extérieur sont maintenant effacées par les sorties d'intérêts sur les emprunts américains à l'étranger. Le déficit de la balance courante atteindra un record historique de 159,6 milliards en 1987. Le Japon et la RFA, les deux principaux rivaux des États-Unis, maintenaient durant la même période un rythme tout à fait contraire ; ils placeront massivement leurs excédents aux États-Unis, sous la forme d'investissements de portefeuille (*voir l'encadré 9.1*) et aussi d'investissements directs.

Cet écart entre les soldes de la balance courante s'est rétréci au tournant des années 1990 grâce à des facteurs passagers. Aux États-Unis, le déficit courant a diminué à 90 milliards de dollars en 1990, puis à 3,7 milliards en 1991 : le déficit commercial a diminué à la suite de la dépréciation du dollar et du ralentissement économique du pays (qui a réduit ses importations) ; en outre, l'Arabie Saoudite, le Koweït, l'Allemagne, le Japon et d'autres pays ont payé aux Américains 70 milliards de dollars en guise de participation aux frais liés à la guerre du Golfe. En Allemagne, on observait la tendance contraire ; l'excédent de la balance courante s'est transformé en un déficit de 20 milliards de dollars en 1991, conséquence du déficit commercial faisant suite à la réunification du pays et à l'appréciation du mark. Au Japon, par ailleurs, l'excédent se maintenait malgré une légère baisse.

Depuis le milieu des années 1990, le déficit de la balance commerciale américaine s'est creusé : les importations liées à la croissance économique ont augmenté à un rythme rapide, tandis que les revenus de placement payés à l'étranger ont dépassé les revenus reçus par les Américains, portant le déficit de la balance courante à de nouveaux sommets. Ces sorties d'argent ont été compensées par des entrées massives de capitaux (investissements directs et, surtout, investissements de portefeuille). Au début des années 2000, le déficit de la balance courante explosait, aggravant la situation d'endettement du pays.

9.3.2 Un pays débiteur à l'égard du monde extérieur

Ces sorties de devises au titre de la balance courante ont été financées par des entrées massives de capitaux. Les investisseurs étrangers ont acheté des obligations et des actions aux États-Unis et une vague d'investissements directs a déferlé sur le pays. Le 14 septembre 1987, le magazine *Time* titrait en première page : *For Sale : America*. Les exportations de capitaux vers le pays venaient, en 1986, de changer un rapport établi depuis 70 ans ; la propriété étrangère aux États-Unis, incluant aussi bien la propriété foncière (propriété du sol) que les titres (actions, obligations, etc.), a augmenté à 1 648 milliards de dollars, alors que la propriété américaine à l'étranger s'élevait à 1 509 milliards. Les avoirs extérieurs nets des États-Unis (les avoirs américains à l'étranger moins les avoirs étrangers aux États-Unis) montrent maintenant un solde négatif qui n'a cessé de croître depuis lors (*voir la figure 9.3*). À la fin du siècle, cet écart atteignait 17 % du PIB, soit près de 1 500 milliards de dollars.

Figure 9.3 Situation nette extérieure/PIB des États-Unis, 1890-2000 (en %)

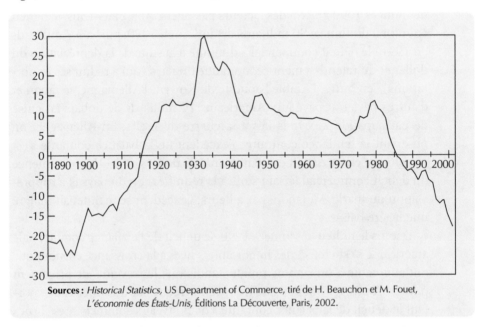

Sources : *Historical Statistics,* US Department of Commerce, tiré de H. Beauchon et M. Fouet, *L'économie des États-Unis,* Éditions La Découverte, Paris, 2002.

Les investissements directs dans l'industrie manufacturière, le commerce, le pétrole, l'immobilier, les assurances et les banques font qu'aucun secteur n'est épargné par le capital étranger[1]. Les États-Unis sont maintenant le pays où le stock d'investissements étrangers est le plus élevé du monde. Cela montre le changement du rapport de force économique en faveur de leurs concurrents, qui peuvent désormais rivaliser avec les entreprises nationales sur leur propre territoire ; mais c'est aussi une preuve du pouvoir d'attraction du pays, qui constitue le plus vaste marché du monde.

---

1. D'importantes sociétés passent alors aux mains des Britanniques (Standard Oil, Stauffer Chemical, Kidde Inc.), des Français (Uniroyal Goodrich Tire), des Canadiens (Federated Department Stores) ou des Japonais (Firestone, l'entreprise de disques CBS, la chaîne d'hôtels Westin, Columbia Pictures).

9.3.3 Des emplois nombreux mais de faible qualité

La performance américaine en matière de création d'emplois a valu au pays le titre de *great job machine*. Durant la période s'étendant de 1970 à 1986, les États-Unis ont créé 28 millions d'emplois, alors que les quatre plus grands pays d'Europe (RFA, France, Royaume-Uni, Italie) en ont perdu 1 million. De ces 28 millions d'emplois, 27 millions relevaient du secteur des services, soit 96 % du total. Un niveau aussi élevé soulève le problème de la désindustrialisation du pays, la part de la main-d'œuvre industrielle étant passée de 34 % en 1970 à 27 % en 1987.

En outre, beaucoup de ces emplois se caractérisent par leur piètre qualité, leur grande précarité et leur faible rémunération. Dans les années 1970, sur cinq emplois, un seul était rémunéré en dessous de 7 000 $; dans les années 1980, six emplois sur dix entraient dans cette catégorie. De plus, les emplois à temps partiel n'ont cessé d'augmenter, tout comme ceux qui ne sont pas couverts par une convention collective. Ce sont donc souvent des emplois marginaux, sans avantages sociaux (congés de maladie payés, vacances reconnues, assurance maladie, etc.). La restructuration du marché du travail réduit les emplois industriels à haut salaire et à forte productivité, et accroît les emplois dans le secteur des services, tant privés que publics, à bas salaire et à faible productivité (vendeurs, commis dans les établissements de restauration rapide, travailleurs à temps partiel dans les services publics, personnel hôtelier). Le nombre de personnes qu'un travail rémunéré ne met pas à l'abri de la pauvreté, les *working poors,* ne cesse donc d'augmenter.

Ce phénomène a réduit l'écart de productivité entre les États-Unis et les autres pays industrialisés, comme le montrent les tableaux 9.3 et 9.5. En outre, il a contribué à accroître l'inégalité des richesses au sein du pays (*voir l'encadré 9.2*).

Encadré 9.2

L'ÉVOLUTION DE LA DISTRIBUTION DES REVENUS AUX ÉTATS-UNIS

Les quatre cinquièmes des familles américaines ont vu leur revenu moyen baisser au cours de la période. Seules les familles dont les revenus sont classés dans les 20 % les plus élevés ont connu une amélioration. Parmi celles-ci, les familles les plus riches (la tranche représentant 5 % des plus riches et celle représentant 1 % des plus riches) ont connu des gains encore plus marqués.

| Déciles | Revenus familiaux moyens par déciles (en $ constants) | | Variation 1977-1988 | |
	1977	1988	en $	en %
Premier	4 113	3 504	– 609	– 14,8
Deuxième	8 334	7 669	– 665	– 8,0
Troisième	13 104	12 327	– 777	– 5,9
Quatrième	18 436	17 220	– 1 216	– 6,6
Cinquième	23 896	22 839	– 1 057	– 4,4
Sixième	29 824	28 205	– 1 619	– 5,4
Septième	36 405	34 828	– 1 577	– 4,3
Huitième	44 305	43 507	– 798	– 1,8
Neuvième	55 487	56 064	577	1,0
Dixième	102 722	119 635	16 913	16,5
La tranche représentant 5 % des revenus les plus élevés	134 543	166 016	31 473	23,4
La tranche représentant 1 % des revenus les plus élevés	270 053	404 566	134 513	49,8

Source : Congrès des États-Unis, Congressional Budget Office, *The Changing Distribution of Federal Taxes : 1975-1990,* reproduit dans *Problèmes économiques,* nᵒ 2.271, 15 avril 1992, p. 5.

Trois facteurs expliquent ce bouleversement de la répartition des revenus en faveur des plus riches. Premièrement, de nombreux travailleurs américains qui ont perdu leur emploi dans le secteur industriel ont été réembauchés dans le secteur tertiaire, où les salaires sont moins élevés. Deuxièmement, les salariés de l'industrie manufacturière sont soumis à une forte concurrence des travailleurs étrangers, dont les salaires sont beaucoup moins élevés. Troisièmement, des modifications à la fiscalité ont accru les impôts des familles ayant les revenus les moins élevés et ont réduit ceux des familles ayant les revenus les plus élevés.

Les États-Unis sont ainsi devenus le pays où l'inégalité des revenus est la plus élevée des pays industrialisés. Le nombre de travailleurs américains dont les revenus sont en deçà du seuil de pauvreté n'a cessé d'augmenter depuis la fin des années 1970. Cette tendance s'inscrit à plus long terme, comme l'illustre le tableau suivant :

	Revenus familiaux par quintiles Part du revenu (en %)	
Quintiles	1967	2001
Premier	4,0	3,5
Second	10,8	8,7
Troisième	17,3	14,6
Quatrième	24,2	23,0
Cinquième plus élevé	43,8	50,1
La tranche représentant 5 % des revenus les plus élevés	17,5	22,4

Source : [www.census.gov/hhes/income/histinc/h02.html].

Tableau 9.5 Taux de croissance de l'emploi, de la productivité et des salaires, 1969-1985 (en pourcentage annuel moyen)

Pays	PNB	Emploi	Productivité par personne	Salaire réel par personne employée
États-Unis	2,5	2,0	0,5	0,6
Pays européens de l'OCDE	2,6	0,3	2,3	2,8

Source : OCDE, *Principaux indicateurs économiques.*

Le tableau 9.5 montre clairement la supériorité des États-Unis sur les pays européens de l'OCDE dans le domaine de la création d'emplois ; mais cette supériorité ne s'est pas traduite par un taux de croissance économique plus élevé, car on note une croissance plus forte de la productivité moyenne dans les pays européens de l'OCDE. Grâce à une meilleure croissance de la productivité, ces pays ont connu une augmentation des salaires réels presque cinq fois supérieure à celle des États-Unis. Dans les années 1990, la création d'emplois aux États-Unis s'est poursuivie, accompagnée cette fois d'une forte hausse de la productivité et de salaires plus élevés.

9.3.4 Une remontée fragile

Au cours de cette période de déclin relatif, l'aigle géant (symbole du pays) a perdu quelques plumes, mais il n'a pas perdu ses ailes, demeurant toujours le pays le plus puissant du globe. Depuis le début des années 1990, plusieurs facteurs ont contribué à sa remontée. Le pays planifie mieux le développement de son gigantesque potentiel technologique. Le gouvernement fédéral s'est associé à des projets qui visent à accélérer le développement de la technologie américaine. L'infrastructure nationale de l'information, introduite en 1993 sous l'autorité du président, associe le gouvernement fédéral et les entreprises dans le développement d'un réseau électronique national lié au réseau mondial. Depuis quelques années, la recherche en haute technologie est l'objet d'une collaboration étroite entre l'université et l'entreprise. Le Silicon Gulch, créé autour de l'université du Texas, et la route 128, qui entoure Harvard et le Massachusetts Institute of Technology, sont des exemples d'initiatives prises pour innover dans le secteur de l'électronique de pointe (semi-conducteurs, technologie biomédicale, etc.).

Certaines des conditions qui sont à l'origine du déclin relatif ont commencé à changer. À la fin des années 1990, le budget militaire avait été réduit à 3,5 % du PIB, et la part de la recherche dans le secteur civil, augmentée ; mais, surtout, l'idée d'une politique publique axée sur l'appui à la recherche dans des secteurs ciblés (informatique, aérospatiale, télécommunications, etc.) est reconnue. Dans le secteur clé de l'information, les géants Microsoft pour les logiciels, Intel pour les micro-processeurs et le réseau Internet font la loi.

Enfin, vers la fin du siècle, les pays rivaux ont connu eux-mêmes des ratés ; le Japon et ses voisins asiatiques se sont enlisés dans une profonde crise économique et financière qui a stoppé leur ascension. Pendant ce temps, les États-Unis connaissaient une longue période d'expansion qui a permis d'accroître l'écart qui les sépare des autres pays développés.

Les États-Unis naviguent toutefois sur une mer d'endettement qui soulève des inquiétudes quant à leur stabilité financière. Les déficits budgétaire et courant sont préoccupants. L'endettement brut des entreprises et des ménages (la part des ménages et des entreprises s'élevait à 127 % du PIB en 1998) est menaçant ; la dette des ménages est passée de 26 % du revenu individuel en 1985 à 40 % en 2002, tandis que la dette du secteur financier croît dangereusement. La contrepartie de ces dettes consiste surtout en des actifs spéculatifs, instables par définition. Ainsi, comme on vient de le voir, l'endettement extérieur ne cesse de croître.

9.4 ● Le Japon : une ascension vers les sommets de l'économie mondiale

Le Japon a connu le cheminement contraire ; à peine relevé des bombardements meurtriers qui ont détruit ses villes, ses industries et sa population, le pays a progressivement accaparé le leadership dans de nombreuses branches industrielles et s'est imposé comme une puissance financière de premier ordre.

Le Japon a connu depuis 1950 une croissance spectaculaire qui lui a permis d'augmenter à 20 % sa part du PIB dans l'ensemble de l'OCDE et de se rapprocher de plus en plus des États-Unis. Au début du présent siècle, le Japon est toujours le deuxième exportateur de produits manufacturés au monde ; il domine notamment dans les secteurs de l'acier brut, de la production de camions et d'automobiles, des produits électroniques domestiques et de la machinerie industrielle de pointe (en 1985, l'industrie japonaise utilisait sept fois plus de robots que l'industrie américaine).

Le « miracle économique » japonais s'est réalisé entre 1955 et 1973 ; durant cette période, la production industrielle a crû à un rythme annuel de 13,2 %. L'économie japonaise rattrapera, puis dépassera le niveau d'avancement technologique de tous les autres pays industrialisés. Dans un premier temps, le Japon a surtout importé et perfectionné la technologie étrangère ; ensuite, il a créé sa propre technologie *made in Japan*. Ses entreprises se sont hissées au niveau des plus importantes sociétés industrielles ou bancaires. Parmi les 1 000 sociétés les plus importantes quant à la valeur de l'actif boursier au 31 mai 1988[2], on observe que 345 sont américaines et 310 sont japonaises ; mais les premières représentent 30 % de la capitalisation totale, tandis que 48 % reviennent aux secondes. Sur les dix premières firmes, sept sont japonaises. Dans le seul secteur bancaire, pour ce qui est de l'actif détenu au 31 mars 1989, les dix premières sociétés sont japonaises.

Comment le pays a-t-il pu arriver à de tels résultats après avoir été écrasé à la fin de la Seconde Guerre mondiale ?

---

2. *Business Week*, « The Global 1000. The world's most valuable companies », 18 juillet 1988.

9.4.1 Les facteurs externes

La guerre de Corée (1950-1953) a fait du Japon une base stratégique et économique pour les troupes américaines. Sollicité par les États-Unis pour fournir des produits alimentaires et de l'armement, le pays a pu obtenir la levée des restrictions imposées à la fin de la guerre : il lui avait été interdit de reconstituer une armée et on l'obligeait à limiter sa production dans les secteurs qui pouvaient contribuer à la reconstruction de son potentiel militaire. Les commandes américaines joueront un rôle essentiel dans le relèvement économique du Japon en créant une demande pour son industrie manufacturière. Dans les années 1960-1970, la guerre du Viêtnam multipliera ces commandes, accélérant le développement de l'industrie lourde*.

De plus, les États-Unis ont directement contribué au redressement du Japon par le plan Dodge, semblable au plan Marshall pour l'Europe ; entre autres, ce plan mit fin au démantèlement de certaines industries japonaises. Cette décision était motivée par le changement des rapports de force dans la région, la victoire du socialisme en Chine en 1949 ayant fait reculer les forces proaméricaines en Asie.

De façon générale, le secteur des exportations sera la locomotive de l'économie, connaissant entre 1953 et 1973 des augmentations annuelles records, presque deux fois supérieures à celles des autres pays industrialisés.

9.4.2 La pression démographique

Mais les facteurs déterminants de ce « miracle » économique sont intérieurs au pays. La surabondance de la population et le contrôle des organisations syndicales ont fourni une main-d'œuvre à la fois nombreuse et peu coûteuse, experte et docile, dont la valeur et les capacités productives ont été assurées par une formation efficace. C'est là un élément essentiel de la croissance de la productivité industrielle japonaise ; cette productivité a dépassé celle des autres pays industrialisés et a permis aux entreprises nationales de pénétrer les marchés étrangers. Par ailleurs, le marché japonais lui-même demeurait relativement fermé à la production étrangère et était largement alimenté par la production nationale.

L'urbanisation et l'occidentalisation des habitants et des consommateurs ont créé un marché intérieur pour une partie de la production manufacturière. L'intensification de la demande des consommateurs, qui a progressé de 11 % par année durant les années 1960, a stimulé l'investissement, qui a crû au taux exceptionnel de 14,5 % durant la période ; cet investissement a été financé par une épargne populaire élevée et par l'endettement massif des entreprises. Ces rythmes de croissance se sont maintenus jusqu'au milieu des années 1970.

À partir de 1973, l'économie croissait à un rythme légèrement supérieur à celui de l'ensemble des pays de l'OCDE.

9.4.3   Une forte présence de l'État

L'État japonais a joué le rôle de catalyseur de l'investissement et de la croissance. Dans ce pays, l'aide publique à l'investissement privé est assumée au moyen d'une intervention directe et systématique de l'État. Celle-ci passe par l'intermédiaire du MITI (Ministry of International Trade and Industry) et s'effectue en concertation avec les chefs d'entreprise. L'État participe ainsi à la formation du capital en subventionnant les entreprises les plus prometteuses ; il accorde des exemptions de taxes et participe au financement des organismes de recherche et développement, dont il assure une partie considérable des frais à la place des entreprises privées. C'est là une caractéristique centrale de l'économie nipponne, qui la distingue par rapport à la faible coordination de la politique économique américaine[3] (*voir l'encadré 9.3*).

Toutefois, l'État japonais néglige d'autres aspects de la vie économique et sociale. Actuellement, le Japon est encore sous-développé en matière d'infrastructures. La richesse des stocks y est faible : manque de maisons confortables, de routes goudronnées, de réseaux d'égout. À cela s'ajoute une grave détérioration de l'environnement liée à la surexploitation d'un espace réduit et à une relative absence de réglementation antipollution.

---

3. Dans le domaine des biotechnologies, le secteur de la recherche et du développement, subventionné en partie par le MITI, promettait des percées pour les années 2000. En 1990, un gigantesque projet de biotechnologie appliqué à l'environnement a démarré. Le MITI a coordonné son organisation, mais ce sont les entreprises privées qui en sont le maître d'œuvre ; sept entreprises ont constitué le noyau de départ : Hitachi, IHI, Sumitomo, Mitsui, Toyo, Kawasaki et Nihon Oil.
Plusieurs autres projets de recherche (nouveaux matériaux, nouvelles énergies, etc.) sont aussi soutenus par le MITI. Au début des années 1990, le Japon redoublait d'effort, misant sur la science et la recherche fondamentale : invitation de chercheurs étrangers, ouverture de centres de recherche au pays, grands programmes de recherche internationaux (« Frontière humaine » sur la biologie moléculaire, Intelligence Manufacturing System sur l'application des procédés intelligents, recherche de nouvelles molécules, de médicaments et, plus généralement, de biotechnologies, etc.). Les chercheurs travaillent en particulier à la mise au point d'une « feuille synthétique » capable d'absorber le dioxyde de carbone, qui permettrait de résoudre l'un des plus graves problèmes de pollution de la planète : l'effet de serre.

Encadré 9.3

LE RÔLE DE L'ÉTAT JAPONAIS : LA CRÉATION D'AVANTAGES COMPARATIFS NOUVEAUX

Au lendemain de la Seconde Guerre mondiale, la main-d'œuvre abondante et bon marché était le seul élément dont le Japon était richement doté. Selon les théories du commerce international abordées plus tôt, le pays aurait dû se spécialiser dans les industries légères, fortes de main-d'œuvre. Mais le gouvernement, convaincu qu'une telle spécialisation ne pourrait que mener le pays à l'impasse, décida plutôt de créer des avantages comparatifs dans les industries consommatrices de capital et de technologie.

Le tableau suivant illustre le rôle d'une banque d'État japonaise qui a financé massivement le développement de ce type d'industries.

Le rôle de l'État dans l'industrie : l'exemple des prêts[a] de la Banque de développement du Japon pour la promotion de la science et de la technologie (1967-1987)

(en centaines de millions de yens)

	1967	1968	1969	1970	1971	1972	1973	1974	1975	1976	1977	1978	1979	1980	1981	1982	1983	1984	1985	1986	1987
1. Commercialisation de nouvelles technologies	17	75	102	122	168	145	199	207													
2. Établissement de laboratoires	4	11	5	10	15	10	2	2													
3. Développement de machines	25	28	27	17	41	24	14	5													
4. Production de caoutchouc synthétique		10	13																		
5. Développement des ordinateurs[b]	70	90	155	215	402	150	215	325	574	449	385	553	471	554							
6. Exploitation des océans					3	2	13	18													
7. Industries mécaniques et électroniques									85	91	105	83	78	102	145	120	134	168	240		
8. Développement de technologies originales									254	280	247	659	512	265							
9. Développement de systèmes d'information															451	509	540	571	971	835	1104
10. Développement de technologies industrielles															390	461	574	750	663	635	816

a. Ces prêts sont destinés à renforcer la capacité de recherche des entreprises.

b. 1971 : y compris le développement de software (12 millions de yens).

Source : M. Delapierre, J. Esmein, C. Milleli, *Le développement de la politique industrielle japonaise*, CEREM, mars 1993, p. 63.

9.4.4 Le faible niveau des dépenses militaires

L'interdiction qui a été faite au Japon de reconstruire une armée a favorisé le pays. Tandis que les États-Unis consacraient à ce domaine des ressources telles que leur performance économique (productivité, croissance, inflation) a été minée, le Japon a pu, au contraire, affecter les sommes ainsi épargnées au financement du progrès technologique et à l'innovation dans le secteur civil. Ajoutons à cela les bénéfices directs que le pays a pu retirer des dépenses militaires à l'occasion des deux guerres asiatiques (Corée et Viêtnam).

9.4.5 Les faiblesses économiques et sociales

Depuis la récession de 1974-1975, le rythme de croisière de l'économie japonaise, bien que supérieur à celui de l'ensemble des pays de l'OCDE, a ralenti de façon significative. En outre, le « miracle » de la décennie précédente n'a pas comblé certaines lacunes économiques et sociales qui continuent de miner les conditions de vie des Japonais. Nous venons d'en mentionner quelques-unes : manque d'infrastructures, insuffisance de maisons, de routes et d'égouts. Sur le marché du travail, le nombre d'heures travaillées annuellement dans l'industrie manufacturière est plus élevé que dans les autres pays industrialisés. Par ailleurs, si le taux de chômage est officiellement inférieur à celui des autres pays de l'OCDE, il serait nettement sous-estimé, peut-être jusqu'au tiers du niveau qu'il atteindrait si on y appliquait des méthodes de calcul semblables à celles qu'utilisent les autres pays ; le travail à temps partiel et le chômage déguisé dans certains secteurs — les services et l'administration, par exemple — expliqueraient en partie cette sous-estimation[4].

Enfin, depuis le premier choc pétrolier (1973), la balance commerciale du Japon a été plusieurs fois déficitaire. Cette fragilité s'explique, d'une part, par la forte concentration des exportations vers un seul pays, les États-Unis (plus du tiers) et par la dépendance commerciale envers quelques produits compétitifs haut de gamme dans l'électronique et l'automobile ; d'autre part, cette fragilité s'explique aussi par l'importance considérable de la facture des matières énergétiques et autres matières premières, qui accapare 65 % du total des importations. Aussi les excédents des années 1980 sont-ils surtout conjoncturels, étant liés à la forte demande d'importations provenant des États-Unis et à la baisse des prix pétroliers.

---

4. M. Godet, « Dix idées à contre-courant sur le Japon », *Problèmes économiques,* n⁰ 2.070, 13 avril 1988, p. 11-19.

Le Japon est aussi menacé par les maladies du travail. La productivité y est le fruit d'un travail acharné et d'un dévouement sans bornes à l'entreprise. Mais les heures de travail prolongées et le stress de la compétition ont déjà causé des milliers de morts. Dix mille salariés meurent chaque année de surmenage au travail ; on a donné à ce phénomène le nom de *karoshi*. Au Japon, le droit du travail stipule qu'une personne qui a travaillé sans arrêt dans les 24 heures ayant précédé sa mort, ou au moins 16 heures par jour pendant 7 jours, peut être considérée comme une victime du *karoshi*.

Sur le plan des dépenses militaires, l'avantage dont bénéficie le pays risque de diminuer dans les années à venir. Au début des années 1990, le Japon possédait le troisième budget militaire en importance après les États-Unis et l'ex-URSS. Bien que la Constitution stipule que le pays ne peut avoir d'armée, l'entretien d'une force d'autodéfense dévore des dizaines de milliards de dollars par année. Depuis le début des années 1970, le fardeau militaire croît à un rythme accéléré ; en 1990, au moment où les principales puissances industrialisées prévoyaient réduire leurs dépenses militaires, le Japon augmentait son budget dans ce domaine. Sa présence militaire dans la région du Pacifique ira en s'accentuant quand les États-Unis réduiront leurs effectifs au Japon même, aux Philippines et en Corée du Sud.

9.4.6 La crise financière et la remise en question du modèle japonais

Dans les années 1990, l'économie du pays a connu de sérieux ratés. La spéculation immobilière, qui avait gonflé artificiellement le prix des terrains et des immeubles, a eu de fâcheuses conséquences. Les banques qui avaient investi massivement dans ce secteur étaient gorgées d'actifs surévalués, sources d'importantes pertes de revenus ; la baisse des prix des terrains et des immeubles a réduit également la richesse des ménages et des entreprises, ce qui a entraîné une baisse de la demande et de la croissance.

À la fin de la décennie, plusieurs institutions financières ont fait faillite et de nombreuses banques et sociétés financières aux actifs surévalués étaient dans une situation précaire. Le gouvernement japonais a dépensé 600 milliards de dollars afin de limiter les dégâts. La prépondérance des banques japonaises dans le marché bancaire mondial a été sérieusement ébranlée par cette crise financière.

Le modèle japonais, caractérisé par l'intervention massive de l'État, l'emploi à vie dans les grandes entreprises et la mobilité du personnel entre les filiales d'un groupe fortement intégré (banque, sous-traitance autour d'une entreprise principale), craque de partout. Le pays doit affronter des défis de taille. La population vieillissante (en 2025, le Japon sera le pays le plus vieux du monde) sera moins productive et vivra de pensions qui grugeront le budget de l'État. Sur le plan économique, les *keiretsu,* puissants conglomérats réunissant des groupes industriels, financiers et commerciaux, sont en péril, les entreprises recherchant des sous-traitants et des banques à l'extérieur du pays. La crise financière qui a secoué en 1997-1998 les pays voisins a causé des pertes économiques aux entreprises japonaises implantées chez eux, et les firmes exportatrices ont vu leurs marchés extérieurs se rétrécir.

Depuis 1992, l'ascension du Japon a été freinée par une croissance anémique et le pays était toujours en récession au début des années 2000.

9.5 ● L'Union européenne

Une troisième puissance mondiale est en gestation : l'Union européenne (*voir le chapitre 10*). Son PIB dépasse celui des États-Unis ; elle est également la première puissance dans le domaine des stocks d'investissement à l'étranger et la première puissance commerciale au monde.

En 1992, dans son ouvrage traitant de l'évolution mondiale, l'économiste américain Lester Thurow prévoyait que l'Union européenne serait la première puissance au cours du xxie siècle si les Européens faisaient ce qu'il faut pour achever l'intégration des Douze, pour y adjoindre ensuite les autres pays de l'Europe occidentale et, éventuellement, ceux de l'Europe centrale et de l'Europe de l'Est. On le verra au chapitre suivant, les Douze sont devenus les Quinze, et en 2004 ils sont devenus 25. Les Japonais, concluait-il, ont le dynamisme de leur côté, les Américains la souplesse, tandis que les Européens peuvent compter sur leur situation stratégique.

9.6 ● Le Canada : puissance secondaire liée aux États-Unis

Le Canada figure parmi les dix premiers pays au monde dans la plupart des grandes catégories économiques ; mais il demeure loin derrière les grandes puissances.

Depuis les années 1950, sa place au sein des pays de l'OCDE est restée relativement stable, bien qu'on observe un léger recul depuis les années

1960 en raison surtout de la croissance plus rapide des autres pays, en particulier du Japon. Depuis les années 1960, la productivité manufacturière y a crû moins vite que celle des autres grands pays, à l'exception des États-Unis. Depuis le milieu des années 1990, on note une remontée sur le plan des exportations qui sont stimulées par la croissance américaine et par la dépréciation du dollar.

Le pays a subi la même évolution que les principaux membres de l'OCDE : une croissance élevée dans les années 1950 et 1960, liée aux mêmes facteurs fondamentaux (État-providence, fordisme, *baby-boom*, urbanisation, etc.), accompagnée de faibles taux de chômage. Cette période a été marquée par quelques récessions étroitement liées à celles des États-Unis (en 1954 après la guerre de Corée, par exemple).

Mais la contraction de 1973, moins prononcée que dans les autres pays, a marqué le début d'une période de ralentissement à long terme et d'une montée en flèche du chômage, doublée, au milieu des années 1970, d'une inflation élevée (*voir la figure 9.4*). La baisse du pouvoir d'achat des salariés, la multiplication des mises à pied occasionnées par les changements technologiques dans les secteurs de l'industrie et des services, les restructurations (fusions et acquisitions nationales et internationales, etc.) d'entreprises ont contribué aux récessions de 1981 et de 1990, entrecoupées de courtes phases d'expansion et de légères baisses du chômage. Dans les années 1980, le taux de chômage moyen était le triple de celui des années 1960, et jusqu'au début des années 2000, il s'est maintenu à des niveaux élevés.

Depuis le milieu des années 1980, l'État-providence instauré depuis la fin de la Seconde Guerre mondiale est sérieusement compromis : l'assurance emploi, le financement de l'éducation et des services de santé ont été tour à tour lourdement comprimés, entraînant de ce fait la détérioration de la qualité de vie de la population ; de plus, les mises à pied massives dans la fonction publique ont créé directement des dizaines de milliers de chômeurs. Les gouvernements cherchaient ainsi à réduire leur déficit ; pourtant, au Canada comme aux États-Unis, la crise budgétaire a été provoquée par un rétrécissement de l'assiette fiscale (des taxes et des impôts) et par la hausse des taux d'intérêt. Une étude spéciale de Statistique Canada conclut :

> Pour l'essentiel, le présent document a démontré qu'il ne convient pas d'attribuer l'accroissement des déficits après 1975 à une croissance explosive des programmes de dépense, mais à une chute des recettes fédérales relativement à la croissance du PIB et à la hausse des paiements d'intérêt[5].

---

5. *L'Observateur économique canadien*, juin 1991, p. 3.17.

Figure 9.4 Croissance, inflation et chômage au Canada, 1971-2002

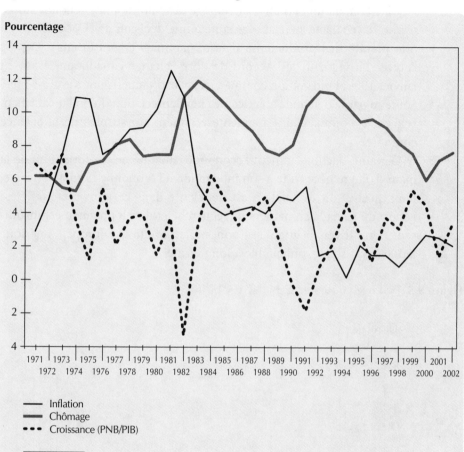

Pourcentage

— Inflation
— Chômage
••• Croissance (PNB/PIB)

Sources : *Revue de la Banque du Canada,* mars 1996. *Statistiques bancaires et financières de la Banque du Canada,* décembre 1999, Statistique Canada, *CANSIM II,* [en ligne : www.statcan.ca].

Il s'agit en fait du même phénomène qui s'est produit aux États-Unis sous le gouvernement Reagan, comme on l'a vu précédemment.

Comme aux États-Unis également, la balance courante a été longtemps déficitaire (*voir la figure 9.5*), obligeant le pays à emprunter à l'étranger pour la financer. Mais depuis 1999, grâce à un important surplus commercial, le solde de la balance courante est excédentaire. Sur ce plan des échanges, le Canada dépend de plus en plus de son voisin du Sud, où il écoule plus de 80 % de ses exportations (85 % au début des années 2000); son surplus commercial dépend des échanges de véhicules et de pièces détachées avec les États-Unis dans le cadre du Pacte automobile, qui oblige les trois grands constructeurs américains à assembler au Canada un certain pourcentage des automobiles vendues sur ce territoire (ce pacte a été abrogé suite à une décision de l'OMC relative à une plainte des producteurs d'autos japonais et européens). Depuis l'entrée en vigueur de l'Accord de libre-échange canado-américain en janvier 1989, l'intégration commerciale canado-américaine s'est resserrée. Soutenu par la demande américaine et la dépréciation du dollar canadien, l'excédent commercial a augmenté et amené un surplus de la balance courante.

Certaines lacunes minent l'économie canadienne. La formation de la main-d'œuvre nécessaire à son intégration à l'économie nord-américaine, bien qu'elle soit de qualité, est déficiente dans certains secteurs clés; l'effort du Canada en matière de recherche et développement est insuffisant. Une diversification des zones d'exportation (Europe, Amérique latine, etc.) serait souhaitable à long terme.

Figure 9.5 Balance courante : Canada, 1981-2002

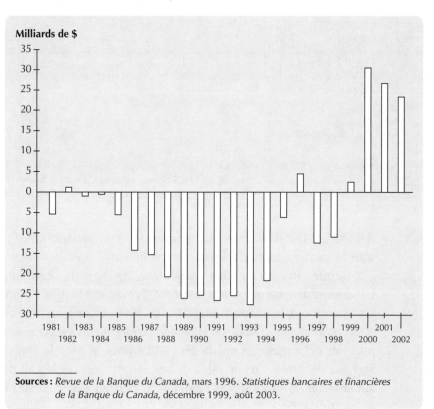

Sources : *Revue de la Banque du Canada*, mars 1996. *Statistiques bancaires et financières de la Banque du Canada*, décembre 1999, août 2003.

Le débat Québec – Canada

En octobre 1995, la population du Québec se prononçait sur le projet de souveraineté-association mis de l'avant par les forces souverainistes. Selon le projet, rejeté à 50,6 %, le gouvernement du Québec entendait ainsi devenir maître des lois en vigueur sur son territoire, des impôts et des taxes perçus sur ce même territoire ainsi que de la politique extérieure. L'association revêtait la forme d'une union monétaire (*voir le chapitre 10*) dont le dollar canadien serait la monnaie unique ; la Banque du Canada demeurait responsable de la politique monétaire (masse monétaire, taux d'intérêt, etc.) et le Québec réclamait le droit de participer aux choix de ces politiques. L'encadré 9.4 situe le Québec dans l'économie mondiale.

Encadré 9.4

LE QUÉBEC DANS L'ÉCONOMIE MONDIALE

En ce qui a trait au PIB, le Québec se classe parmi les 25 premières économies mondiales. Constituant une société développée, il possède comme le Canada des avantages comparatifs dans le secteur des ressources naturelles, et ses plus importantes exportations sont liées à l'exploitation et à la transformation de ces ressources. Les exportations reliées à la transformation du bois (papier journal, bois d'œuvre et pâte de bois) sont associées à une ressource abondante qui, transformée par l'industrie, est vendue en grande partie sur les marchés étrangers. «Abondant» ne signifie pas cependant «inépuisable», comme le souligne le film de Richard Desjardins et de Robert Monderie intitulé *L'erreur boréale,* produit en 1999. Quant à l'industrie de l'aluminium, qui utilise d'énormes quantités d'électricité, elle est attirée au Québec par la disponibilité de cette ressource. L'hydroélectricité utilise intensivement un facteur de production dont le Québec est abondamment doté, soit l'eau, mais c'est la technologie utilisée, elle-même dépendante de la recherche-développement et de la formation du personnel, qui crée l'avantage québécois. Le secteur exporte un produit, mais aussi la technologie qui lui est associée (construction de barrages, gestion de la production, etc.).

Au premier rang du commerce des marchandises au Québec, on trouve également le matériel de communication et le matériel connexe ; les exportations d'automobiles et de châssis figurent parmi les cinq premiers secteurs. D'autres secteurs en développement sont liés à la formation de la main-d'œuvre et à la qualité du personnel nécessaire à leur expansion. C'est le cas des nouvelles technologies de l'information, stimulées par des politiques gouvernementales, et de certains produits liés à la recherche biotechnologique.

Plus de 80 % des exportations internationales du Québec sont dirigées vers les États-Unis, une proportion semblable à celle relative aux exportations canadiennes. Les exportations interprovinciales sont plus élevées que les exportations internationales, l'Ontario demeurant le principal partenaire commercial du Québec. Mais depuis l'instauration en 1989 de l'Accord de libre-échange canado-américain, le marché américain, principalement celui du Nord-Est, se développe rapidement au Québec.

Source : *Le Québec en statistiques.*

Résumé Au sortir de la Seconde Guerre mondiale, les États-Unis se sont imposés au monde comme la puissance incontestée. Les appareils productifs de l'Europe et du Japon étaient en partie détruits et leurs populations, décimées. L'économie américaine a dominé les marchés mondiaux jusqu'au milieu des années 1960. Cependant, les tensions internes et externes ont miné peu à peu la position du pays, dont le déclin devient de plus en plus apparent ; déclin relatif, car les États-Unis continuent de croître, mais à un rythme inférieur à celui de ses compétiteurs. La montée des pays rivaux, pays déjà industrialisés comme le Japon et l'Allemagne, ou pays en voie d'industrialisation comme la Corée du Sud, Taïwan et quelques autres, est certes un facteur majeur du déclin américain ; à cela il faut ajouter le lourd fardeau que les dépenses militaires font peser sur l'économie ainsi que l'absence de politique industrielle.

Le Japon, la puissance industrielle la plus dynamique d'après-guerre, a été presque complètement libéré du fardeau des dépenses militaires, ce qui lui a permis de s'imposer une politique industrielle extrêmement rigoureuse lui valant d'exercer un leadership technologique dans plusieurs secteurs. Mais l'économie japonaise, tournée vers les marchés étrangers, est sensible aux chocs extérieurs : crise du pétrole ou restrictions aux exportations de produits manufacturés, sans compter les tensions internes que ce type de développement a suscitées.

Une troisième puissance mondiale est en voie de création : l'Union européenne.

Le Canada, puissance secondaire fortement liée aux États-Unis, accuse une perte de vitesse par rapport aux autres pays industrialisés.

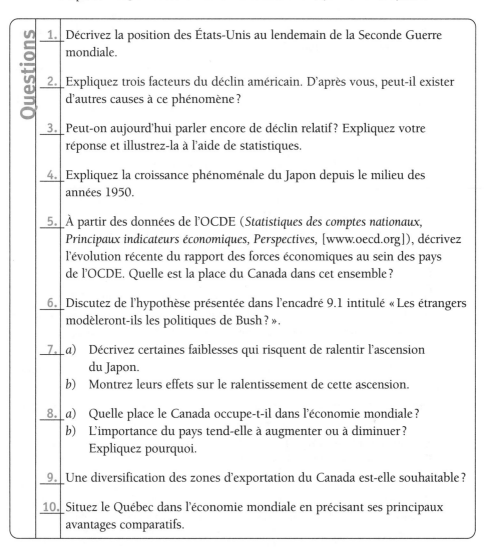

Questions

1. Décrivez la position des États-Unis au lendemain de la Seconde Guerre mondiale.

2. Expliquez trois facteurs du déclin américain. D'après vous, peut-il exister d'autres causes à ce phénomène ?

3. Peut-on aujourd'hui parler encore de déclin relatif ? Expliquez votre réponse et illustrez-la à l'aide de statistiques.

4. Expliquez la croissance phénoménale du Japon depuis le milieu des années 1950.

5. À partir des données de l'OCDE (*Statistiques des comptes nationaux, Principaux indicateurs économiques, Perspectives,* [www.oecd.org]), décrivez l'évolution récente du rapport des forces économiques au sein des pays de l'OCDE. Quelle est la place du Canada dans cet ensemble ?

6. Discutez de l'hypothèse présentée dans l'encadré 9.1 intitulé « Les étrangers modèleront-ils les politiques de Bush ? ».

7. *a)* Décrivez certaines faiblesses qui risquent de ralentir l'ascension du Japon.
   b) Montrez leurs effets sur le ralentissement de cette ascension.

8. *a)* Quelle place le Canada occupe-t-il dans l'économie mondiale ?
   b) L'importance du pays tend-elle à augmenter ou à diminuer ? Expliquez pourquoi.

9. Une diversification des zones d'exportation du Canada est-elle souhaitable ?

10. Situez le Québec dans l'économie mondiale en précisant ses principaux avantages comparatifs.

Thèmes de réflexion

- Le déficit commercial américain et ses effets sur l'économie mondiale.
- Le modèle américain (faible taux de chômage, salaires peu élevés et faible protection sociale) ou le modèle européen (taux de chômage élevé, salaires plus élevés et forte protection sociale) ?

Références bibliographiques

ARTUS, P., « Y a-t-il déclin des États-Unis ? », *Problèmes économiques,* nᵒ 2.419, 12 avril 1995, p. 11-16.

BARTHALON, E., « Le dollar est-il encore digne de confiance ? », *Problèmes économiques,* no 2.604, 17 février 1999, p. 31-32.

BEAUCHON, H. et FOUET, M., *L'économie des États-Unis,* Paris, Éditions La Découverte, 2002.

BELLON, B. et NIOSI, J., *L'industrie américaine, fin de siècle,* Montréal, Boréal Express, 1987.

BOISSARD, D. et VITTORI, J.M., « Chômage : ce que proposent les économistes », *Problèmes économiques,* no 2.427, 7 juin 1995, p. 1-7.

CLAIRMONT, F.F., « La politique industrielle japonaise n'a jamais cédé aux pratiques libérales », *Le Monde diplomatique,* mars 1990, p. 18-19.

CLAIRMONT, F.F., « Vivre à crédit ou le credo de la première puissance du monde », *Le Monde diplomatique,* avril 2003, p. 20-21.

Dictionnaire d'histoire économique : de 1800 à nos jours, Paris, Hatier, 1989.

DOURILLE-FEER, E., « Craquements dans le modèle japonais », *Le Monde diplomatique,* mars 1998, p. 8.

DOURILLE-FEER, E., *L'économie du Japon,* Paris, Éditions La Découverte, 1998.

FEDERAL RESERVE BANK OF ST. LOUIS REVIEW, « Les États-Unis perdent-ils leur position dominante dans les industries de haute technologie ? », *Problèmes économiques,* no 2.349, 10 novembre 1993, p. 9-16.

FIERMAN, J., « L'Amérique à l'encan ? La ruée des investissements étrangers », *Problèmes économiques,* no 2.089, 7 septembre 1988.

HAZERA, J.C., « L'impact des nouvelles technologies japonaises », *Problèmes économiques,* no 2.297, 28 octobre 1992, p. 24-28.

KEIZER, B. et KENIGSWALD, L., *La triade économique et financière Amérique du Nord, Asie de l'Est, Europe de l'Ouest,* Paris, Seuil, 1996.

KENNEDY, P., *The Rise and Fall of the Great Powers,* New York, Vintage Books, 1989.

KRUGMAN, P., « Chômage ou baisse des salaires : les formes d'ajustement du marché du travail en Europe et aux États-Unis », *Problèmes économiques,* no 2.427, 7 juin 1995, p. 7-12.

OCDE, [www.oecd.org].

OCDE, *Comptes nationaux.*

OCDE, *L'Observateur.*

OCDE, *Perspectives économiques.*

OCDE, *Principaux indicateurs économiques.*

OCDE, *Statistics of National Production and Expenditure,* 1938, 1947-1952.

THUROW, L., *La maison Europe, superpuissance du XXIe siècle,* Paris, Calmann-Lévy, 1992.

TOINET, M.-F., « Comment les États-Unis ont perdu les moyens de leur hégémonie », *Le Monde diplomatique,* juin 1992, p. 14-15.

VALERY, N., « L'essor de la technologie japonaise », *Problèmes économiques,* no 2.168, 28 mars 1990, p. 22-26.

CHAPITRE 10 L'Union européenne

OBJECTIFS

APRÈS AVOIR LU CE CHAPITRE, L'ÉLÈVE SERA EN MESURE :

- d'expliquer les principes qui guident la plus importante association économique du monde ;
- de montrer les principales étapes de son évolution ;
- de décrire les objectifs du marché unique ;
- de porter un jugement critique sur son évolution ;
- d'expliquer la nature et le fonctionnement du système monétaire européen ;
- de décrire l'Union européenne et le processus d'unification monétaire.

Plusieurs associations économiques se sont formées depuis 1945. La Communauté économique européenne (CEE)[1] est, par son évolution et sa portée, la plus importante d'entre elles. Depuis plus de 30 ans, les pays de l'Europe de l'Ouest font de l'unité économique européenne leur objectif majeur. Ce chapitre retrace les étapes que la Communauté a franchies depuis le traité initial jusqu'à l'Union européenne et la création de l'euro.

10.1 ● Le marché commun

La Communauté économique européenne a été instituée le 25 mars 1957 par le traité de Rome, qui a été conclu entre la République fédérale d'Allemagne, la France, l'Italie, la Belgique, les Pays-Bas et le Luxembourg, et qui est entré en vigueur le 1er janvier 1958.

---

1. Depuis 1991, le terme Union européenne se substitue au terme CEE.

La création de cette association économique répondait à un mouvement d'unification européenne qui s'est accentué après la Seconde Guerre mondiale, laquelle a déchiré le continent et l'a laissé coupé en deux blocs. Il y eut plusieurs tentatives d'unification avant la signature du traité de Rome. En 1948 — à l'instigation, toutefois, des États-Unis — naquit l'Organisation européenne de coopération économique (OECE), qui groupait tous les bénéficiaires du plan Marshall. Un peu plus tard, en 1953, un marché commun pour le charbon et l'acier (la Communauté européenne du charbon et de l'acier) était créé entre les six pays qui signeront le traité de 1957.

Sept des onze autres pays de l'Europe de l'Ouest formèrent l'Association européenne de libre-échange (AELE): la Suède, la Norvège, le Danemark, l'Autriche, la Suisse, le Portugal et la Grande-Bretagne. Cette association s'est dissoute peu à peu et la plupart de ses membres ont adhéré à la CEE. Les six pays fondateurs ont été rejoints en 1973 par le Danemark, l'Irlande et le Royaume-Uni, en 1981 par la Grèce, en 1986 par l'Espagne et le Portugal, et en 1995 par l'Autriche, la Finlande et la Suède. Le processus d'adhésion de la Suisse a été suspendu en raison du vote négatif lors du référendum portant sur l'Espace économique européen. En 1995 la Norvège refusa d'adhérer à l'Union européenne, et en 1996, la Turquie formait avec l'Union une union douanière. En 2004, l'adhésion de dix nouveaux pays portait le nombre de ses membres à vingt-cinq.

En Europe de l'Est, les économies à planification centrale se regroupèrent dans le Conseil d'assistance économique mutuelle des pays de l'Est (CAEM ou COMECON). Depuis la fin de 1989, la remise en question de la planification centrale dans les pays de l'Est et dans l'ex-URSS y a entraîné une intensification des liens économiques avec les économies de marché, sapant ainsi les bases de l'association, qui a disparu en 1991. La figure 10.1 montre les pays membres de l'Union européenne en 2004 et les pays dont l'adhésion est au centre de discussions.

Encadré 10.1

LES FORMES D'ASSOCIATION ÉCONOMIQUE

L'association économique peut prendre les formes suivantes.

Dans une zone de **libre-échange**, les pays membres abolissent les barrières tarifaires entre eux, mais conservent leur structure tarifaire respective vis-à-vis du reste du monde.

L'**union douanière**, outre qu'elle élimine les obstacles tarifaires à l'intérieur de la zone, établit des tarifs extérieurs communs sur les importations qui proviennent de l'extérieur de la zone. Elle constitue de ce fait une forme d'intégration plus poussée.

Le **marché commun** représente une union douanière qui assure non seulement la libre circulation des biens entre ses membres, mais aussi celle des capitaux, de la main-d'œuvre et des services. L'Union européenne est l'association la plus avancée à ce chapitre.

Un tel processus crée entre les pays membres une interdépendance qui les amène à coordonner leurs politiques budgétaire, monétaire et sociale. L'unification de ces politiques débouche sur une **union économique**.

Lorsque l'union économique se double d'une unification monétaire, c'est-à-dire lorsqu'un groupe de pays se donne une monnaie unique et une autorité monétaire centrale, on a une **union monétaire**.

Comme le montre l'encadré 10.1, l'association économique peut prendre plusieurs formes.

Le traité de Rome vise à la formation d'un marché commun intégrant à la fois la libre circulation des marchandises, la liberté d'établissement et la libre prestation des services, ainsi que la libre circulation de la main-d'œuvre et des capitaux.

Figure 10.1 L'Union européenne en 2004

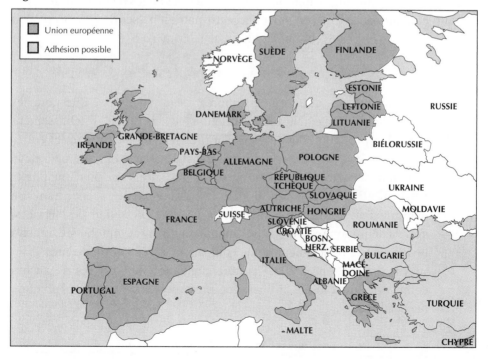

10.1.1 La libre circulation des marchandises

La libre circulation des marchandises est l'objectif primordial de l'entente. Elle passe d'abord par l'élimination des restrictions quantitatives (contingentement*) et des droits de douane à l'intérieur de la Communauté ; le traité propose aussi l'établissement d'une protection douanière commune pour le commerce avec les pays situés en dehors de la zone.

Cet objectif, fixé pour la fin de 1969, a été réalisé en avance : dès le 1er juillet 1968, il n'y avait en principe plus de restrictions quantitatives ni de droits de douane à l'intérieur de la Communauté, tandis que les tarifs douaniers concernant les pays tiers étaient alignés sur le tarif douanier commun. D'autres obstacles ont été maintenus et sont visés par l'Acte unique de 1985.

L'abolition des droits de douane et des restrictions quantitatives ainsi que l'influence de la croissance économique sur le commerce extérieur ont amené un très fort accroissement du commerce intracommunautaire. Celui-ci a été multiplié par quatre entre 1958 et 1968, passant de 6,8 milliards de dollars américains à 28,4 milliards ; les échanges avec les pays tiers doublaient durant cette période, passant de 16 milliards à 33,5 milliards[2]. Cet essor des échanges intracommunautaires s'est traduit par une augmentation de la part des échanges de chacun des pays membres de la CEE ; en moyenne, cette part est passée de 29,7 % en 1958 à 45,9 % en 1968, comme l'indique le tableau 10.1.

10.1.2 La liberté d'établissement et la libre prestation des services

Pour les services, la politique élaborée est moins précise que pour les marchandises. On établit une distinction entre la liberté d'établissement et la libre prestation des services. La première signifie que toute entreprise d'un pays membre a le droit de s'installer dans un autre pays de la Communauté par le biais d'une agence, d'une succursale ou d'une filiale ; ainsi, un automobiliste français peut être assuré par une agence française relevant d'une compagnie allemande. La libre prestation des services, dont la définition reste à préciser, signifierait que l'automobiliste français peut s'assurer directement d'une compagnie située en Allemagne.

À la fin des années 1980, la libre circulation des services n'était pas complètement réalisée, la liberté de prestation faisant encore l'objet de négociations.

---

2.   J. et C. Nème, *Économie européenne*, Paris, PUF, 1970, p. 106.

Tableau 10.1 Évolution de la part des échanges avec les autres pays de la CEE dans le commerce extérieur total, 1958-1968

| | (en pourcentage) | |
	1958	1968
France		
Importations	22,0	47,5
Exportations	22,0	43,1
Allemagne		
Importations	25,8	41,5
Exportations	27,4	37,6
Italie		
Importations	21,4	36,2
Exportations	23,7	40,1
Union économique Belgique–Luxembourg		
Importations	47,0	55,0
Exportations	45,0	64,4
Pays-Bas		
Importations	42,0	55,0
Exportations	41,0	57,5
Moyenne CEE	29,7	45,9

Source : J. et C. Nême, *Économie européenne,* Paris, PUF, 1970, p. 108.

10.1.3 La libre circulation de la main-d'œuvre

Prévue pour la fin de 1969, la réalisation de la libre circulation de la main-d'œuvre devait être décidée dès juillet 1968. Les travailleurs des États membres se voyaient conférer le droit d'accéder à l'emploi dans les mêmes conditions que les travailleurs nationaux. Les travailleurs des pays de la Communauté pouvaient accéder à un poste dans un autre pays à la seule condition d'obtenir un permis de séjour, accordé pour une durée de cinq ans et renouvelable automatiquement. Ils pouvaient chercher un emploi dans tout pays de la Communauté, se prévalant du droit de se déplacer librement à cet effet sur le territoire des États membres. Un point clé a aussi été réglé : chaque travailleur a maintenant le droit de transférer ses droits à la sécurité sociale dans un autre État membre, ce qui lui permet de bénéficier des mêmes avantages sociaux que les ressortissants nationaux.

Toutefois, des problèmes subsistent concernant le marché du travail. Les professions libérales (médecine, droit, etc.), entre autres, sont encore soumises à des règles nationales qui limitent les activités de leurs membres entre les pays. Les diplômes universitaires, par exemple, sont assujettis à différentes réglementations nationales, ce qui restreint pour leurs détenteurs la possibilité d'offrir leurs services dans d'autres pays de la Communauté.

10.1.4 La libre circulation des capitaux

En ce qui a trait aux capitaux, la CEE adopte le principe de la libéralisation des mouvements de capitaux et de la non-discrimination selon l'origine ; la non-discrimination oblige les pays à accorder au capital des pays membres le même traitement qu'au capital national. Une directive émise en décembre 1962 précise la portée de ce principe ; on y distingue quatre catégories d'opérations de capitaux : les investissements directs, les opérations sur titres négociés à la Bourse, les émissions de titres et de prêts à moyen terme, ainsi que les mouvements de capitaux à court terme (moins d'un an).

Pour les deux premières catégories (investissements directs et opérations boursières), les capitaux doivent connaître une libéralisation inconditionnelle, aucune entrave ne devant en bloquer le mouvement. Pour les deux autres catégories, la libéralisation est conditionnelle ; les gouvernements peuvent maintenir des restrictions de change (n'autoriser que sous condition les transferts de fonds dans un autre pays) si les mouvements de capitaux sont contraires à leurs objectifs de politique économique.

Les mouvements intracommunautaires de capitaux n'ont pas connu la croissance du mouvement des marchandises. En effet, l'application des principes s'y est heurtée à de nombreux obstacles. Par exemple, les réglementations des changes sont différentes d'un État à l'autre : la RFA, la Belgique et le Luxembourg laissent circuler les capitaux très librement, tandis que les trois autres pays membres ont tendance à limiter les sorties de capitaux.

De plus, les gouvernements contrôlent l'épargne nationale par des privilèges fiscaux afin de l'orienter en priorité vers le financement des investissements nationaux ; les revenus provenant de placements effectués à l'étranger sont taxés plus fortement que ceux provenant de placements effectués au pays. Et les gouvernements, pour combler leurs besoins financiers, canalisent une grande partie de cette épargne.

10.2 ● La CEE, des années 1970 aux années 1990

La volonté d'unification européenne s'est traduite par un élargissement du Marché commun. De l'Europe des Six, on est passé à l'Europe des Douze. En 1973, la Grande-Bretagne, l'Irlande et le Danemark se joignent au groupe et, dans les années 1980, la Grèce (1981), l'Espagne et le Portugal (1986) les imitent. Ce changement quantitatif s'accompagne d'une transformation qualitative. En 1979, le système monétaire européen est créé.

10.2.1 Le commerce au sein de la Communauté

Le commerce intracommunautaire s'est accru régulièrement durant les 15 premières années de l'entente, comme l'indique la figure 10.2. Mais à partir de 1973, il a commencé à stagner.

Le tableau 10.2 illustre l'évolution du commerce intracommunautaire depuis le début des années 1970 pour les pays membres de la Communauté (au nombre de 9 jusqu'en 1981, de 10 jusqu'en 1986, et au nombre de 12 par la suite).

Figure 10.2 Exportations intracommunautaires des 12 pays membres de la CEE

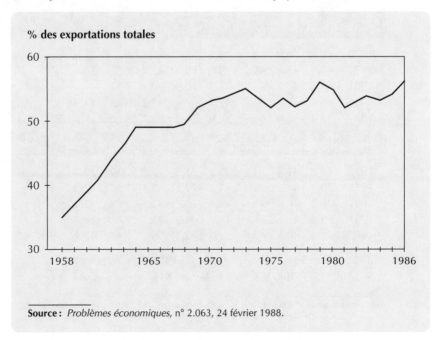

Source : *Problèmes économiques*, n° 2.063, 24 février 1988.

Entre 1970 et 1986, tous les pays, à l'exception de la Grande-Bretagne et de l'Union économique Belgique–Luxembourg, ont vu diminuer la part de leurs importations intracommunautaires. Pour les exportations, la plupart des pays ont vu leur part se réduire. La Grande-Bretagne demeurait, avec l'Italie, le pays le moins intégré commercialement, c'est-à-dire le pays ayant le plus faible pourcentage du commerce intracommunautaire.

Les échanges intracommunautaires ont subi l'influence de la récession qui a frappé les pays industrialisés au milieu des années 1970; la faible croissance, négative même pour l'année 1975, a réduit la demande de biens importés et, conséquemment, les exportations pour les pays de la Communauté. Les échanges ont aussi été touchés par les déséquilibres commerciaux entre les pays membres. Face à un déficit commercial avec la Communauté, la France s'est tournée vers l'extérieur de la zone, ce qui entraîna une diminution de la part de ses importations et de ses exportations dans la Communauté. (En 1987, le commerce intracommunautaire a été plus florissant; ce fut surtout là le produit de l'élargissement de la Communauté elle-même.)

Tableau 10.2 Part des échanges intracommunautaires des pays de la CEE[a]

Année	UEBL[b]	Danemark	France	RFA	Irlande	Italie	Pays-Bas	Grande-Bretagne	Espagne	Grèce	Portugal
Pourcentage des importations intracommunautaires											
1970	65,3	46,9	54,1	49,6	68,7	45,8	62,3	26,9			
1975	66,8	45,8	49,1	49,6	69,0	42,9	57,3	36,4			
1981	61,3	47,3	45,1	47,3	70,9	40,8	53,4	41,6			
1984	66,4	46,4	50,3	47,9	64,6	43,2	53,2	44,9			
1987	72,4	53,6	65,7	54,6	71,3	56,7	61,5	51,3	54,9	61,2	63,5
Pourcentage des exportations intracommunautaires											
1970	73,0	41,4	53,0	46,3	71,6	47,8	70,7	29,2			
1975	70,4	44,8	48,4	43,6	79,1	42,4	72,7	32,2			
1981	70,0	46,6	46,1	46,9	70,0	43,3	71,4	40,0			
1984	68,9	43,6	46,8	47,7	68,5	45,4	72,0	44,7			
1987	74,0	48,5	60,6	52,9	73,5	56,7	75,7	49,2	59,1	67,1	71,3

a. Jusqu'en 1981, 9 pays membres. En 1986, 12 pays membres.
b. Union économique Belgique–Luxembourg.

Sources : Calculé d'après le FMI, *Statistics of Trade*, reproduit dans *L'ECU et la vieille dame*, p. 160. Documentation européenne, *Un grand marché sans frontières*, 3e éd., Bruxelles, avril 1989.

Cette stagnation générale s'explique aussi par les nombreuses entraves au commerce qui persistent, malgré la volonté exprimée dans le traité de 1957. Bien que les contingentements et les barrières tarifaires aient été rapidement supprimés, de nombreuses barrières non tarifaires ont été maintenues. Ces barrières (formalités aux frontières, différentes normes et règles, pratiques discriminatoires des gouvernements privilégiant des entreprises nationales) limitent la portée du traité; restreignant les marchés, elles occasionnent des coûts de production plus élevés, car les entreprises profitent moins des économies d'échelle* que permet l'accès à des marchés plus larges.

Les barrières au commerce intracommunautaire, en maintenant des coûts plus élevés, défavorisent les produits européens qui sont en concurrence avec les exportations en provenance du Japon, des États-Unis et des nouveaux pays industrialisés (Taïwan, Corée du Sud, Hong-Kong, etc.); le développement industriel des économies européennes est aussi retardé par ces entraves à la libre circulation des marchandises. Devant ces menaces pour la prospérité de la zone, le Conseil européen a chargé une commission d'étudier les rapports économiques intracommunautaires et de dégager des perspectives d'avenir pour la Communauté.

10.2.2 De l'Acte unique au marché unique de 1993

La Commission a présenté les résultats de son travail au Conseil européen réuni à Milan en juin 1985. Ses conclusions ont mené à l'adoption d'un programme codifié dans un texte juridique, l'Acte unique. Ce texte de loi prévoyait le démantèlement, pour la fin de 1992, de toutes les frontières physiques, techniques et fiscales qui entravent encore la libre circulation des biens, des services, des capitaux et des personnes entre les pays de la Communauté.

Le marché unique requiert l'abolition des formalités douanières, à l'exemple des politiques des États américains entre lesquels les personnes et les marchandises circulent librement. Depuis, la convention de Schengen, signée en 1990 par cinq pays membres de la Communauté (la Belgique, le Luxembourg, les Pays-Bas, la France et l'Allemagne), a été adoptée par le reste des pays membres. Depuis mars 1995, les contrôles frontaliers entre les pays signataires ont été peu à peu supprimés, et une politique commune en ce qui concerne le contrôle aux frontières extérieures du groupe, les visas et le droit d'asile a été élaborée. Désormais, le voyageur étranger qui entre dans un pays de la Communauté n'est plus contrôlé qu'à son point d'entrée. Il peut ensuite circuler librement entre les pays signataires de la convention.

Le marché unique suppose aussi une politique de main-d'œuvre commune, ce qui exige des harmonisations concernant la fiscalité, les allocations familiales et les paiements de transfert de l'État aux individus en général. Sur le plan des professions libérales, on est en voie d'instaurer un système de reconnaissance mutuelle des diplômés universitaires afin de permettre à ces derniers d'offrir leurs services dans les différents pays.

Les produits d'un pays membre devraient être acceptés dans un autre pays membre ; déjà, en 1979, un arrêt de la Cour de justice des communautés européennes stipulait : «**Tout produit légal fabriqué et commercialisé dans un pays membre doit, en principe, être admis sur le marché de tout autre pays membre.**» Les contrôles douaniers ont été simplifiés et les normes techniques ont été harmonisées dans plusieurs domaines (produits pharmaceutiques, aliments, contrôle des émissions de gaz d'échappement des voitures, etc.). Mais, afin de permettre un véritable élargissement des marchés, des milliers de spécifications techniques devront être conciliées. Pour des raisons pratiques, la Communauté reconnaît comme suffisante la simple « reconnaissance mutuelle » des normes et des règles techniques nationales.

Une barrière de taille demeure ici : la passation des marchés publics (octroi des contrats gouvernementaux), où une préférence est accordée par les gouvernements aux entreprises nationales. En mai 1988, la Commission européenne émettait une directive ouvrant à toutes les entreprises de la Communauté l'accès à la procédure d'adjudication* des marchés publics ; l'objet de cette directive est d'ouvrir les marchés publics de chacun des États aux entreprises de la Communauté, au lieu de les réserver aux seules entreprises nationales. À la préférence nationale, on a substitué la préférence communautaire.

Sur le plan des services, la Communauté propose de libéraliser tant les services « traditionnels » (transports, banques, assurances) que les nouveaux services (télécommunication, audiovisuel, informatique). Depuis 1987, une entreprise peut souscrire une assurance auprès de toute compagnie ayant son siège dans un pays de la Communauté. Après 1993, tous les services n'ont pas encore un libre accès aux marchés communautaires (il y a des problèmes particuliers reliés aux transports et à la libre circulation des images de télévision, par exemple). Dans le domaine bancaire, depuis 1990, une licence unique autorise les banques à proposer leurs services dans l'ensemble de la Communauté; une banque est libre, par exemple, d'ouvrir des succursales dans tout pays membre et d'y exercer les mêmes activités que dans son pays d'origine (dépôts et prêts, placements, obligations, etc.). Cette disposition repose sur une conception commune des lois qui régissent les services[3].

Les systèmes de taxation devront être harmonisés, et les différentes TVA (taxe sur la valeur ajoutée*) devront tendre vers des niveaux plus semblables sans nécessairement être égales. Aux États-Unis et au Canada, il existe entre les États ou les provinces des différences concernant les taxes indirectes et le niveau de l'impôt direct, qui ne posent pas de problème majeur. Mais si les mouvements de capitaux sont libéralisés et si les gens sont autorisés à placer leurs économies à l'étranger sans pénalité, les écarts de taxation risquent de favoriser l'évasion des capitaux vers les pays où la taxation des gains de capitaux est plus faible.

Depuis le 1er janvier 1993, la libre circulation des personnes, des produits et des services au-delà des frontières est en voie de réalisation. Tout intermédiaire financier — banque, compagnie d'assurances, courtier — d'un pays de l'Union européenne peut offrir ses produits ou services aux ressortissants d'un autre État membre sans être soumis à d'autres règles que celles de son pays d'origine. Toutes les opérations de capitaux sont permises sans restrictions dans les pays membres de l'Union, celle-ci constituant le territoire de juridiction de toutes ces opérations. Ainsi, un prêt d'une banque italienne consenti à un ressortissant français pour le financement d'une entreprise située en Allemagne ne rencontre plus de barrière.

* * *

---

3. Depuis le début des années 1980, les pays de la CEE sont associés à une démarche de reconnaissance mutuelle des législations nationales, basée sur le constat que chaque législation nationale cherche à assurer la sécurité des transactions financières et la protection des épargnants, et sur le pari que chaque État membre doit pouvoir reconnaître l'équivalence des mesures prises en ce sens par les autres États membres.

En somme, l'objectif de l'Union européenne est, par exemple, de permettre à un producteur allemand d'écouler ses produits à Paris, à Londres et à Rome de la même façon qu'il les écoule chez lui, et aux producteurs de chaque pays de jouir des mêmes droits sur le territoire de l'Union européenne. Cela signifie aussi, par exemple, que le manœuvre italien, le médecin belge, l'étudiant grec peuvent être accueillis respectivement dans un chantier, un hôpital et un établissement d'enseignement situés dans n'importe quel pays de la zone. Ou encore, qu'une banque anglaise peut offrir ses services aux épargnants et aux emprunteurs hollandais ou espagnols, et que les fonds britanniques peuvent s'investir aux Pays-Bas ou en Espagne de la même façon qu'au cœur de la Grande-Bretagne.

Bref, le marché unique pourrait devenir aussi unifié que celui du Canada ou des États-Unis, avec les nuances présentées dans le texte de l'encadré 10.2. Certains problèmes soulevés dans ce passage sont pris en charge par l'Union européenne. Ainsi, le Fonds européen d'investissement permettra de répartir les ressources des pays riches entre les pays et les régions moins développés; il intervient pour de grands projets d'infrastructure et fournit une aide aux petites et aux moyennes entreprises situées dans les régions moins prospères.

Encadré 10.2

LE MARCHÉ UNIQUE

Ainsi nos propositions sont-elles fondées sur une distinction théorique entre l'intégration économique et l'intégration monétaire. Pour l'illustrer, demandons-nous ce qui différencie la Communauté européenne et les États-Unis du point de vue des régulations économiques. Cette question n'est pas absurde. Il s'agit de deux ensembles géographiques et humains de vastes dimensions. Chacun de ces ensembles a des climats disparates, une grande diversité ethnique, des régions économiquement contrastées, une très vaste gamme d'activités productives, des problèmes très difficiles de reconversion. Les États-Unis ont un marché intérieur, mais la Communauté prétend en avoir un d'ici moins de dix ans. **Remarquons d'ailleurs qu'un marché intérieur signifie qu'une vente de producteurs français de vin en Hollande ne soit plus une exportation, ne soit pas plus un flux enregistré dans une balance de paiements qu'une vente de producteurs californiens d'agrumes dans le Michigan**[a]. S'il doit être pris au pied de la lettre, cet objectif d'un seul marché intérieur, qui a été solennellement annoncé par les chefs de gouvernement des pays membres de la CEE, présuppose la formation d'un espace monétaire unique. [...]

Si cette réforme était réalisée, l'Europe serait-elle pour autant devenue une grande nation comme les États-Unis ? Pas du tout. Ce qui fait la cohésion économique d'une nation, c'est un réseau dense de transferts économiques, c'est-à-dire de facteurs de production, de revenus distribués par les pouvoirs publics, d'épargne. [...] Ces régulations économiques impliquent un espace monétaire unique mais elles ne s'y réduisent pas, tant s'en faut. **Aussi longtemps qu'un sidérurgiste lorrain en chômage ne pourra pas se reconvertir dans les industries mécaniques du Bade-Wurtenberg ou dans la micro-électronique de la Lombardie, aussi longtemps que les contribuables de Bavière refuseront de payer des impôts pour mettre en valeur la Sicile ou l'Andalousie, l'Europe ne sera pas semblable aux États-Unis, même si elle a une monnaie commune**[a]. Dans le marché intérieur européen, les échanges entre les nations demeureront limités par l'ampleur tolérable des transferts qui les compensent ou qui les financent. Ces solidarités de fait ou de politique seront limitées tant que les souverainetés nationales persisteront.

a.   C'est nous qui soulignons.

Source : M. Aglietta, *L'ECU et la vieille dame,* Paris, Economica, 1986, p. 15-16.

10.3 ● Le système monétaire européen

Le système monétaire européen (SME) est un système de stabilisation des changes. Constitué en 1978, il est entré en vigueur le 1er mars 1979. Huit pays de la CEE y ont adhéré : la RFA, la France, les Pays-Bas, la Belgique, le Luxembourg, le Danemark, l'Italie et l'Irlande. Le système vise à protéger les pays de la CEE contre l'extrême instabilité des parités qui prime sous le régime des changes flottants, lequel est en vigueur depuis 1973. Ces pays ont décidé de revenir à un système de taux de change fixe en ordonnant les fluctuations de leurs monnaies autour d'une unité commune, l'ECU* (moyenne pondérée des monnaies des pays membres).

Le cours de chaque monnaie a été relevé le 13 mars 1979 à 11 heures. À cette heure, le mark valait à Paris 3,3095 francs et le florin 2,1311 francs. En appliquant les cours observés ce jour-là, la valeur de l'ECU en francs s'élevait à 5,79. Au même moment, en Allemagne, le calcul donnait 2,51 marks pour 1 ECU. Ces cours sont devenus les cours pivots de chacune des monnaies. Le cours pivot est celui autour duquel chaque monnaie peut fluctuer à l'intérieur d'une marge fixée à plus ou moins 2,25 % (sauf pour l'Italie et l'Angleterre, qui ont requis comme condition d'adhésion au SME une marge de plus ou moins 6 %).

La banque centrale de chacun des pays participants s'engage à défendre le cours pivot de sa monnaie non seulement par rapport à l'ECU, mais aussi par rapport à la monnaie de chacun des pays membres. L'action d'une banque centrale doit se déclencher automatiquement à partir d'un seuil fixé à 75 % de l'écart maximal. La banque centrale est alors tenue d'intervenir sur les marchés des changes en achetant ou en vendant de la monnaie pour rétablir la parité à l'intérieur des limites établies; et si le déséquilibre persiste, le gouvernement peut procéder à la dévaluation ou à la réévaluation de la monnaie nationale.

Pour voir comment fonctionne le système, considérons l'exemple suivant. Le 1er octobre 1980, l'ECU valait 5,88 francs français. Or, le cours pivot fixé en mars 1979 était de 5,79 francs pour 1 ECU. La marge de fluctuation était de 5,79 francs × 2,25 % = 0,130 franc. Le cours plancher, limite minimale du franc, était donc de 5,79 + 0,130 = 5,92 (1 franc français = 0,169 ECU), et le cours plafond était de 5,79 − 0,130 = 5,66 (1 franc français = 0,177 ECU). Au 1er octobre 1980, le prix de l'ECU en francs français se situait donc à l'intérieur de la marge permise, car 5,66 < 5,88 < 5,92.

Le seuil d'intervention des banques centrales était, quant à lui, fixé à 75 % de l'écart maximal, soit : 75 % × 2,25 % ou plus ou moins 1,69 %. L'écart pour le seuil d'intervention était donc de 5,79 plus ou moins 1,69 %, soit plus ou moins 0,098, ce qui plaçait la zone d'intervention à 5,692 et à 5,889. Dans ce cas, la Banque de France n'avait donc pas à intervenir pour soutenir le franc.

Les diverses données de l'exemple précédent sont regroupées dans la figure 10.3.

Les autorités monétaires sont tenues de réagir quand la parité de leur monnaie s'écarte de son cours pivot par rapport à l'ECU, et aussi par rapport à toute monnaie du système monétaire européen ; par exemple, si le franc français se déprécie trop par rapport au mark allemand, la Banque de France devra vendre des marks pour ramener le franc dans sa zone de fluctuation.

Le système monétaire européen vise donc à maintenir les monnaies autour d'une certaine parité pour éviter les variations trop brusques nuisibles au commerce entre les États. Toutefois, il n'a pas empêché les dévaluations et les réévaluations de parités, qui réajustent les cours pivots à des niveaux différents du niveau originel de mars 1979. Les monnaies fortes (mark, florin) ont été réévaluées plusieurs fois entre 1979 et 1989, tandis que le franc français, la lire et la livre irlandaise ont subi plusieurs dévaluations.

Figure 10.3 Maintien des parités du SME : le franc français et l'ECU au 1er octobre 1980

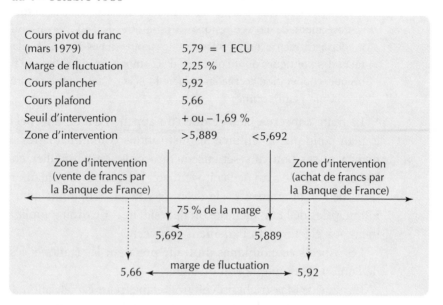

Le système a stabilisé les taux de change des diverses monnaies par rapport au mark allemand jusqu'en 1994, année où une crise majeure a ébranlé sa structure. Entre 1983 et 1989, il n'y a eu que quatre réalignements des cours pivots, soit en moyenne un réalignement tous les 18 mois, contre quatre tous les 7 mois pendant les quatre premières années.

L'ECU est resté une quasi-monnaie jusqu'à son remplacement par l'euro en 1999. Il jouait le rôle d'unité de compte et d'instrument de réserve, mais il n'était que partiellement utilisé comme moyen de paiement. Toutefois, il est devenu une devise internationale importante, représentant au début des années 1990 jusqu'à 7 % des réserves officielles détenues par les autorités monétaires, derrière le dollar, le mark et le yen.

10.3.1 Vers l'union monétaire

En décembre 1991, à Maastricht aux Pays-Bas, les chefs d'État des pays de la CEE signaient un traité qui jetait les bases juridiques et politiques de l'union monétaire européenne. Le **traité de Maastricht** précise les étapes devant mener à l'union monétaire en 1997 ou en 1999, et porte sur l'intégration politique et militaire des pays signataires. Le texte suivant résume l'accord ratifié le 7 février 1992 :

Mise en place progressive d'une union économique et monétaire ainsi que d'une politique étrangère et de sécurité commune susceptible de conduire à une défense commune, établissement d'une citoyenneté européenne, renforcement de la « cohésion », c'est-à-dire de l'effort consenti pour moderniser, mettre à niveau les pays les moins riches de la CEE, élargissement des politiques dont l'objet est d'accompagner la création du marché unique, coopération accrue en matière judiciaire : tels sont les ingrédients de « l'Union européenne »[4].

Le traité concerne bien ce que l'on appelle l'**Union européenne.** Sur le plan politique, il renforce les institutions communautaires ; le Parlement voit ses pouvoirs sérieusement accrus, en particulier en matière législative. Sur le plan de la citoyenneté, le traité reconnaît aux ressortissants de la Communauté « le droit de vote et d'éligibilité aux élections municipales de l'État membre où ils résident ». Ce droit s'applique également aux élections du Parlement européen.

Les aspects économiques du traité précisent les étapes et les critères de l'union économique et monétaire.

Le traité de Maastricht prévoit trois étapes pour la réalisation de l'union monétaire. Pendant les deux premières étapes, les États membres s'efforceront de renforcer la **convergence de leurs résultats économiques,** qui sera mesurée par quatre critères :

- le taux d'inflation ne devra pas excéder de plus de 1,5 % le taux d'inflation moyen des trois pays les mieux placés (pendant une année précédant l'examen par l'Union européenne) ;
- les taux d'intérêt à long terme ne devront pas être supérieurs de plus de deux points à ceux des États membres où l'inflation est la plus faible ;
- le taux de change devra se trouver, depuis deux ans au moins, dans la bande de fluctuation étroite (2,25 %) du mécanisme de change du SME, et ce, sans que la monnaie ait été dévaluée à l'initiative du pays membre ;
- le déficit des administrations publiques ne devra pas dépasser 3 % du PIB et la dette publique ne devra pas excéder 60 % du PIB.

Si une majorité de membres avait satisfait aux conditions requises en 1996, la troisième étape aurait pu commencer en 1997 ; elle a toutefois débuté en 1999.

---

4. P. Lemaître, « Les Douze signent à Maastricht le traité instituant l'Union européenne », *Le Monde, sélection hebdomadaire,* 6 au 12 février 1992, p. 10.

10.4 ● L'union économique et monétaire

Le 1er janvier 1999, l'union économique et monétaire européenne (UEM) était officiellement créée. Onze des quinze pays membres ont été sélectionnés en 1998, sur la base des résultats estimés en 1997 : l'Allemagne, l'Autriche, la Belgique, l'Espagne, la Finlande, la France, l'Irlande, l'Italie, le Luxembourg, les Pays-Bas et le Portugal ; la Grèce, refusée en 1999, est devenue le 12e membre en 2001. Le Danemark, le Royaume-Uni et la Suède, qui respectent les critères, ont choisi de rester à l'écart[5]. Ces trois pays sont soumis aux règles du système monétaire européen, dont le cours pivot fluctue autour de l'euro ; leur adhésion à l'union monétaire se fera probablement d'ici quelques années. Parmi les 11 pays membres de l'UEM (en 1999), seuls le Luxembourg, la Finlande et la France détenaient une dette inférieure à 60 % du PIB, mais ce critère a été assoupli pour permettre le passage à la monnaie unique ; c'est la tendance à la réduction du ratio qui a prévalu. L'Italie et la Belgique, avec un ratio dette/PIB supérieur à 100 %, se sont qualifiées ; ces deux pays fondateurs de la CEE en 1957 ont bénéficié d'une interprétation particulièrement souple de la règle. Les autres critères étaient respectés.

En 1999, les taux de change des monnaies des membres de l'UEM sont fixés irrévocablement, et la Banque centrale commune établit la politique monétaire commune ; la Banque centrale regroupe les gouverneurs des banques centrales des pays membres. Jusqu'en février 2002, l'euro (sous forme scripturale, tels les chèques) et la monnaie nationale (pièces et billets seulement) ont coexisté et, en février 2002, l'euro est devenu la seule monnaie de paiement réglementaire ; toutefois, les pièces et les billets resteront échangeables.

Les pays de l'Union européenne qui ne respectent pas tous les critères de convergence ou qui ont choisi de ne pas y adhérer obtiennent le statut de « membre associé » : ils participent partiellement à l'union monétaire et leur banque centrale applique la politique monétaire des pays adhérents, mais le gouverneur de la banque centrale nationale ne peut voter au conseil de la Banque centrale européenne.

La politique monétaire unique s'accompagne de politiques budgétaires différentes, mais coordonnées par un comité des ministres de l'Économie ou des Finances et soumises aux contraintes du traité de Maastricht, qui

---

5. Le Danemark (en 2000) et la Suède (en 2003) ont confirmé leur refus lors d'un référendum.

limite à 3 % du PIB le déficit budgétaire sous peine de sanctions (Pacte de stabilité et de croissance).

Quant aux politiques visant le problème crucial de l'emploi, elles ne sont pas contraignantes comme les politiques ciblant l'inflation. Cette stratégie s'inscrit dans la lignée de celle adoptée au milieu des années 1970 par les pays du G7, axée essentiellement sur la lutte à l'inflation, sans considération pour la montée du chômage qui l'accompagnait.

Depuis l'an 2000 toutefois, les orientations budgétaires de l'Union européenne ont été modifiées. Les Fonds structurels, destinés à résoudre les problèmes sociaux et économiques qui ont des effets à long terme, ont connu une croissance spectaculaire. L'Union européenne utilise ces fonds pour réduire les inégalités de développement entre les régions et entre les groupes sociaux. Les Fonds structurels financent, entre autres, le développement d'infrastructures de transport (autoroutes, chemins de fer, etc.), de communication (lignes téléphoniques, etc.) et d'énergie dans les régions moins développées ou à taux de chômage élevé. Depuis les années 1980, avec l'arrivée de la Grèce, de l'Espagne et du Portugal, l'inégalité régionale s'est accrue. Les Fonds structurels ont déjà permis à quatre pays — l'Espagne, la Grèce, l'Irlande et le Portugal — de rapprocher leur économie de la moyenne de l'Union européenne. La récente phase d'adhésion a permis d'intégrer des pays encore plus pauvres, qui ont davantage besoin des politiques de développement régional pour atteindre le niveau de vie moyen de l'Union européenne.

10.5 ● L'élargissement de l'Union européenne

L'Union européenne continue d'attirer les pays voisins. La réussite de ses projets, son agrandissement même, amènent ces derniers à s'y associer. Le 1er mai 2004, dix nouveaux pays adhéreront à l'Union européenne : Chypre, l'Estonie, la Hongrie, la Lettonie, la Lituanie, Malte, la Pologne, la République tchèque, la Slovaquie et la Slovénie. D'autres pays ont déposé leur demande d'adhésion : la Bulgarie, la Roumanie et, aux limites de l'Europe, la Turquie. Les pays qui adhèrent à l'Union européenne participent au **système monétaire européen–bis**. Le cours pivot de chaque monnaie est fixé par rapport à l'euro et la marge de fluctuation est de 15 % (marge élargie en 1993 à la suite de la spéculation contre la lire italienne et la livre britannique). Pour rejoindre l'union monétaire, les conditions de Maastricht doivent être respectées (le taux de change doit être fixe pendant au moins deux ans dans la bande de fluctuation étroite.)

10.6 ● Une autre idée de l'Europe

Ces transformations économiques et politiques sont en train de bouleverser l'échiquier mondial. Au sein de chaque État, des changements majeurs se produisent; des inquiétudes sont soulevées quant au type de société qui pourrait en émerger, le débat portant sur le partage des profits qui découleront de l'unification économique et politique. L'avenir des politiques sociales est au cœur de cet épineux problème.

Certains analystes craignent que l'unification des marchés se fasse au détriment des mesures sociales[6]. Les marchands qui dirigent le processus d'intégration font pression au nom de la concurrence pour réduire les charges sociales. Celles-ci risquent de s'aligner à la baisse sur le minimum des pays du Sud (Grèce, Portugal), où les congés payés et le versement des salaires en cas de maladie ne sont pas des avantages aussi répandus que dans les pays du Nord. Des compressions dans les mesures issues de l'État-providence sont envisagées par les capitalistes afin de permettre une diminution du fardeau fiscal. L'arrivée des dix nouveaux pays, où la main-d'œuvre qualifiée est moins coûteuse, aggravera ces tensions.

Le type de société engendré par l'intégration européenne est un sujet discuté au Comité économique et social de la Communauté. L'augmentation du niveau de vie que l'on attend sera-t-elle répartie entre les groupes sociaux ou, au contraire, sera-t-elle réservée dans chaque pays à ceux qui détiennent le pouvoir de décision économique? Ces questions sont débattues au sein de la Commission des Affaires sociales.

Le traité de Maastricht a intégré les principes d'une politique sociale commune. Celle-ci vise à harmoniser les normes du travail, la sécurité sociale, les conventions collectives, les mesures d'équité entre les hommes et les femmes. La réalisation de ces principes nécessitera des ressources fiscales supplémentaires; or, le traité de Maastricht stipule que les déficits budgétaires des États membres devront être réduits; de plus, l'harmonisation des TVA (à la baisse) réduira les recettes des États. Mais les critères de convergence économique exigés par le Traité risquent de coûter cher aux pays qui en sont le plus éloignés.

La question principale demeure pour le moment l'intégration des dix nouveaux pays, moins industrialisés et beaucoup moins riches que les Quinze. Les budgets visant à réduire les inégalités régionales et sociales

---

6. « Le "social" à la remorque de l'Acte unique », *Le Monde diplomatique,* décembre 1988, p. 6.

ont été accrus (40 milliards d'euros ont déjà été prévus à cet effet) pour tenir compte de l'écart de niveau de vie entre ces nouveaux arrivants et les Quinze. L'intégration de ces dix pays au processus politique est une question épineuse qui pose le problème de l'équilibre du pouvoir au sein de l'Union.

10.7 ● Les institutions de l'Union européenne

Le traité de Rome a aussi doté la Communauté économique européenne d'institutions politiques et juridiques chargées d'en gérer les applications.

Le Parlement européen est composé de délégués élus au suffrage universel dans les pays membres. Chaque État membre bénéficie d'une représentation proportionnelle à son poids démographique. L'Assemblée parlementaire peut voter, à la majorité des deux tiers, une motion de censure qui oblige les membres de la Commission européenne à démissionner. Elle détient des responsabilités budgétaires et législatives relativement aux affaires communautaires.

Le Conseil de l'Europe est l'organe de décision et de coordination des pays membres. Ceux-ci y disposaient d'un pouvoir de vote proportionnel à leur importance économique. En 1957, on a ainsi réparti les votes : la France, la RFA et l'Italie disposaient de quatre voix chacune, la Belgique et la Hollande, de deux voix par pays, et le Luxembourg, d'une voix. Le Conseil est formé d'un ministre de chaque État membre, différent selon les questions traitées.

La Commission européenne est composée de 20 commissaires nommés d'un commun accord pour quatre ans par les gouvernements des États membres. Les cinq grands pays membres (Allemagne, Espagne, France, Italie et Royaume-Uni) ont deux représentants chacun, les dix autres, un seul respectivement. Les commissaires représentent en principe l'intérêt général de la Communauté, non pas celui de l'État qui les a désignés. C'est le Conseil qui a le pouvoir de décision, mais la Commission a seule le pouvoir d'initiative des nouvelles politiques communautaires. Elle dirige les services nécessaires pour faire fonctionner la Communauté.

La Cour de justice comprend 13 juges, nommés d'un commun accord par les gouvernements des États membres, et 6 avocats. Elle veille à la légalité des actes du Conseil et de la Commission.

Le Comité économique et social est composé de représentants des producteurs, des agriculteurs, des travailleurs, des négociants et des artisans des pays de la Communauté. Il s'agit d'un organisme consultatif. Avec l'entrée des dix nouveaux membres en 2004, la composition des différents organismes changera.

Un budget de fonctionnement, financé par les pays membres, est alloué à la Communauté pour ses activités. Les versements des pays membres dépendent de leur poids économique.

Près de la moitié des dépenses de la Communauté vont au financement de la politique agricole (subventions aux exportations, soutien aux prix), celle-ci constituant la principale politique communautaire. D'autres politiques communautaires existent : mentionnons le domaine nucléaire (EURATOM), les transports et la pêche. L'encadré 10.3 résume la politique agricole commune.

Encadré 10.3

LA POLITIQUE AGRICOLE COMMUNE (PAC)

La PAC est la plus importante politique communautaire de la CEE. Elle est la seule qui couvre un secteur complet de l'activité de production. Ses premiers règlements ont été adoptés en 1962. Trois principes la sous-tendent :

- l'unicité du marché européen, permise par la suppression des droits de douane intracommunautaires et par l'instauration d'un prix unique, fixé chaque année pour chacune des organisations communes de marché : céréales, sucre, viandes bovines et porcines, fruits, légumes, etc.;
- la préférence communautaire, qui incite à acheter européen grâce à l'imposition de taxes frappant les importations de produits couverts par la politique;
- la solidarité financière, en vertu de laquelle les États membres cotisent au prorata de leur puissance économique; les ressources ainsi acquises sont redistribuées au moyen d'un outil de répartition commun, le Fonds européen d'orientation et de garantie agricole (FEOGA). Celui-ci finance les mécanismes d'intervention garantissant aux agriculteurs le prix fixé pour chaque produit et versant aux exportateurs la différence entre le prix garanti et le prix du marché mondial, qui lui est en général inférieur.

La PAC permet également de gérer la production du secteur. Les surplus des agriculteurs sont stockés dans des entrepôts et écoulés lorsque l'offre est insuffisante. Depuis les années 1980, les surplus s'entassent dans les entrepôts tandis que les agriculteurs, qui bénéficient de prix garantis, continuent à produire. Le coût du programme est donc de plus en plus élevé; les deux tiers du budget de la Communauté y sont affectés.

Toutefois, cette part tend à diminuer, tandis que la part allouée aux Fonds structurels (aide aux régions moins développées, aide à la formation de la main-d'œuvre, etc.) tend à augmenter.

Source : B. Cassen, « La politique agricole commune sur la sellette », *Le Monde diplomatique*, avril 1992, p. 19.

Les institutions tout juste décrites pourraient dépasser la gestion des activités de l'Union européenne ; ainsi, les partisans de l'unification européenne y voient la base d'une structure politique supranationale qui aurait juridiction sur l'ensemble du territoire. Un critère décisif concerne les pouvoirs du Parlement européen.

Résumé En mars 1957, six pays de l'Europe de l'Ouest (la RFA, la France, l'Italie, la Belgique, les Pays-Bas et le Luxembourg) constituaient la CEE (Communauté économique européenne). L'objectif visé était la formation d'un marché commun qui ouvre les frontières aux marchandises, aux capitaux, à la main-d'œuvre et aux services. Dès 1968, les barrières tarifaires et les restrictions quantitatives ont disparu au sein de la Communauté, et un tarif commun vis-à-vis de l'extérieur a été instauré. Les services, les capitaux et les personnes circulent plus librement.

En 1985, le Conseil européen adoptait l'Acte unique, qui prévoyait pour le 1er janvier 1993 l'abolition de toutes les frontières physiques, techniques et fiscales entre les pays membres. La création du marché unique est l'un des plus importants événements de la dernière décennie du XXe siècle. La nouvelle entité économique constituera fort probablement la première puissance économique mondiale.

L'intégration des marchés soulève certains questionnements quant au type de société qui en émergera. Cette nouvelle Europe sera-t-elle seulement celle du capital ? Quelle place sera réservée aux politiques sociales ?

Le système monétaire européen, entré en vigueur en 1979, a franchi une étape décisive avec le traité de Maastricht signé en 1991. Les conditions et l'échéancier de l'union monétaire ont été précisés. L'Union monétaire et économique a débuté le 1er janvier 1999 ; l'euro devenait la monnaie unique du système le 1er janvier 2002. Le 1er mai 2004, l'Union européenne accueillera dix nouveaux membres.

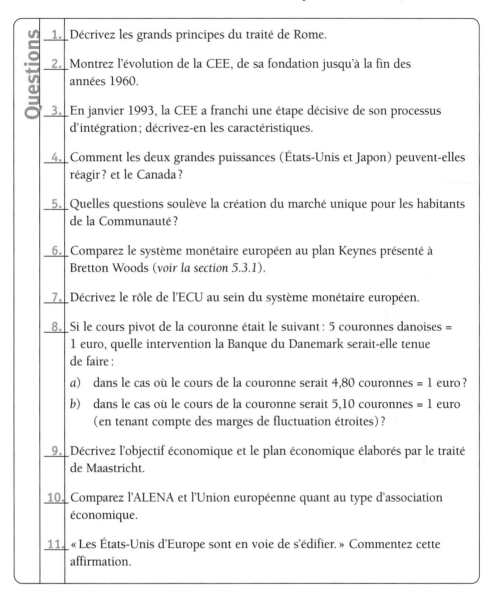

Questions

1. Décrivez les grands principes du traité de Rome.

2. Montrez l'évolution de la CEE, de sa fondation jusqu'à la fin des années 1960.

3. En janvier 1993, la CEE a franchi une étape décisive de son processus d'intégration; décrivez-en les caractéristiques.

4. Comment les deux grandes puissances (États-Unis et Japon) peuvent-elles réagir? et le Canada?

5. Quelles questions soulève la création du marché unique pour les habitants de la Communauté?

6. Comparez le système monétaire européen au plan Keynes présenté à Bretton Woods (*voir la section 5.3.1*).

7. Décrivez le rôle de l'ECU au sein du système monétaire européen.

8. Si le cours pivot de la couronne était le suivant: 5 couronnes danoises = 1 euro, quelle intervention la Banque du Danemark serait-elle tenue de faire:

    a) dans le cas où le cours de la couronne serait 4,80 couronnes = 1 euro?

    b) dans le cas où le cours de la couronne serait 5,10 couronnes = 1 euro (en tenant compte des marges de fluctuation étroites)?

9. Décrivez l'objectif économique et le plan économique élaborés par le traité de Maastricht.

10. Comparez l'ALENA et l'Union européenne quant au type d'association économique.

11. « Les États-Unis d'Europe sont en voie de s'édifier. » Commentez cette affirmation.

Thèmes de réflexion

- Le développement de l'Union européenne et:
  - l'économie des pays membres;
  - les conditions de vie des populations de la Communauté;
  - le commerce international.
- L'Union européenne et les États-Unis.

Références bibliographiques

CASSEN, B., « La citadelle des Douze », *Le Monde diplomatique,* juin 1990, p. 9.

CENTRE D'ÉTUDES PROSPECTIVES ET D'INFORMATIONS INTERNATIONALES (sous la direction de M. Aglietta), *L'ECU et la vieille dame,* Paris, Economica, 1986.

DEBON-JAY, M.-A., LEMOINE, F. et MERVIL, P., *Économie de l'intégration européenne,* Paris, PUF, 1994.

DUROUSSET, M., *L'Union européenne au XXIᵉ siècle, Institutions et économie,* Paris, Ellipses, 2002.

Eurostats, « Ecu-Sme Information » (mensuel).

FOROWICZ, Y., « Le cas de l'élargissement de l'Union européenne aux pays de l'Europe centrale », dans C. PHILIPS et P. SOLDATOS (sous la dir. de), *L'Union européenne de l'an 2000 : défis et perspectives,* Chaire Jean-Monnet, Université de Montréal, 1997.

JULIEN, C., « Une autre idée de l'Europe », *Le Monde diplomatique,* mai 1989, p. 1, 12.

JURGENSEN, P., *Le guide l'euro pour tous,* Paris, Éditions Odile Jacob, 2001.

MATHIEU, P., *L'Union européenne,* Paris, PUF, 1994.

MEESCHAERT-ROUSSELLE, V.S., « Comment vit-on sans l'euro ? Le cas de la Suisse », *Problèmes économiques,* nᵒ 2.633, 29 septembre 1999, p. 23-27.

NÊME, J. et NÊME, C., *Économie européenne,* coll. « Themis, Sciences économiques », Paris, PUF, 1970.

CHAPITRE **11** L'ex-URSS, la Chine et les pays de l'Europe centrale et orientale

OBJECTIFS

APRÈS AVOIR LU CE CHAPITRE, L'ÉLÈVE SERA EN MESURE :
- d'expliquer comment sont nés les divers États socialistes ;
- de distinguer l'économie de marché et l'économie planifiée ;
- de comparer les principales caractéristiques économiques de l'ex-URSS, des pays de l'Europe centrale et orientale et de la Chine ;
- d'évaluer les conséquences de la transition vers l'économie de marché.

Ce chapitre traite un sujet épineux. Il vise à décrire la problématique posée par l'évolution spectaculaire de l'ex-URSS (que nous continuerons d'appeler URSS dans la plupart des cas, pour éviter d'alourdir le texte), des pays de l'Europe centrale et orientale et de la Chine ; ces pays sont en pleine transformation depuis le milieu des années 1980, et l'année 1989 a marqué une étape cruciale pour la plupart d'entre eux.

Quelles sont les causes et les conséquences prévisibles des phénomènes qui bouleversent l'ensemble de ces pays ? Quelle est la portée du mouvement qui a été amorcé par les millions de citoyens des sept pays constitués par la Bulgarie, la Hongrie, la Pologne, la République démocratique allemande (RDA), la Roumanie, la Tchécoslovaquie et l'URSS et qui se déroule sous une forme particulière en Chine ?

Telles sont les questions que nous aborderons après avoir expliqué comment sont nés ces États socialistes et après avoir décrit leur système économique.

11.1 ● Une histoire qui a bouleversé le monde

Pour saisir les thèmes abordés dans ce chapitre, il faut savoir comment est né le socialisme dans les sept pays tout juste énumérés (*voir la figure 11.1*).

Figure 11.1 Ex-URSS et pays de l'Europe centrale et orientale
(Le 3 octobre 1990, la RDA a été officiellement annexée à la RFA.)

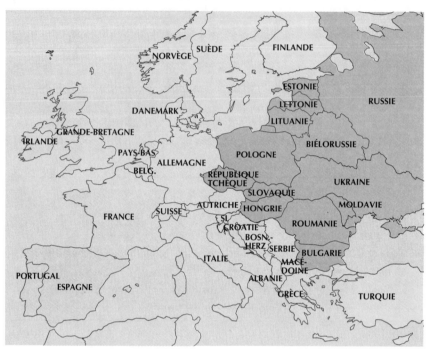

Le premier État socialiste est né en Russie au mois d'octobre 1917. Sous la direction du Parti communiste, une partie du peuple russe renversait le gouvernement provisoire mis sur pied en février et établissait la « dictature des ouvriers et paysans » sur les ruines de la « dictature bourgeoise ». Quelles ont été les conditions qui ont précédé cette révolution et qui en ont permis le succès ?

Depuis longtemps, la Russie était soumise à un régime rétrograde sous la férule d'un empereur nommé « tsar » dans la langue slave. Au début du siècle, en 1905, pendant la guerre entre la Russie et le Japon, une première révolution démocratique visant à renverser le régime tsariste avait échoué. Quelques années plus tard, la Première Guerre mondiale éclatait. Souscrivant aux obligations découlant de ses alliances internationales, le tsar déclara la guerre à l'Allemagne. Paysanne à 80 %, la société russe était alors l'une des moins développées d'Europe ; les armées étaient faiblement équipées, mal organisées et étaient facilement mises en déroute par les forces allemandes.

Sur les champs de bataille, le peuple de Russie, comme celui des autres pays belligérants, paie de sa vie les velléités d'expansion de ses gouvernants. À l'intérieur du pays, les habitants des villes et des campagnes sont privés de nourriture ; une bonne partie des producteurs paysans est au combat, et la production elle-même est réquisitionnée pour nourrir les troupes. Aussi les ouvriers des villes, les paysans conscrits et des organisations paysannes répondent-ils à l'appel lancé par le Parti communiste. Celui-ci est dirigé par des révolutionnaires professionnels partisans des thèses marxistes (*voir l'encadré 11.1*). Sous l'impulsion de son dirigeant, Lénine, le Parti communiste propage deux mots d'ordre qui rallient des milliers de partisans : « La paix et du pain. »

Encadré 11.1

LE MARXISME

L'apparition d'États socialistes en URSS, dans les pays de l'Est, en Chine et ailleurs dans le monde repose sur des fondements idéologiques qui ont été élaborés en grande partie au XIXᵉ siècle. Les principes de cette idéologie ont surtout été inspirés par les travaux de Karl Marx (1818-1883).

La base philosophique du marxisme est le matérialisme dialectique. Selon cette philosophie, la lutte des contraires gouverne le mouvement de toute chose, celui de la nature aussi bien que celui de l'esprit. Appliquée à l'étude de l'histoire, la méthode dialectique stipule que les rapports établis entre les hommes dans le processus de production déterminent le mouvement des sociétés. Ces rapports opposent des classes (groupes sociaux déterminés par la place et le rôle dans la production, et la position par rapport aux moyens de production) antagoniques qui luttent pour le contrôle politique de la société et de l'économie.

Sous le capitalisme, les deux classes fondamentales sont la bourgeoisie et le prolétariat. La première regroupe les propriétaires des moyens de production et leurs grands commis ; c'est elle qui détient le pouvoir d'État. Le prolétariat (ou classe des travailleurs libres) ne possède que sa force de travail, qu'il vend à la bourgeoisie contre salaire. Il constitue une classe exploitée. Dans le processus de production, cette classe est à l'origine de la création de toute richesse sociale. Mais une partie de la valeur qu'elle crée est accaparée par la bourgeoisie, qui est propriétaire des moyens de production ; c'est la plus-value. Celle-ci est répartie entre les différents secteurs du capital (industriel, commercial, bancaire) et l'État.

C'est l'opposition fondamentale entre ces deux classes qui amène une crise politique, une révolution où le prolétariat, dirigé par son parti, renverse la bourgeoisie et s'empare du pouvoir d'État. Cette révolution socialiste est à l'origine d'une nouvelle société : les moyens de production sont socialisés et l'économie planifiée remplace le marché. Le socialisme* est une étape transitoire entre le capitalisme* et le communisme*.

> Sous le communisme, les classes et l'État n'existent plus, et l'économie est développée au point que l'on peut jouir librement du travail et de ses fruits.
>
> Les sociétés soviétiques et celles des pays de l'Est se considéraient, à l'étape du socialisme, en transition vers le communisme.

Le gouvernement provisoire, installé en février 1917 après la chute du tsar, avait refusé de mettre fin à la participation à la guerre. Aussi ne fera-t-il pas long feu quand les communistes proposeront de le renverser. De façon paradoxale, des armées envoyées pour mater la révolution se rangeront du côté des insurgés. Le premier État socialiste de l'histoire sera proclamé en octobre 1917; la Russie deviendra par la suite l'Union des républiques socialistes soviétiques (URSS).

Les autres États socialistes ne sont pas nés de la même façon. En Europe de l'Est, ils ont été créés grâce à l'appui militaire de l'URSS au lendemain de la Seconde Guerre mondiale. Vers la fin de cette guerre, une conférence tenue à Yalta en Union soviétique (du 4 au 11 février 1945) réunit Franklin D. Roosevelt (États-Unis), Winston Churchill (Grande-Bretagne) et Joseph Staline (URSS), les dirigeants des trois principaux pays alliés. La Conférence démembre l'Allemagne, qui sera alors divisée en trois zones: la région occupée par les Alliés (URSS, États-Unis, Grande-Bretagne, France); la République fédérale d'Allemagne (RFA) à l'Ouest; la République démocratique allemande (RDA) à l'Est. La Conférence de Yalta détermine les frontières nationales et les chasses gardées des nouvelles puissances: l'ouest de l'Europe passe dans le camp américain et l'est du continent, dans le camp soviétique.

Dans les pays de l'Europe centrale et orientale, le socialisme sera imposé par des coups d'État soutenus par les armées d'occupation soviétiques[1]. Des «démocraties populaires» apparaîtront en Bulgarie (1947), en Pologne, en Roumanie, en Tchécoslovaquie (1948), en Hongrie et en RDA (1949). En 1949, ces satellites de l'URSS seront réunis au sein du Conseil d'assistance économique mutuelle (CAEM ou COMECON), sorte de «marché commun» d'Europe de l'Est; en 1955, ils seront regroupés dans une union militaire, le pacte de Varsovie, le pendant de l'OTAN (Organisation du traité de l'Atlantique Nord) pour les pays proaméricains. La Chine a suivi un cours semblable à celui de l'URSS.

Voyons quelles sont les caractéristiques économiques et politiques des «démocraties populaires» et de l'URSS.

---

1. Les membres du Parti communiste ont souvent été les personnes les plus engagées dans la lutte contre les armées nazies, ce qui a valu le respect de plusieurs de leurs concitoyens.

11.2 ● L'économie et la politique dans les pays socialistes

Le système politique que l'on trouve dans les pays socialistes repose essentiellement sur l'existence d'un parti unique ou seul habilité à gérer l'État (le gouvernement, les lois, la police, l'armée) et l'économie. Quels sont les fondements de l'économie socialiste et en quoi se distinguent-ils de ceux des économies de marché*?

Considérons d'abord les questions qui se posent dans tout environnement ou système économique : quoi produire ? comment produire ? pour qui produire ? Ces trois questions sont déterminées par la rareté des ressources économiques qui peuvent être affectées à la production. Si les besoins peuvent être illimités, les ressources économiques, elles, ne le sont pas. L'économie étudie les choix que les systèmes peuvent effectuer et propose différentes façons de les réaliser.

11.2.1 L'économie de marché

Aux questions posées ci-dessus, l'économie de marché répond : c'est le marché, c'est-à-dire l'offre et la demande, qui détermine **quoi produire**. Toute marchandise qui trouve à se vendre à un prix qui permet de réaliser un profit sera produite. Cela inclut les aliments, le logement, les vêtements, le transport, les loisirs, les soins de santé, etc.; de la nourriture biologique aux McDonald's, de l'alcool aux produits illicites (drogue, par exemple). Le profit est le critère fondamental qui guide les choix.

Comment produire ? À cette question, le marché répond : les techniques et la technologie choisies sont celles qui minimisent les coûts de production. S'il coûte moins cher de produire une quantité donnée à l'aide d'une technique qui requiert moins de main-d'œuvre, celle-ci sera réduite et remplacée par des machines ou des procédés électroniques; par ailleurs, là où la main-d'œuvre est abondante et peu coûteuse, l'entrepreneur favorisera des techniques qui utilisent plus intensément ce facteur de production.

Pour qui produire ? Les marchandises sont destinées à ceux qui veulent et peuvent les acheter. La théorie de la demande repose sur le principe de la « souveraineté du consommateur ». L'*homo œconomicus*, c'est-à-dire le consommateur rationnel, maximise la satisfaction qu'il retire de la consommation des biens qu'il achète. Il est libre d'acheter les biens qu'il désire tout en étant limité par le revenu dont il dispose.

La théorie de l'offre repose sur le principe de la maximisation du profit. Ce critère détermine non seulement quoi produire, mais aussi la quantité que chaque entreprise mettra sur le marché.

Dans l'économie de marché, l'entreprise est, dans la plupart des cas, la propriété des actionnaires, tandis que les moyens de production (matières premières, machines, équipement) relèvent de la propriété privée.

Sur le plan du commerce extérieur, l'économie de marché se conforme à la logique des avantages comparatifs, décrite au chapitre 7. Les produits les moins coûteux et de meilleure qualité trouvent acheteur, tandis que d'autres ne pourront être vendus à cause de leurs coûts trop élevés ou de leur mauvaise qualité. Cette loi générale ne se concrétise pas de façon aussi pure ; les rapports de force entre les pays introduisent une logique souvent fort différente.

Les capitaux circulent assez librement entre les pays malgré certaines contraintes qui tendent à disparaître.

11.2.2 L'économie planifiée

L'économie socialiste est organisée sur la base de deux grands principes : la socialisation des moyens de production et le système de l'économie planifiée*.

Les moyens de production, qui ont été confisqués à leurs propriétaires après la révolution, sont la propriété de l'État ou de coopératives. Les banques, les grandes firmes industrielles, la terre et les mines sont passées majoritairement aux mains de l'État. La propriété privée est toutefois tolérée dans certains secteurs : l'agriculture, l'artisanat et quelques services. Mais elle est marginale et doit se plier à la gestion de l'économie socialiste.

Aux questions posées plus haut, l'économie socialiste répond : c'est le plan qui décide de l'affectation des ressources aux fins de production. Qu'est-ce que le plan ? *Le Petit Robert* définit le plan comme « un projet comportant une suite ordonnée d'opérations destinées à atteindre un but ». Le plan stipule les actes qui doivent être réalisés pour qu'un état futur spécifié à l'avance soit atteint. Pour le système socialiste, le plan constitue le moyen d'assumer le cheminement vers le système communiste. Du principe « À chacun selon ses capacités » sous le socialisme, la transformation économique, sociale et politique conduira au communisme, qui suit la règle « À chacun selon ses besoins ».

Le système socialiste utilise simultanément trois catégories de plans : à court terme et à très court terme (plans annuels, trimestriels), à moyen terme (plans quinquennaux ou de 5 ans) et à long terme (de 10 à 20 ans). Le plan à long terme peut spécifier l'objectif suivant : produire d'ici 10 à 20 ans toute la machinerie et tout l'équipement nécessaires aux industries nationales. À cette fin, le plan déplacera des ressources vers ces secteurs et réduira les moyens de production et la main-d'œuvre dans le secteur des biens de consommation. Pendant le terme spécifié, la population devra se priver de certains produits de consommation. Le plan décrète l'affectation des ressources rares, de façon à réaliser les objectifs prévus.

Le plan fixe aussi les prix des marchandises. Certains produits sont subventionnés quand leur coût de production est trop élevé ; on subventionne généralement les produits essentiels (pain, lait, beurre, etc.), dont les prix demeurent relativement stables.

Le plan décide de presque tout. Mais qui décide du plan ? Généralement, c'est un organisme spécial ou un ministère qui a la responsabilité de gérer la planification économique. Cet organisme répond aux directives émises par le parti au pouvoir.

Les mêmes règles s'appliquent aux relations économiques extérieures. Le commerce international est sous le contrôle exclusif de l'État ; celui-ci décide, en conformité avec le plan, des produits et des quantités réservés pour l'exportation, et il détermine les produits et les quantités à importer. Quant aux investissements étrangers, ils sont sévèrement contrôlés. Les firmes multinationales ne peuvent s'emparer des secteurs reliés aux ressources naturelles comme elles le font massivement dans les pays du tiers-monde, par exemple. Les pays socialistes privilégient des entreprises conjointes (*joint venture*) où l'État se réserve la majorité des actions et un certain contrôle sur les activités de production.

D'après les tenants de ce système, le plan réduit le gaspillage de travail qu'engendre le système capitaliste (stocks d'invendus, destruction de production) et garantit l'économie contre les fluctuations et les crises qui caractérisent l'économie de marché.

11.3 ● L'ex-URSS et les pays de l'Europe centrale et orientale à la fin des années 1980

Parmi les pays socialistes européens, l'URSS est un véritable géant économique. La superpuissance soviétique est, après les États-Unis et le Japon, la troisième économie mondiale (selon les approximations de l'époque); cette économie est presque trois fois plus importante que celle des six pays de l'Europe centrale et orientale. La population multiethnique de l'URSS est deux fois et demie plus nombreuse que la population totale de ses six voisins.

Pour ce qui est du revenu par habitant, cependant, l'URSS s'est fait devancer par la RDA et la Tchécoslovaquie, qui étaient, à la fin des années 1980, les deux économies les plus avancées du bloc. Ces trois sociétés représentaient à ce moment-là plus de 80 % de la production du groupe.

Le tableau 11.1, dont les données remontent à 1987, témoigne de la suprématie de l'URSS sur le plan économique.

Tableau 11.1 Ex-URSS et pays de l'Europe centrale et orientale : la domination soviétique sur le plan économique, 1987

Pays	Population	PIB	PIB par habitant	Exportations	Importations	Dette extérieure brute[a]
	(en millions d'habitants)	(en milliards de $)	(en $)	(en milliards de $)		
URSS	283,7	1 700,0[b]	5 800[b]	107,00	110,50	40,9
RDA	16,6	103,8	6 253	33,50	32,40	19,5[c]
Hongrie	10,8	60,1	5 564	9,95	9,35	17,3
Pologne	38,2	196,0	5 131	13,95	12,60	39,2
Tchécoslovaquie	15,8	94,7	5 994	24,94	24,26	5,7
Bulgarie	9,0	45,7	5 078	17,22	16,58	7,9
Roumanie	23,4	94,4	4 034	12,90	9,50	2,8

N.B. : Les chiffres concernant ces pays varient énormément selon les sources. Ils sont généralement calculés à partir du produit matériel net (PMN), concept qui diffère du PIB. Dans les économies à planification centrale, le PMN mesure la valeur de la production. Il compte seulement la production «matérielle»; sont exclus du calcul les services non productifs (éducation, défense, médecine gratuite, etc.).

a. 1988.

b. Approximation. De nouveaux calculs effectués par la suite ont montré que cette approximation surévaluait le PIB soviétique.

c. Y compris la dette interallemande.

Sources : Banque mondiale, *Rapport sur le développement dans le monde*, 1990. OCDE, «Tendances des marchés des capitaux», février 1990, reproduit dans *Problèmes économiques*, n° 2.189, 5 septembre 1990.

Sur le plan du commerce extérieur, les trois premières économies se démarquaient également des quatre dernières. Elles représentaient 80 % des exportations du bloc ; mais ici, la domination de l'URSS est moins évidente. La RDA exportait 31 % de son PIB et la Tchécoslovaquie, 26 %, contre seulement 6 % pour l'URSS. Les deux premiers pays exportaient surtout des produits manufacturés (machines et matériel de transport, produits chimiques, etc.), tandis que l'URSS exportait majoritairement de l'énergie, du pétrole et du gaz (qui constituaient plus de 50 % de ses exportations).

Les données sur le commerce extérieur font ressortir un caractère particulier des pays socialistes : les exportations sont pratiquement égales aux importations. C'est là une exigence stricte de la planification, qui reflète de la part des États socialistes une volonté expresse d'être indépendants des puissances capitalistes et de limiter leurs emprunts à l'étranger.

De plus, les économies à planification centrale étaient fortement intégrées les unes aux autres, puisqu'elles réalisaient la majeure partie de leur commerce extérieur entre elles. Le COMECON était la zone commerciale la plus intégrée du monde. Au milieu des années 1980, pas moins de 54 % des échanges de ses membres étaient réalisés au sein de la zone, comparativement à 52 % pour les pays membres de la CEE.

11.4 ● La crise des années 1980

L'année 1989 a marqué un point tournant dans la crise des économies à planification centrale. On a vu en quelques mois s'écrouler tour à tour chacune des « démocraties populaires ».

La contestation de 1989 est en bonne partie reliée aux changements qui se sont produits au sein de l'Union soviétique même à partir du milieu des années 1980. L'accession au pouvoir de Mikhaïl Gorbatchev a déclenché un processus de restructuration économique et de transformation du régime politique, connu sous le nom russe de *perestroïka*.

La *perestroïka* inaugure une profonde modification du système de planification centrale. Il s'y opère un transfert du pouvoir de décision économique des organismes du plan vers les entreprises et les directions locales. Ces dernières sont habilitées à gérer les ressources ; elles décident des objectifs et des méthodes de production. De plus, les entreprises sont autorisées à commercer directement avec l'étranger sans passer par l'organisme responsable du commerce extérieur. Les devises acquises lors des transactions avec l'étranger peuvent être utilisées par les entreprises pour acheter sur les marchés extérieurs les produits dont elles ont besoin, ce qui constitue un changement majeur dans le processus et entame le monopole d'État concernant le commerce extérieur.

Dans l'entreprise, les revenus des travailleurs sont de plus en plus reliés à leur productivité ; cela contredit le principe du socialisme, qui rémunère la main-d'œuvre en fonction du travail fourni. Selon cette logique, un travailleur du textile qui fournit huit heures de travail quotidien recevra la même somme que l'ouvrier de l'automobile pour le même nombre d'heures, indépendamment de la valeur produite durant la période. Sous le capitalisme, par ailleurs, en raison de la propriété privée des entreprises, les travailleurs du textile qui, tout en travaillant autant, produisent beaucoup moins à l'heure que les travailleurs de l'automobile, sont payés trois, quatre ou cinq fois moins que ces derniers.

Ce sont ces ouvertures vers le marché pratiquées au cœur de la superpuissance socialiste qui ont été les premiers pas vers une restructuration en profondeur des économies de l'Est. Mais ce qui, par-dessus tout, a permis ces changements, c'est le signal selon lequel les troupes soviétiques resteraient dans leurs casernes, dans le cas où l'on créerait des réformes favorables au marché.

La transformation amorcée de façon spectaculaire en 1989 est un processus d'abord politique. Elle implique la fin du monopole du parti concernant la gestion de l'État et de l'économie. Ces conditions ont été réalisées dans la plupart des démocraties populaires. Dans l'ex-URSS, le monopole du Parti communiste était encore maintenu au milieu de 1990, mais il a été déclaré illégal en 1991 par le gouvernement Eltsine.

11.4.1 Un soulèvement politique contre la dictature et le plan

Le courant politique qui a ébranlé les démocraties populaires relève à la fois du domaine politique et de l'aspect économique. La « dictature du prolétariat » et le système du parti unique reposaient sur une répression systématique ; les opposants étaient harcelés et les critiques, sévèrement punies. Le pouvoir socialiste avait perdu la légitimité que son rôle historique lui avait temporairement acquise. Les débordements et la dissolution rapide du système l'ont démontré : en moins d'un an, tous les gouvernements est-européens étaient remis en question.

La légitimité du pouvoir socialiste s'était émoussée à cause aussi des problèmes économiques de la planification. Si les prix étaient maintenus à des niveaux acceptables et les produits essentiels (logement, alimentation, transport, etc.), largement subventionnés, la quantité et souvent la qualité de la production faisaient défaut. La pénurie se vérifiait par ces interminables files de consommateurs qui piétinaient sur place pour se procurer les marchandises rares.

Les problèmes de production étaient à la fois la conséquence de la centralisation excessive des décisions et, dans le cas de l'URSS particulièrement, du gonflement exagéré des dépenses militaires. La logique économique du coût de renonciation stipule que toute ressource utilisée à une production réduit d'autant celle affectée à d'autres fins. La production d'ogives nucléaires ou de matériel militaire classique (tanks, canons, avions, etc.) diminue les ressources destinées à d'autres secteurs tels que l'alimentation et le logement; en outre, les services de santé accaparés par les militaires sont soustraits à la population civile.

En résumé, la forte répression politique et les difficultés économiques majeures ont provoqué la chute du socialisme est-européen.

11.5 ● Les conséquences des changements survenus dans les ex-pays socialistes

11.5.1 Les conséquences pour ces pays

Une fois estompée l'allégresse du renversement des dictatures, l'économie des ex-pays socialistes reste à réorganiser. La restructuration de l'économie implique la libéralisation de la production, des prix et des échanges internationaux. On produira de plus en plus selon l'offre et la demande, et l'on vendra aux prix que les consommateurs sont prêts à payer.

Sur le plan interne

La transition vers l'économie de marché amène les problèmes inhérents au marché. D'une part, les prix des produits naguère subventionnés par l'État ne sont plus contrôlés. Ils augmentent alors d'une somme égale à la subvention; et si cette hausse n'élimine pas complètement l'écart entre l'offre et la demande, les prix ont tendance à s'accroître encore plus: c'est l'hyperflation (*voir le tableau 11.3*).

De plus, les privatisations et les mises à pied dans les entreprises soumises aux lois du marché accroissent le nombre des sans-emploi.

La rationalité économique du marché impose à ces entreprises de maximiser leurs profits; pour ce faire, elles se débarrassent des travailleurs qui sont le moins productifs. C'est là une des causes du chômage dans les pays capitalistes, et les anciens pays socialistes renouent avec cette tare économique.

Sous le régime de l'économie planifiée, l'emploi était garanti et relativement stable. Les entreprises socialisées maintenaient des effectifs surabondants pour se prémunir contre la pénurie de main-d'œuvre, ce qui affectait évidemment la productivité du travail. L'application de la logique capitaliste accroît la productivité moyenne, mais se traduit par un accroissement des sans-emploi. Les mises à pied entraînent une baisse des revenus des travailleurs. Inflation et chômage se conjuguent pour appauvrir certaines couches de la population.

Mais que signifie l'expression générale « transition vers le marché » ? Cette transition peut revêtir trois formes principales: le socialisme de marché, le capitalisme libéral « pur et dur », ou encore l'économie mixte, où coexistent entreprises publiques et entreprises privées.

Le **socialisme de marché** porte une contradiction en soi, mais, en réalité, il représente une forme d'économie que certains pays socialistes ont déjà envisagée (notamment la Hongrie et la Pologne). La propriété des moyens de production est socialisée, mais le plan est décentralisé et laisse plus de place au marché. L'échelon central détermine les grandes orientations économiques: volume et type de production, investissement, commerce extérieur. Toutefois, les entreprises ont une plus grande autonomie de gestion. Elles décident du volume de la production et des méthodes de production; elles peuvent aussi affecter les surplus aux fins qui leur semblent pertinentes (investissement, répartition des bénéfices entre les travailleurs, etc.). Sur le marché des moyens de production, les entreprises se présentent en tant qu'acquéreurs de matières premières et d'équipement, et choisissent leurs sources d'approvisionnement. Sur le marché des produits, elles se présentent en tant que vendeurs et choisissent librement les lieux d'écoulement de leur production. La rentabilité est le principe qui guide leurs activités, et la concurrence entre les entreprises publiques est la règle de fonctionnement. On est ici à mi-chemin entre le marché et le plan.

À l'autre extrême, le **capitalisme libéral** « pur et dur » est basé exclusivement sur la propriété privée des moyens de production. Le rôle de l'État doit se limiter à assurer la concurrence ainsi que la loi et l'ordre.

Ce modèle prône donc la privatisation des grands secteurs : santé, éducation, services urbains (égouts, enlèvement des ordures ménagères, etc.). Le Fonds monétaire international est un ardent défenseur de ce modèle. Il oblige les pays en développement à réduire le rôle de l'État (*voir le chapitre 14*), qu'il tient responsable de tous leurs maux.

L'économie mixte est elle aussi basée sur la propriété privée des moyens de production, mais le rôle de l'État y est relativement important et l'entreprise publique cohabite avec l'entreprise privée. L'État intervient dans l'économie en tant que producteur direct (Hydro-Québec, Pétro-Canada, etc.) et gère des secteurs entiers, par exemple la santé et l'éducation. Il oriente les investissements de manière incitative par des mesures fiscales ou autres. Sur le plan du commerce extérieur, il guide les secteurs d'exportation, subventionne certaines exportations et protège certains produits contre les concurrents étrangers. Les pays scandinaves (Danemark, Finlande, Norvège, Suède) offrent les meilleurs exemples de sociétés où l'État intervient massivement dans l'économie.

Les ex-pays socialistes oscillent entre ces trois courants. En Russie, le capitalisme libéral, accompagné d'une privatisation de pans entiers de la production, a primé. On verra plus loin les formes de socialisme de marché qui se développent en Chine.

Une catastrophe économique en Russie

L'année 1991 a marqué un autre point tournant dans les anciens pays socialistes européens. Vers le milieu de l'année, l'URSS, créée par la Constitution soviétique de 1924, cessait d'exister.

Dans la nouvelle Fédération de Russie, les fermetures d'entreprises et la privatisation encouragée par le FMI — qui en faisait une condition de ses prêts sans que le cadre juridique et réglementaire (telle la capacité de rédiger et de faire accepter des contrats) favorisant une gestion rationnelle des entreprises ne soit établi, — ont accru le chômage et diminué les salaires et les avantages sociaux des employés, réduisant à la pauvreté la majeure partie de la population. La détérioration des conditions sociales (santé, éducation) amenée par la restructuration de l'économie a causé une baisse importante de l'espérance de vie, réduite en Russie au niveau de celle des pays du tiers-monde. Pendant ce temps, de nouveaux riches se sont approprié plus ou moins légalement les capitaux mis en vente et accumulent des profits peu imposés par un État faible et

désorganisé. L'insuffisance des rentrées d'impôt a créé une crise budgétaire et a mené la Russie à cesser temporairement ses paiements aux
créanciers internationaux.

Durant la première phase de la transition, le remaniement de l'économie a eu des effets désastreux dans l'ex-URSS et dans chacun des pays de
l'Europe centrale et orientale (*voir le tableau 11.2*); en plus de l'inflation
élevée, le chômage s'est accru et la croissance a été négative. Partout, les
écarts de revenu et de niveau de vie se sont accentués.

Le changement de régime soulève des problèmes nouveaux; la transformation d'une économie planifiée en économie de marché, sans institutions financières, sans formation des personnes et en un court laps de
temps, ne s'est encore jamais vue dans l'histoire.

Tableau 11.2 Production dans les pays de l'Europe centrale et orientale[a]
et dans l'ex-URSS

| Année | (variation en pourcentage) | |
	Pays de l'Europe centrale et orientale	Ex-URSS
1988	2,2	4,4
1989	– 0,5	2,4
1990	– 6,5	– 4,0
1991	– 12,1	– 17,0
1992	– 5,0	– 18,0

a. Bulgarie, République fédérative tchèque et slovaque, Hongrie, Pologne,
Roumanie.

Source : OCDE, *Perspectives économiques,* juin 1993.

En Russie, le désastre économique marqué par une corruption croissante jusqu'aux plus hauts niveaux du pouvoir s'est poursuivi durant
toute la décennie. La désorganisation économique et politique consécutive
au changement de régime a provoqué une chute de la production accompagnée d'une inflation galopante. Vers la fin des années 1990, la situation commençait à se rétablir en bonne partie grâce à l'augmentation du
prix du pétrole (la Russie est le deuxième exportateur de pétrole après
l'Arabie Saoudite). Le tableau 11.3 illustre cette évolution.

Tableau 11.3 PIB et indice des prix à la consommation en Russie
(variation annuelle en pourcentage)

	PIB	Prix à la consommation
1993	– 12	896
1994	– 15	302
1995	– 4	190
1996	– 5	90
1997	0,8	15
1998	– 4,8	28
1999	3,2	86
2000	9	21
2001	5	21
2002	4	15

Sources: FMI, *Perspectives de l'économie mondiale*, 1993 à 1999. *OCDE en chiffres*, volume 2002, supplément 1. *L'état du monde*, 2002, 2003.

Depuis 1993, les pays de l'Europe centrale et orientale sortent progressivement de la récession. En Pologne, l'expansion a été plus forte que chez ses voisins; le processus de transition vers l'économie de marché amorcé plus tôt a permis d'y limiter les chocs. L'inflation a diminué en Pologne, en Hongrie et surtout en République tchèque, mais la Bulgarie et la Roumanie accusaient des taux encore très élevés. Partout, les salaires ont fortement baissé et le salaire minimum s'est effondré; ce sont les salariés qui ont payé le coût des « thérapies de choc » liées à la transition vers l'économie de marché.

Sur le plan externe

Sur le plan externe, la transition vers le marché entraîne des difficultés aussi grandes que sur le plan interne. Rappelons d'abord les principaux traits de l'économie planifiée: monopole d'État concernant le commerce extérieur et contrôle des devises nécessaires aux transactions avec l'étranger. Le commerce international des pays socialistes est toutefois soumis aux lois du marché; pour financer leurs achats à l'étranger, ces pays doivent offrir des produits qui sont recherchés par les acheteurs étrangers. Quand les marchandises livrées par une économie planifiée ne trouvent pas acquéreur sur le marché international, les pays doivent alors recourir à l'emprunt pour financer leurs achats, à moins qu'ils détiennent en réserve des devises suffisantes pour payer leurs achats. Pour éviter l'endettement vis-à-vis de l'extérieur, le plan fixe comme objectif l'équilibre de la balance commerciale (*voir le tableau 11.1*).

Lorsque le commerce est libéralisé, l'échange n'est plus sous le contrôle de l'État ; il se fait alors directement avec les entreprises. Celles-ci sont censées adhérer à la logique comparative ; elles se procureront sur les marchés extérieurs les produits qui y sont relativement moins coûteux. Ce comportement est supposé assurer un gain économique, car il permet d'affecter les ressources nationales aux productions les plus efficaces (*voir le chapitre 7*).

À long terme, le niveau de vie des populations dépendra de l'insertion de ces économies dans la division internationale du travail et des gains de productivité qui amèneraient une baisse des coûts et des prix ainsi qu'un plus grand approvisionnement du marché intérieur.

Si ces économies se spécialisent dans la production et l'exportation de produits de base (produits agricoles, métaux, minéraux), leur état risque de n'être guère meilleur que celui des pays en développement : les prix des produits de base augmentent moins vite que ceux des produits manufacturés (*voir le chapitre 13*), et les pays exportateurs de produits de base subissent annuellement des pertes qui se chiffrent à plusieurs milliards de dollars.

De plus, les pays de l'Europe centrale et orientale et l'ex-URSS ne disposent pas, contrairement aux pays capitalistes développés, de centaines de milliards de capitaux investis dans les pays en développement et rapportant annuellement des milliards en profits dans leurs pays d'origine. Le commerce avec les pays en développement et l'exportation de capitaux dans ces pays ont contribué en bonne partie à l'enrichissement des pays industrialisés à économie de marché. La richesse accumulée par ces derniers dans leurs rapports avec le tiers-monde a joué indéniablement un rôle de stimulant économique ; les anciennes économies à planification centrale, quant à elles, ne pourront jouir des mêmes avantages.

11.5.2 Les conséquences pour le reste du monde

En ce qui concerne le reste du monde, les conséquences des changements survenus à l'Est sont variées et d'une grande importance pour la plupart des régions.

À court terme, ce sont les pays de l'Europe de l'Ouest qui bénéficieront le plus des changements survenus à l'Est. La transition vers l'économie de marché de même que la libéralisation des échanges ouvrent un marché de plusieurs millions de consommateurs pour les marchandises et les capitaux. Ce sont les pays de l'Union européenne, et en premier lieu l'Allemagne (principal partenaire commercial de ces pays), qui sont le mieux placés pour tirer profit du commerce avec les pays de l'Europe centrale et orientale et l'ex-URSS.

En général, l'ensemble de l'Union européenne profitera de la libéralisation des économies de l'Est. En 2004, plusieurs ex-pays ou républiques socialistes se sont joints à l'Union européenne.

Les États-Unis et le Japon bénéficieront eux aussi de la restructuration des économies est-européennes. Respectivement troisième et deuxième exportateurs mondiaux de marchandises, ces deux puissances ont surtout commercé avec l'ex-URSS, de loin le plus important marché de la région. Leurs firmes multinationales ont déjà investi des capitaux dans l'ex-URSS et dans les « ex-démocraties populaires ».

Encadré 11.2

RÉUNIFICATION DES DEUX ALLEMAGNES : L'ANNEXION DE L'ALLEMAGNE DE L'EST

Le traité d'union monétaire, économique et sociale conclu en mai 1990 entre les deux Allemagnes équivaut pratiquement à une annexion de la RDA (Allemagne de l'Est) par la RFA (Allemagne de l'Ouest). Cette union est un premier pas vers l'unité politique et la disparition de l'Allemagne de l'Est. Voici les grandes lignes du traité signé le 18 mai 1990 à Bonn, capitale de la RFA.

Principes généraux

Les deux parties forment au 1er juillet 1990 une union monétaire avec le deutsche mark[a] comme monnaie commune sur une seule zone monétaire unifiée. La Bundesbank[b] est l'institut d'émission de cette zone. Les liquidités et créances de la RDA seront changées en DM après l'entrée en vigueur du traité.

La base de l'union économique est l'économie sociale de marché. Elle se caractérise en particulier par la propriété privée, la concurrence, la libre formation des prix et une totale liberté de circulation du travail, du capital, des biens et des services.

Les dispositions de la Constitution de la RDA qui vont à l'encontre de l'union et qui constituaient le fondement de la société et de l'État socialistes ne seront plus appliquées.

Union monétaire

La Bundesbank règle, avec les instruments à sa disposition, en toute responsabilité, indépendamment des avis des gouvernements de RFA et de RDA, la masse monétaire et le volume de crédit dans toute la zone monétaire, avec le but de sauvegarder la monnaie.

Les salaires, les bourses, les retraites, les loyers et les autres versements périodiques sont convertis avec un taux de un contre un (1 DM pour 1 mark-Est).

Toutes les autres liquidités et créances de la RDA seront en principe changées avec un taux de un pour deux (1 DM pour 2 marks-Est).

Union économique

La RDA crée les conditions d'un développement des forces de marché et de l'initiative privée.

La RDA prend en compte les principes d'un commerce mondial libre, tels qu'ils sont exprimés dans l'Accord général sur le commerce et les tarifs douaniers (GATT).

Dans une annexe intitulée « Principes directeurs », la RDA s'engage à privatiser « le plus vite possible » les entreprises appartenant directement ou indirectement à l'État.

Union sociale

La RDA reprend les grands principes du droit du travail ouest-allemand : liberté d'association, autonomie des négociations salariales, droit de grève, cogestion et protection contre les licenciements.

La RDA instaure un système de sécurité sociale (maladie, retraite, accident et chômage) fondé avant tout sur des cotisations.

La RDA instaure un système d'aide sociale analogue à celui de la RFA.

La RFA aide la RDA, dans une période de transition, à couvrir les dépenses des assurances chômage et vieillesse.

On le voit ici, les grands principes sur lesquels s'appuie le traité traduisent la domination totale de la RFA sur sa voisine de l'Est. La RFA a payé cette annexion de quelques concessions monétaires, comme la conversion au pair du mark-Est en DM; elle devra toutefois engager des centaines de milliards de DM (1 DM égalait 0,605 dollar américain à la mi-juillet 1990) pour remettre sur pied l'économie est-allemande, notamment les infrastructures qui sont vitales pour la production industrielle (transports, énergie, communications, etc.). Cela occasionnera une diminution de ses investissements à l'étranger.

a. Monnaie de la RFA.
b. Banque centrale de la RFA.

Source : P. Louyet, « Le traité d'union monétaire, économique et sociale entre la RFA et la RDA », *Problèmes économiques*, n° 2.180, 20 juin 1990, p. 6-8.

Plus généralement, l'intégration de la Russie dans l'économie mondiale touchera les marchés de matières premières. Le pays exporte du pétrole brut, du gaz naturel, de l'or, du platine, du palladium, du nickel, du cuivre, du zinc et du plomb; ses exportations d'aluminium ont déjà fait baisser le prix de ce produit (les surplus d'acier des pays de l'Europe centrale et orientale ont également fait chuter le prix de l'acier). Sur le marché du travail, les travailleurs mis à pied ou sous-payés créent une offre de main-d'œuvre à bon marché qui fera baisser les salaires dans les autres pays. Par exemple, la Chine, officiellement socialiste, a ouvert des zones franches aux capitaux étrangers. Les coûts de main-d'œuvre y sont minimes, les heures de travail allongées (plus de 50 heures par semaine), les règles de sécurité peu appliquées, la protection sociale presque inexistante; les entrepreneurs de Hong-Kong et d'autres pays voisins y transfèrent des capitaux.

11.6 ● La Chine : économie socialiste de marché

11.6.1 Le modèle socialiste : 1949-1979

Avant l'arrivée au pouvoir du Parti communiste, la Chine n'avait pas connu de véritable décollage économique. Les tentatives de modernisation de son économie avaient été sporadiques et le fait d'intérêts étrangers. Ainsi, lorsque Mao Tsé-toung arrive au pouvoir au mois d'octobre 1949, la Chine est en grande partie rurale, ses infrastructures et ses capacités de production sont détruites en raison de guerres (guerre contre le Japon et guerre civile entre nationalistes et communistes) et l'inflation fait rage. L'Union soviétique lui fournira pendant les premières années (1949-1960) un modèle de développement et un appui financier et technique considérable.

Une des premières mesures économiques adoptées est la *réforme agraire (28 juin 1950)* : 46 millions d'hectares sur 107 seront confisqués à des propriétaires non exploitants et redistribués à 70 millions de familles. Également, puisque la stratégie de développement socialiste implique la mise en place d'instruments pour une planification centralisée, il y aura création, en 1952, d'une commission d'État du Plan, d'un bureau d'État des statistiques (système de comptabilité nationale d'inspiration soviétique), de même que des ministères économiques spécialisés. Au plan social, l'État entend intervenir à présent dans les affaires familiales et instaure la *loi sur le mariage (30 avril 1950)* qui interdit les unions arrangées.

Sous le premier plan quinquennal (1953-1957), l'État en viendra progressivement à contrôler, directement ou indirectement, la quasi-totalité de la production. À la fin de 1956, il n'existe plus que deux grandes catégories d'entreprises : les entreprises publiques, prédominantes, et les entreprises collectives, sous la tutelle d'autorités locales. Encore sous influence soviétique, la stratégie d'industrialisation est axée prioritairement sur le développement de l'industrie lourde : mines, sidérurgie, constructions mécaniques. L'aide économique et technique de l'URSS et des autres pays de l'Europe de l'Est jouera un rôle important dans ce sens, dans la mesure où les capacités de fabrication de machines et d'équipements de la Chine sont sous-développées. Pendant cette même période, la Chine réoriente ses relations commerciales vers les autres pays communistes et adhère au COMECON. En 1957, elle effectue avec les pays satellites plus des deux tiers de l'ensemble de ses échanges extérieurs, dont plus de la moitié avec l'URSS[2].

Au printemps de 1958, Mao annonce sa thèse du « Grand Bond en avant » axée sur le potentiel productif de l'énorme bassin de main-d'œuvre que possède son pays. Même si le capital manque, il estime possible de stimuler la ferveur révolutionnaire des masses (par la propagande et des

---

2. F. Lemoine, *La nouvelle économie chinoise*, Paris, Éditions La Découverte, 1994, p. 10.

mesures coercitives) pour atteindre des objectifs élevés de production. Cette mobilisation permettrait le développement simultané de l'agriculture et de l'industrie, faisant fi de la technologie et d'un modèle de développement préétabli. Avec le Grand Bond seront créées 26 000 communes populaires regroupant 98 % des familles paysannes. Aussi, à la fin de 1958, près de 20 millions de paysans travaillent dans des petites aciéries rurales. Dans le secteur urbain, la cadence au travail s'accélère frénétiquement. L'objectif du parti est clair : brûler les étapes dans la course au développement et *rattraper l'Angleterre en 15 ans.*

Le Grand Bond se solda par un coût économique et humain énorme : la récolte céréalière chuta de 30% entre 1958-1960. Pour pallier ce bilan, la Chine procédera à ses premières importations céréalières en 1960, mais le mal sera fait puisque la malnutrition et la famine frappent le pays. L'industrie connaît aussi un recul face au manque de matières premières et de débouchés pour sa production[3].

Pendant cette même période, les relations diplomatiques entre l'URSS et la Chine dégénèrent. En 1960, c'est la rupture : l'URSS rapatrie de Chine ses techniciens en coopération. Un an plus tard, leurs échanges commerciaux s'effondrent et la Chine rembourse par anticipation les prêts soviétiques.

Mais la crise au sein du bloc communiste s'installe aussi au sein du Parti communiste chinois. L'échec du Grand Bond a miné la crédibilité de Mao et les critiques ouvertes remettent en question son autorité. C'est alors qu'il lancera la célèbre « Révolution culturelle » (1966-1970). Dès la fin de 1965, les milieux intellectuels libéraux sont vivement critiqués dans la presse ; il est question : de lutter contre « l'embourgeoisement » au sein du PCC, notamment contre les membres qui prônent une vision plus pragmatique ou « de droite » des problèmes économiques chinois ; de relancer l'esprit révolutionnaire dans les campagnes et les usines par un « mouvement d'éducation socialiste » ; de la mobilisation spontanée de la jeunesse maoïste qui en vient à former les gardes rouges (jeunes partisans de Mao). La Révolution culturelle culminera en 1969 avec la diffusion de la pensée de Mao dans le *Petit Livre rouge* publié à des millions d'exemplaires.

---

3. J.-F. Soulet et S. Guinle-Orinet, *Le monde de la fin des années 1960,* Paris, Éditions Armand Colin, 1998, p. 69.

11.6.2 L'ère des réformes

Lorsque meurt Mao Tsé-toung, le 9 septembre 1976, non seulement prend fin la Révolution culturelle, mais s'ouvre une ère nouvelle où le courant plus pragmatique ou gestionnaire au sein du Parti communiste évince graduellement les idées plus radicales de la « maoïsation » de l'économie chinoise. Dès l'année 1975, un des vice-présidents du Comité central du Parti, Deng Xiaoping, qui avait été longtemps écarté du pouvoir, présente un rapport en vue d'une *modernisation* de l'économie chinoise. La Chine en a grandement besoin, dans la mesure où sa structure de production présente les caractéristiques du sous-développement : un peu plus des trois quarts (76,3 %) de sa population active œuvrent dans le secteur agricole, le reste étant partagé entre l'industrie (12,1 %) et les services (11,7 %) ; de plus, les produits agricoles contribuent à plus de 40 % de ses recettes d'exportation (*voir le tableau 11.4*). Cette structure de production est en fait le résultat d'un fort taux d'investissement dans le secteur moderne de l'industrie durant la période 1957-1972, financé par des taux d'accumulation (investissement/ PIB) de plus de 30 %. Cela s'est fait au détriment du secteur agricole, qui ne recevait que 10 % du total des investissements et, par conséquent, n'a pu améliorer sa productivité[4].

Sous Deng Xiaoping, président depuis décembre 1978, la Chine vivra la « révolution réformatrice » de son économie. Jusqu'en 1984-1985, l'accent sera mis surtout sur la décollectivisation des campagnes, entraînant la disparition des *communes populaires* de l'ère maoïste. Le retour à l'exploitation familiale des terres est jumelé à la hausse des prix des produits agricoles, autorisée par l'État. L'effet bénéfique de cette réforme sera immédiat : de 1978 à 1984, la production agricole augmente à un rythme sans précédent, de plus de 7 % par an, la récolte céréalière d'un tiers, la production de coton triple presque, et celle de la viande augmente de 70 %[5].

À partir de 1984, la réforme s'étend au reste de l'économie. Le Comité central décide de la libéralisation progressive des prix, de la déconcentration du commerce extérieur, de l'élargissement de l'autonomie des entreprises et, d'une manière générale, prône un système où coexistent le

---

4. F. Lemoine, *op. cit.*, 1994, p. 15.
5. F. Lemoine, *op. cit.*, p. 21.

plan et le marché. Outre la décollectivisation des terres agricoles et la réhabilitation du principe de concurrence ou « système de responsabilité » (instauré en 1987) en tant que mode de gestion des entreprises, c'est la stratégie d'ouverture de l'économie chinoise qui mérite notre attention. Dans la foulée des « Quatre Modernisations » (agriculture, industrie, défense nationale, science et technique), la politique d'ouverture a deux objectifs : attirer des capitaux étrangers (investissements directs, emprunts) et promouvoir les échanges extérieurs afin d'accélérer la croissance et la modernisation de l'économie chinoise.

En 1980, la Chine devient membre du FMI et de la Banque mondiale. Bien que la Banque mondiale devienne une source de financement qui prend de l'ampleur à cette époque, les dirigeants chinois préfèrent adopter une politique financière prudente et limiter l'endettement extérieur. Pour ce faire, ils cherchent à attirer des capitaux étrangers sous forme d'investissements directs, impliquant un partage des responsabilités et des risques entre les deux parties. L'objectif est de favoriser les transferts de la technologie occidentale (équipements, techniques et gestion) pour des fins de modernisation. La loi de juillet 1979 autorise les investissements étrangers dans des sociétés à capital mixte ; depuis lors, des législations ont étendu cette politique à plusieurs secteurs (infrastructures, industries de haute technologie, industries d'exportation) où ces investissements bénéficient d'avantages fiscaux. Toujours en 1979, on assiste à la création des quatre premières zones franches ou zones économiques spéciales (ZES), soit Shenzhen, près de Hong-Kong, Zhuhai, près de Macao, Shantou et Xiamen, face à Taïwan[6]. En 1984, le principe des zones franches s'étend à quatorze autres villes côtières, dont Shanghai ; en 1985, c'est le tour des zones de deltas (celui du Yangtsé autour de Shanghai, et celui de la rivière des Perles dans la province du Guangdong) ; enfin, en 1988 s'ajoutent de nouvelles régions côtières et l'île de Hainan, cinquième ZES, ce qui achève d'ouvrir l'ensemble de la côte maritime chinoise aux investissements étrangers. Il est à souligner qu'avec ces ZES, il est question « d'expérimenter les modes de gestion occidentaux » et de participer aux opérations internationales de « délocalisation » de la production.

---

6. Le gouvernement offre des avantages aux entreprises s'établissant dans ces zones, telles la réduction de l'impôt sur le bénéfice des entreprises mixtes ou l'entrée en franchise douanière des produits importés pour être réexportés après transformation.

L'ensemble de cette première stratégie de réforme de l'économie chinoise se traduit par une forte croissance de la production (surtout industrielle) du pays et de ses exportations. De 1981 à 1991, le taux de croissance du PIB est de l'ordre de 10 % annuellement ; la valeur des exportations triple, passant de 22 milliards à 71,8 milliards de dollars américains[7].

11.6.3 Le socialisme de marché

Une nouvelle phase de réformes économiques débute officiellement à l'automne de 1992 avec l'annonce, au congrès du Parti communiste, de l'objectif de la transition vers l'« économie socialiste de marché ». Ainsi, pendant cette décennie, deux impératifs dominent : 1) poursuivre les réformes au niveau des entreprises d'État en les soumettant aux règles de la concurrence ; et 2) mettre en place les institutions et les instruments qui permettront de réguler l'activité économique et de donner à l'État des moyens d'intervention. Il est donc question de créer un marché qui servira à canaliser l'épargne intérieure vers les investissements. Auparavant, l'État avait pour rôle d'orienter une épargne forcée dans le cadre de sa stratégie d'industrialisation ; dorénavant, ce sera au système bancaire et financier à tenir progressivement ce rôle. Soulignons à ce sujet la création des Bourses de Shenzhen et de Shanghai au mois de décembre 1990.

Au début des années 1990, l'expression « socialisme de marché » n'est pas synonyme de privatisation : les entreprises privées demeurent l'exception plutôt que la règle, ne jouant qu'un rôle « complémentaire » à l'économie de propriété publique. Il est d'abord question de « revitaliser les entreprises d'État » en réformant leur mode de gestion, et ce, grâce à des capitaux étrangers, pour celles qui sont cotées en Bourse. Il faudra attendre en 1995, avec la politique de *zhuada fangxia* — « garder les grandes, laisser partir les petites » —, pour voir le régime sacrifier des firmes d'État — uniquement les petites — qui seront vendues aux enchères ou absorbées dans des fusions et acquisitions. Enfin, ce n'est qu'en 1999 que la Constitution sera amendée pour reconnaître le secteur privé en tant que « composante importante » de l'économie chinoise, et ce, dans la mesure où le PCC ne peut plus ignorer l'apport économique des entreprises privées, dont le nombre a crû de 35,5 % par an pendant cette décennie[8].

---

7. Banque mondiale, 2002.
8. F. Bobin, le 13-11-2002, [en ligne : http://www.lemonde.fr.].

Tableau 11.4 Évolution de la structure économique chinoise (1975-2000) : pourcentage de la population active selon le secteur d'activité

% population active	1975	1980	1991	2000
Agriculture	76,3	68,9	53,9	46,9
Industrie	12,1	18,5	19,2	17,5
Services	11,7	12,6	26,9	35,6

Sources : *L'état du monde,* 2003. *L'état du monde,* 2002, pour l'année 1975.

Malgré cette politique de « petits pas » quant à la stratégie de réforme lancée à la fin des années 1970, le bilan économique de la décennie 1991-2001 est globalement positif. Sur le plan de la structure économique, la Chine est en voie de se moderniser : la part de sa population active travaillant dans le secteur agricole est tombée à 46,9 %, celle œuvrant dans l'industrie a augmenté à 17,5 % et celle employée dans les services, à 35,6 % (*voir le tableau 11.4*). Aussi, bien que son taux de croissance ait « ralenti » à 9,7 % annuellement pendant cette décennie, le PIB chinois a atteint en 2001, 1 131 milliards de dollars (sixième rang mondial) et 5 019 milliards en PPA (deuxième rang derrière les États-Unis)[9]. Les progrès les plus notables touchent le commerce extérieur : ses exportations ont presque quadruplé, passant de 71,8 milliards à 266,2 milliards de dollars. On peut également mesurer ses efforts d'industrialisation en examinant la composition de ses exportations et de ses importations : les produits agricoles ne représentent plus que 4,8 % du total de ses exportations, alors que 90 % de celles-ci sont constituées de produits manufacturés (*voir le tableau 11.5*). Par ailleurs, 40 % de ses importations consistent en des biens capitaux[10].

---

9. *L'état du monde,* 2003.
10. Banque mondiale, 2002.

Tableau 11.5 Évolution de la composition des exportations chinoises (1974-2001)

% total des exportations	1974	1986	1991	2001
Produits agricoles	42,4	16,2	10,1	4,8
Produits énergétiques	16,3	8,4	6,6	3,2
Produits manufacturés	47,5	71,4	77,5	90,1

Sources : *L'état du monde,* 2003. Banque mondiale, 2002, pour les statistiques de 1991 et 2001.

La stratégie de modernisation de l'économie chinoise n'a pas seulement des points positifs. Tout d'abord, la « revitalisation » des entreprises d'État, qui ne représentent plus que 40 % du secteur industriel, a été destructrice d'emplois, faisant grimper le chômage urbain. Bien que le taux officiel se situerait entre 3 % et 8 %, d'autres estimations suggèrent que ce taux serait plutôt de l'ordre de 15 % à 18 % et même jusqu'à 30 %, si on inclut la population sans emploi fixe[11]. De plus, des grèves majeures ont éclaté dans le nord-est du pays (l'ancienne Mandchourie), où avaient été développés d'importants complexes sidérurgiques avec l'aide soviétique. La restructuration de ce secteur d'État, maintenant en faillite, a généré tellement de pertes d'emplois que la contestation sociale — incluant de nombreux attentats — s'est développée de façon régulière dans cette région.

Enfin, on notera l'augmentation des inégalités sociales et le fait que, encore une fois, les laissés-pour-compte de cette restructuration de l'économie proviennent du monde paysan — ce qui peut sembler paradoxal puisque celui-ci a été la force créatrice du PCC. En 2001, seulement 10 % à 15 % du budget de l'État restait alloué au secteur agricole. De plus, en mars 2002, Hu Angang, économiste chinois réputé, affirmait que le revenu moyen de ces paysans a chuté de la moitié depuis 1978[12]. Ceci est fort inquiétant dans la mesure où la Chine a toujours une base agricole très importante — près de 50 % de la population active y travaillant — ce qui marque ce pays de l'empreinte du sous-développement.

11.6.4 La Chine du XXIᵉ siècle : perspectives

La Chine, est devenue membre de l'OMC au mois de décembre 2001. Pour ce faire, elle a consenti à diminuer ses barrières protectionnistes (suppression de licences de quotas, simplification des formalités

---

11. R. Serra, « Bilan de l'année/Chine », *L'état du monde,* 2003, p. 285.
12. *Ibid.,* p. 285-286.

d'import/export, diminution de ses tarifs sur certains produits, dont les voitures importées) et à poursuivre ses réformes économiques et sociales (démocratisation). En plus d'être membre de l'OMC, la Chine a signé, le 4 novembre 2001 à Phnom Penh (Cambodge), un accord régional de libre-échange avec les dix pays membres de l'ASEAN (Association des nations de l'Asie du Sud-Est), donnant ainsi naissance à un énorme marché commercial. Aussi, malgré le fait que certains analystes prévoient que le monde agricole risque d'être durement touché par les dispositions de l'OMC, il n'en demeure pas moins que cet accord permettra de stimuler l'industrie textile et d'offrir de nouvelles possibilités aux Chinois — par exemple, pour ceux qui peuvent se le permettre, de « réaliser leur rêve d'avoir *leur propre voiture* »[13]. La Chine fonde ainsi l'espoir qu'en étant membre de l'OMC, elle puisse voir le niveau de vie de sa population augmenter — le PIB réel par habitant étant de 4 260 $ US (PPA) en 2001, ce qui place ce pays à un niveau de revenu moyen, selon la Banque mondiale.

La place accordée aux entrepreneurs privés dans le PCC risque de lui aliéner sa base ouvrière et agricole. Les conditions de travail auxquelles sont confrontés les ouvriers des usines privatisées et étrangères peuvent attiser les conflits sociaux. Une crise sociale latente marquée par la montée du chômage et l'augmentation des inégalités entre les zones urbaines et rurales, ainsi qu'entre les régions côtières et les régions intérieures, pourrait faire trébucher le pays dans sa course vers les sommets de l'économie mondiale.

* * *

Nous allons terminer ce chapitre avec cette citation critique du modèle que l'on peut offrir aux nouvelles sociétés de l'Est et au socialisme de marché chinois :

> Le communisme est la jeunesse du monde : cette phrase, qu'il serait facile aujourd'hui de tourner en dérision, prononcée au cœur des années 1930 dans un monde capitaliste qui semblait se déliter, portait une promesse et un rêve pour les plus déshérités. Quelque part, pour eux, le rêve s'était matérialisé et, chez nous comme ailleurs, il a sauvé du désespoir plusieurs générations de malheureux. Il est mort aujourd'hui, tué en premier par ceux-là mêmes qui avaient mission de le faire vivre. Qu'avons-nous à offrir en échange ? Serait-ce le matérialisme de la surabondance vulgaire ? L'emphase (*sic*) mise sur une liberté débridée d'entreprendre et de

---

13. Chiffres et citations tirés du journal *Le quotidien du peuple*, 02 janvier 2003, [en ligne : http://fpfre.people daily.com.cn].

commercer qui, en attendant de rencontrer ses propres limites, provoque, dans le milieu naturel comme dans le tiers-monde, des dégâts qu'il faudra bien payer un jour? La conquête prioritaire de l'argent? Le culte des petits héros d'entreprise? L'efficacité dénuée de sens dès qu'elle est recherchée pour elle-même[14]?

La question soulevée est finalement la suivante: l'homme peut-il créer un système qui assure la justice et l'équité sociale sans aliéner les libertés fondamentales (expression, association, choix de vie, etc.)? Ce questionnement dépasse la portée du présent ouvrage, mais il situe le débat fondamental que posent l'échec des régimes socialistes et la critique du système capitaliste.

Résumé   En octobre 1917 naissait le premier État socialiste: l'URSS. À la suite de la Seconde Guerre mondiale, plusieurs «démocraties populaires» étaient créées en Europe de l'Est. Dans ce type d'économie, les moyens de production sont la propriété de l'État, et les grandes orientations (production, investissement, commerce extérieur) sont déterminées par le plan.

Au milieu des années 1980, un processus de restructuration appelé *perestroïka* s'amorçait en URSS. Libéralisation politique et décentralisation de la gestion économique sont les aspects centraux de ce processus. Dans les pays de l'Europe de l'Est, la direction du parti unique et la planification centrale de l'économie étaient remises en question par les populations de tous les pays. En 1989, les gouvernements socialistes devaient renoncer au monopole du pouvoir.

Les économies à planification centrale de l'URSS et de l'Europe de l'Est cèdent la place à l'économie de marché. Pour les anciens pays socialistes se pose aujourd'hui la question du modèle économique à choisir. Socialisme de marché, capitalisme libéral, économie mixte, telles sont les voies qui s'offrent à ces nouvelles sociétés. La transition à l'économie de marché est une expérience douloureuse pour les populations des ex-pays socialistes.

La Chine offre un modèle différent de transition au marché. La dictature du parti unique sur les affaires politiques demeure, tandis que des secteurs importants de l'économie sont privatisés ou offerts au capital étranger: c'est le socialisme de marché.

---

14. R. Passet, «Les bouleversements dans les sociétés communistes: la politique et le chaos», *Le Monde diplomatique,* décembre 1989, p. 13.

Questions

1. Comparez l'économie planifiée à l'économie de marché.

2. Quelles sont les causes des changements survenus dans l'ex-URSS et dans les pays de l'Europe centrale et orientale ?

3. *a)* Quels choix recouvre l'expression « transition vers l'économie de marché » ?
   b) Vers quel modèle s'orientent les ex-pays socialistes ?

4. Quelles sont les principales modifications qui se sont produites dans l'ex-URSS et dans les pays de l'Europe centrale et orientale ?

5. Énumérez et analysez les conséquences de ces changements pour le reste du monde.

6. Analysez l'une de ces économies (croissance, inflation, chômage, balance courante) et décrivez le système qu'elle a choisi.

7. Montrez, à partir des exemples de l'ex-URSS et de la Chine, les formes différentes de transition au marché.

8. Expliquez le concept de socialisme de marché.

9. *a)* Quelles places occupent la Chine et la Russie en ce qui concerne le PIB et l'exportation de marchandises ?
   b) Quelle a été l'évolution du PIB et de l'exportation de marchandises dans ces 2 pays depuis 10 ans ?

Thèmes de réflexion

● La transition vers l'économie de marché et les conditions de vie des populations des ex-pays socialistes, celles des femmes en particulier.
● La Chine en tant que puissance ascendante.

Références bibliographiques

BANQUE MONDIALE, *Rapport sur le développement dans le monde.*

BEAUD, M., *Le socialisme à l'épreuve de l'Histoire,* Paris, Éditions du Seuil, 1985.

BRUS, W., *Histoire économique de l'Europe de l'Est (1945-1985),* Paris, Éditions La Découverte, 1986.

BRUS, W., *Problèmes généraux du fonctionnement de l'économie socialiste,* coll. « Économie et socialisme », Paris, Éditions F. Maspero, 1970.

CHOSSUDOVSKY, M., « Richesse et misère du grand "bazar russe"», *Le Monde diplomatique,* janvier 1993, p. 12-13.

CLAIRMONT, F.F., « La Russie au bord du gouffre », *Le Monde diplomatique,* mars 1999, p. 18-19.

DEMBISKI, P.H., *Les économies planifiées : la logique du système,* coll. « Points » (Économie), Paris, Éditions du Seuil, 1988.

DIGLE, I., « Ajustement structurel et croissance économique dans les pays d'Europe centrale et orientale », *Problèmes économiques,* no 2.463, 13 mars 1996, p. 19-23.

FMI, *Perspectives de l'économie mondiale.*

GALBRAITH, J.K., « Comprendre ce qui se passe en Union soviétique : le sens des priorités », *Le Monde diplomatique,* février 1990, p. 9.

HAGERMAN, E., « L'ouverture de l'économie chinoise : un facteur de changements intérieurs ? », *Problèmes économiques,* no 2.297, 28 octobre 1992, p. 11-17.

KOLKO, J., *Restructuring the World Economy,* New York, Pantheon Books, 1988.

LAVIGNE, M., « Un géant commercial dans la maison commune », *Le Monde diplomatique,* janvier 1990, p. 11.

LAVIGNE, M. et ANDREFF, W., *La réalité socialiste,* Paris, Economica, 1985.

LEMOINE, F., *La nouvelle économie chinoise,* Paris, Éditions La Découverte, 1994.

LEW, R., « Un capitalisme chinois nommé socialisme », *Le Monde diplomatique,* juillet 1992, p. 26.

MILZA, P. et BERSTEIN, S., *Histoire du XXe siècle : 1973 à nos jours, la recherche d'un nouveau monde,* tome 3, Paris, Éditions Hatier, 1993.

OCDE, *Perspectives économiques.*

PASSET, R., « Les bouleversements dans les sociétés communistes : la politique et le chaos », *Le Monde diplomatique,* décembre 1989, p. 13.

Problèmes économiques, « Europe de l'Est et URSS », no 2.189, 5 septembre 1990.

Problèmes économiques, « 1989-1999, À l'Est, quoi de nouveau ? », nos 2.638-2.639, 3-10 novembre 1999.

RICŒUR, N. et ZLOTOWSKI, Y., « Europe centrale et orientale, des réformes aux désillusions : l'évolution économique de 1990 à 1992 », *Problèmes économiques,* no 2.273, 29 avril 1992, p. 10-19.

SOULET, J.-F. et GUINLE-ORINET, S., *Le monde de la fin des années 1960,* Paris, Éditions Armand Colin, 1998.

QUATRIÈME PARTIE

Les pays en développement

CHAPITRE 12 Les pays en développement dans l'économie mondiale

OBJECTIFS

APRÈS AVOIR LU CE CHAPITRE, L'ÉLÈVE SERA EN MESURE :

- de distinguer les concepts de croissance et de développement ;
- de présenter l'origine historique des pays actuellement en développement ;
- de distinguer les principales caractéristiques de ce groupe de pays sur les plans social et économique ;
- d'exposer les faiblesses de l'agriculture ;
- de présenter certaines solutions au problème agricole ;
- de décrire le phénomène des nouveaux pays industrialisés.

Aborder la question du développement, c'est toucher à l'un des problèmes les plus cruciaux de notre époque, celui de plus des trois quarts de la population mondiale.

Ce chapitre situe les pays en développement dans l'économie mondiale en présentant leurs principales caractéristiques sociales et économiques. Il retrace l'origine de certains de leurs traits actuels dans la période antérieure à la formation de ces États, à l'époque où ces régions étaient soumises au colonialisme des puissances européennes.

Plusieurs pays en développement sont encore aujourd'hui hyperspécialisés dans la production et la vente de produits de base ; toutefois, une certaine différenciation est en train de s'établir au sein du groupe.

12.1 ● Des pays nouveaux

La création, depuis la Seconde Guerre mondiale, d'une centaine de nouveaux États a été l'un des phénomènes marquants du XXe siècle. Avant 1945, la planète comptait au plus une soixantaine d'États ; au début du XXIe siècle, on en dénombre plus de 200, si l'on considère les petits pays tels que Monaco, le Liechtenstein, etc.

Le bouleversement économique et politique représenté par le mouvement d'émancipation nationale des peuples colonisés a favorisé l'élaboration de théories sur la nature de ces nouveaux pays. Les revendications économiques de ces derniers et les débats sur la voie politique (économie de marché ou économie planifiée) susceptible d'y être adoptée ont suscité l'essor des théories économiques du sous-développement.

12.1.1 Une question de terminologie

Différentes expressions ont servi à désigner le groupe des pays d'Afrique, d'Asie et d'Amérique latine sur lesquels portent ces analyses : « pays sous-développés », « pays du tiers-monde » et « pays en développement » sont les expressions le plus couramment employées.

La première fait référence à un état de retard historique et porte en elle-même une explication du problème ; elle suggère que les pays concernés sont à une étape de développement antérieure à celle atteinte par les pays « développés ». La deuxième se rapporte à un découpage du monde en trois camps : les économies capitalistes, les économies socialistes et, enfin, le tiers-monde, qui rassemble les pays qui n'ont opté pour aucun de ces deux systèmes économiques et politiques, et qui cherchent une voie de développement originale ; dans ce cas, on identifie les pays à partir de leur système économique et de leur attitude politique bien plus que par le niveau de leur développement. La troisième expression suppose que le développement est en train de se réaliser, ce qui n'est pourtant pas le cas de plusieurs des pays concernés.

Dans cet ouvrage, nous utilisons surtout la dernière expression citée, soit « pays en développement », car c'est l'appellation employée officiellement par les organismes internationaux (Banque mondiale, Fonds monétaire international, Organisation de coopération et de développement économiques, Banque des règlements internationaux) ; mais nous parlons aussi, à l'occasion, de « pays du tiers-monde » et de « pays sous-développés ».

12.1.2 La notion de développement

Au cours des années 1950, le développement était encore synonyme de croissance. L'augmentation de la production (PIB) constituait la mesure par laquelle on évaluait le développement d'un pays. Mais, dans de nombreux pays, plusieurs années de croissance n'ont pas réussi à satisfaire les besoins les plus élémentaires de l'existence : nourriture, logement, eau potable, éducation, soins médicaux. Cela a entraîné la différenciation des notions de croissance et de développement. Aujourd'hui, le développement n'est plus synonyme de croissance ; cette notion évoque plus globalement un processus de transformation à long terme des structures économiques, sociales et politiques, dont l'objectif est de répondre aux besoins fondamentaux des populations. Sur le plan économique, le revenu par habitant et la structure économique constituent des critères de distinction entre le développement et le sous-développement ; sur le plan social, la situation en matière de santé (alimentation, espérance de vie, etc.) et d'éducation (scolarisation, etc.) distingue également les pays.

Ainsi, un pays comme le Brésil, se classant parmi les 10 premières puissances mondiales en l'an 2000, n'a pas atteint cet objectif : une proportion importante de Brésiliens sont privés de certaines nécessités vitales, souffrant de malnutrition, de sous-scolarisation et de conditions de santé déficientes. Cet État fait toujours partie du groupe des pays en développement.

12.2 ● Un produit historique

12.2.1 Le colonialisme

Les pays en développement sont aujourd'hui concentrés en Afrique, en Asie et en Amérique latine. La plupart ont été colonisés pendant des siècles par des puissances étrangères, d'Europe principalement. Le système colonial s'est maintenu pendant plus de quatre siècles.

Le colonialisme est un système d'exploitation des populations et des territoires étrangers axé sur les besoins des métropoles, c'est-à-dire des pays qui exercent leur domination sur les territoires concernés. Une colonie « appartient » à un pays étranger, qui l'administre politiquement et militairement[1].

Les premières colonies ont été créées à la suite des grandes explorations portugaises (Magellan, Vasco de Gama) et espagnoles (Christophe Colomb) aux XVe et XVIe siècles. Les deux Amériques et l'Afrique côtière ont été les cibles premières des expéditions de soldats et de colons. La deuxième vague a déferlé au XIXe siècle et a culminé avec le partage de l'Afrique entre les grandes puissances européennes à la Conférence de

---

1. Les métropoles ont établi deux types de colonies : la colonie d'exploitation (en Amérique du Sud, en Afrique et dans certains pays d'Asie), basée essentiellement sur l'exploitation des richesses naturelles et des populations, réduites à l'esclavage ; aucune transformation des produits extraits n'y était tolérée ; la colonie de peuplement (Amérique du Nord, Australie, Nouvelle-Zélande, etc.) basée sur l'immigration en provenance des métropoles (Angleterre et France) ; les immigrants y devenaient producteurs agricoles et étaient généralement propriétaires de leurs terres ; des activités manufacturières ont pu rapidement être mises sur pied.

Berlin, en 1885. Les territoires y ont été découpés selon les zones d'influence des métropoles : l'Afrique de l'Ouest restait sous la domination française, le Centre sous la domination belge ; à l'Est et au Sud, l'Empire britannique consolidait son emprise ; quelques territoires étaient sous la juridiction allemande et portugaise. Le partage du continent s'est effectué sans aucun souci des ethnies, langues et cultures présentes ; seul a prévalu l'intérêt des métropoles dans la concurrence pour l'expansion du territoire et des marchés d'exportation.

Le colonialisme a permis l'extrême exploitation du sol, du sous-sol et des habitants des territoires conquis. Sa règle de base consistait à extraire les produits bruts issus de l'agriculture ou des mines, en embrigadant de force les autochtones ou en les réduisant à l'esclavage. Ces produits étaient ensuite expédiés dans les métropoles pour y être transformés. **La règle d'or du colonialisme était de ne produire dans la colonie aucun bien qui puisse concurrencer la métropole** ; en général, aucune transformation n'y était permise. La colonie demeurait l'apanage d'une puissance qui s'y approvisionnait en produits de base. Cette dernière se réservait le privilège d'exiger de la colonie l'exportation de quantités déterminées de marchandises et, à cette fin, de forcer la population étrangère à fournir gratuitement quelques journées de travail par semaine.

Le travail, à l'origine, était effectué par les indigènes, soumis à l'esclavage. Ce fut le cas, par exemple, en Amérique du Sud. Toutefois, le caractère inhumain des conditions de vie a presque mené à l'extermination de cette main-d'œuvre. À la recherche d'une autre source de travailleurs, les puissances européennes ont procédé à l'un des plus grands crimes de l'histoire, constitué par le rapt et le commerce de la population africaine, laquelle fut échangée contre des marchandises ou l'or du Nouveau Monde. Les forces vives de l'Afrique ont alors été transportées comme du bétail pour être réduites en esclavage dans les mines et les plantations. Une grande proportion de la population américaine est, encore aujourd'hui, d'ascendance africaine.

Le colonialisme a constitué pour les pays colonisateurs un facteur majeur de développement, ayant contribué à l'accumulation du capital initial à partir duquel se sont élevées peu à peu les puissances industrielles.

12.2.2 Le démantèlement du système colonial

Le système colonial a commencé à se désintégrer à la fin du XVIIIᵉ siècle lors de la révolution américaine (1776), dirigée contre la mère patrie britannique. Au XIXᵉ siècle, la grande majorité des nations sud-américaines acquerront à leur tour leur indépendance par des révolutions contre l'Espagne et le Portugal. Quant aux colonies d'Asie et d'Afrique, créées un peu plus tard, elles se libéreront dans la deuxième moitié du xxᵉ siècle.

La Seconde Guerre mondiale (1939-1945) a été un point tournant de ce mouvement. Les principaux pays coloniaux (France, Angleterre, Belgique, Allemagne, Japon, Italie) sont sortis de cette guerre avec une puissance et un potentiel économiques sérieusement entamés : la capacité de production réduite, les infrastructures détruites, les populations décimées et épuisées ne permettent plus de maintenir le contrôle des colonies. La modification des liens entretenus avec ces pays et les nécessités de l'économie de guerre ont accéléré l'industrialisation des colonies asiatiques et africaines. La présence des populations locales dans l'armée des métropoles a permis le développement d'une force militaire autochtone qui, à la fin des hostilités, servira la cause de la décolonisation contre les armées des métropoles. De plus, le renforcement du nationalisme a favorisé dans les colonies la création de mouvements nationaux de plus en plus revendicateurs.

De 1943 à 1955, pas moins de 15 pays, surtout d'Asie, accèdent à l'indépendance. En 1945, c'est d'abord le Viêtnam, ex-partie de l'Indochine française ; puis, en 1947, l'Angleterre est amenée à se retirer de l'Inde. En 1945, le Japon, écrasé, doit quitter la Chine, la Corée et Taïwan. Cette vague de décolonisation se poursuit durant les années 1950 et 1960, qui voient les Afriques française (Sénégal, Mali, Guinée, etc.) et anglaise (Nigeria, Tanzanie, Ghana, etc.) conquérir leur indépendance. Au cours des années 1970, on assiste à la décolonisation de l'Afrique portugaise (Angola, Mozambique, Guinée-Bissau) ; à la fin des années 1980, le processus se poursuivait toujours avec l'indépendance de la Namibie (*voir l'encadré 12.1*), qui était occupée par l'Afrique du Sud.

En tant que système, le colonialisme est aujourd'hui révolu. Mais les pays en développement restent marqués par la colonisation qu'ils ont subie. Celle-ci est partiellement à l'origine de leur structure économique*, où domine le secteur primaire, et de leur structure d'exportation, où dominent les produits de base. L'agriculture et les mines sont les deux secteurs que les métropoles ont développés dans les colonies afin de pallier l'absence, chez elles, de certains produits nécessaires à leur propre développement. Aussi, au lendemain des déclarations d'indépendance, les anciennes colonies se sont fréquemment retrouvées avec une structure économique déformée, orientée vers la production d'un nombre restreint de produits de base destinés à l'exportation. Et leur stock de richesses naturelles avait été épuisé par des centaines d'années de pillage systématique.

Encadré 12.1

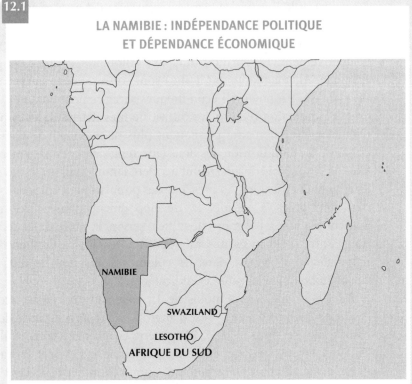

LA NAMIBIE : INDÉPENDANCE POLITIQUE
ET DÉPENDANCE ÉCONOMIQUE

Si la population à majorité noire du Sud-Ouest africain, pays aussi connu sous le nom de Namibie, pourra enfin accéder dès cette année [1989] à l'indépendance politique, elle est loin d'être en mesure de secouer le joug économique qui lui est imposé, depuis plus de 70 ans, par l'Afrique du Sud.

L'intervention prévue de milliers de Casques bleus de l'ONU à compter du 1er avril [1989], dans une des dernières opérations de décolonisation en Afrique, garantit le processus d'indépendance qui passera le 1er novembre par des élections constituantes gagnées d'avance par les partis de la majorité noire. Les troupes sud-africaines se retireront, le gouvernement dirigé par la minorité blanche (marionnette de Pretoria[a]) cédera la place à l'assemblée élue, mais l'« apartheid[b] économique » de fait se poursuivra.

Comme tous ses voisins d'Afrique australe (Angola, Zambie, Tanzanie, Zimbabwe, Mozambique, Malawi, Botswana, Lesotho et Swaziland), la Namibie doit sa survie économique à la puissante Afrique du Sud, riche et raciste. La majorité de ses importations — notamment les biens de consommation — proviennent du pays de l'apartheid. De même, ses exportations — surtout diamants, cuivre, uranium et autres minéraux — sont destinées à ce pays ou y transitent.

Comme ses voisins, qui ensemble enregistrent chaque année un déficit de 1,5 milliard $ dans leur commerce avec l'Afrique du Sud, la Namibie dépend du réseau ferroviaire qui converge depuis l'intérieur du continent jusqu'aux ports sud-africains (un héritage du colonialisme britannique dans cette partie du monde). De plus, sur sa côte atlantique, le pays doit souffrir la présence d'une enclave qui reste totalement sous le contrôle de Pretoria, la région de Walvis Bay[c], une zone de pêche intensive rattachée à la province sud-africaine du Cap.

L'économie namibienne est d'autre part tributaire d'une union douanière et monétaire (la monnaie officielle est le rand sud-africain) avec l'Afrique du Sud. [...]

Diversifier

Un gouvernement dirigé par la majorité noire de la Namibie (86 % de la population) va probablement chercher à diversifier les rapports économiques en se tournant vers ses voisins au nord et à l'est, de même que vers les pays consommateurs occidentaux, mais le poids économique de la minorité blanche (d'origine sud-africaine surtout) va continuer de pencher du côté de l'Afrique du Sud.

Ainsi, le système bancaire namibien, très développé, a poings et pieds liés à celui d'Afrique du Sud.

La production minière, source de 77 % des revenus d'exportation, de 60 % des recettes du gouvernement et du quart du PIB, reste entièrement contrôlée par la minorité blanche fidèle à Pretoria. [...]

Promotion sociale

Le nouvel État namibien va devoir non seulement déployer des outils de conquête économique, mais il devra en même temps s'atteler au développement social, c'est-à-dire à l'éducation et aux services de santé qui font cruellement défaut pour l'ensemble de la population et qui sont de toutes manières essentiels comme prérequis à la construction d'une économie nationale qui ait de l'échine. [...]

a. Capitale de l'Afrique du Sud.
b. Régime politique basé sur la séparation des races.
c. Dans le sillon des changements politiques en cours en Afrique du Sud, la région sera rendue à la Namibie.

Source : F. Berger, *La Presse,* 25 février 1989, p. E1.

L'indépendance de la Namibie (ex-Sud-Ouest africain), en mars 1989, révèle bien les caractéristiques de ces nouveaux pays au lendemain de l'indépendance : une économie étroitement liée à celle de l'ancienne métropole, des services de santé et d'éducation insuffisants pour permettre une gestion nationale du développement. Donc, une économie à repenser. L'encadré 12.1 illustre bien cet état de fait.

12.3 ● Les caractéristiques économiques et sociales des pays en développement

12.3.1 Une population croissante

La croissance de la population dépend de la croissance naturelle (naissances moins décès) et du solde migratoire (immigration moins émigration) :

Variation de la population = Croissance naturelle + Solde migratoire.

Dans les pays en développement, la croissance naturelle est élevée mais le solde migratoire avec les pays développés est généralement négatif, l'émigration vers ces derniers étant plus élevée que l'immigration en provenance de ceux-ci. Dans les pays développés, on observe la tendance inverse ; les taux de natalité baissent, la croissance naturelle est faible, mais le solde migratoire avec les pays en développement est largement positif. Les personnes instruites et les jeunes, attirés par de meilleures conditions de vie, quittent les pays en développement et émigrent dans les pays développés.

En 2001, les pays en développement regroupaient plus de 80 % de la population mondiale (6,1 milliards) et 90 % des enfants de moins de 15 ans. La croissance démographique* y est plus élevée que nulle part ailleurs, de sorte que leur part pourrait encore augmenter d'ici quelques années.

Le tableau 12.1 présente l'accroissement de la population mondiale, par catégories de pays.

Depuis 1970, la croissance démographique des pays en développement a atteint presque le triple de celle des pays industrialisés ; elle a diminué considérablement au cours des années 1990. Dans les pays industrialisés, la croissance démographique reste anémique durant la période.

C'est le fort taux d'accroissement naturel dans les pays en développement qui explique l'écart de croissance démographique avec les pays industrialisés. Les indices synthétiques de fécondité (*voir le tableau 12.2*) y étaient, en 1997, presque deux fois supérieurs à ceux des pays industrialisés ; pour les femmes âgées de 15 à 50 ans, le nombre moyen d'enfants était de 2,9 dans les pays en développement contre seulement 1,7 dans les pays industrialisés. Aussi, en 1991, pour chaque tranche de 1 000 habitants, comptait-on 28 naissances dans les premiers contre seulement 13 dans les seconds.

Tableau 12.1 Accroissement de la population (en %)

	Pays en développement*a*	Pays industrialisés
1970-1980	2,3	0,7
1980-1990	3,2	1,2
1990-2001	1,5	0,7

a. Pays à faible revenu et à revenu intermédiaire, dont les anciennes économies socialistes d'Europe.

Source : Banque mondiale, *Rapport sur le développement dans le monde,* 1993, 1996, 2003.

Tableau 12.2 Démographie et fécondité

	Pays en développement*a*	Pays industrialisés
Taux de natalité pour 1 000 habitants*b*	28	13
Taux de mortalité pour 1 000 habitants*b*	10	9
Indice synthétique de fécondité*c, d*	2,9	1,7

a. Même remarque que pour le tableau 12.1.
b. 1991.
c. Nombre moyen d'enfants par femme âgée de 15 à 50 ans (en général).
d. 1997. L'ONU prévoit exactement les mêmes chiffres pour la période 2000-2005 (*Rapport sur le développement humain,* 2003).

Source : Banque mondiale, *Rapport sur le développement dans le monde,* 1993, 1996, 1999-2000.

La pauvreté d'abord, l'analphabétisme ensuite expliquent en bonne partie le grand nombre de naissances dans les pays en développement. Pour les familles paysannes qui vivent dans la misère, les enfants sont souvent la seule richesse ; facteurs de production, ils sont les seules garanties de sécurité des parents à la retraite. L'analphabétisme et les traditions culturelles entravent encore les efforts de planification des naissances. C'est pourquoi l'abaissement du taux de natalité, quand il est recherché, passe d'abord par le relèvement du niveau de vie et l'alphabétisation des populations rurales, des femmes en particulier, car ce sont elles qui sont le plus durement frappées par la sous-scolarisation et l'analphabétisme. Le faible niveau, sinon l'absence, d'éducation chez les femmes de la campagne est un facteur qui explique le maintien de celles-ci dans des rôles traditionnels étroitement associés à leur fonction reproductive.

12.3.2 Des conditions de vie précaires

Dans la plupart des pays en développement, les conditions de vie demeurent difficiles, sinon précaires, malgré certaines améliorations réalisées depuis quelques décennies.

La sous-alimentation y demeure un phénomène majeur ; elle se mesure par une carence en calories (celles-ci proviennent principalement des céréales et des féculents) par rapport à des besoins physiologiques déterminés. Ainsi, la consommation calorique nécessaire quotidiennement peut aller de 2 200 calories à l'âge de la retraite à 3 000 calories pour un homme adulte d'activité musculaire moyenne. Or, en 1988, la moyenne d'ingestion calorique dans le tiers-monde était inférieure à 2 000 calories dans de nombreux pays ; même parmi ceux où la moyenne est supérieure, les populations rurales, souvent, et des régions entières, parfois, souffrent de malnutrition chronique (le Nord-Est brésilien, par exemple).

À la sous-alimentation, qui s'exprime en quantité, s'ajoute la malnutrition, qui, elle, s'exprime en qualité. Par exemple, il faut à un homme adulte environ 100 grammes de protéines par jour (celles-ci proviennent principalement du lait, des œufs, de la viande, du poisson, des légumineuses et des oléagineux), alors que, dans les pays du tiers-monde, la ration quotidienne est souvent inférieure à 40 grammes. On relève également dans ces pays des carences en vitamines et en sels minéraux indispensables. La malnutrition y est la cause de plusieurs maladies : les déficiences en fer entraînent des formes d'anémie, les déficiences en iode donnent le goitre, le manque de vitamine C provoque la cécité, et le manque de vitamine D, le rachitisme. On connaît par l'image ces enfants au ventre ballonné, gonflé d'œdème, reflet d'un manque prolongé de protéines ; leur maladie s'appelle le syndrome de Kwashiorkor. La sous-nutrition calorique globale entraîne un affaiblissement extrême qui donne à l'enfant l'aspect d'un vieillard et ne tarde pas à entraîner la mort.

En général, la sous-alimentation et la malnutrition affectent l'être humain dans le sein de sa mère ; ces carences lèsent irréversiblement le cerveau et creusent le lit de maladies infectieuses, telles ces maladies diarrhéiques qui causent une déshydratation mortelle.

En l'an 2002, l'espérance de vie dans les pays à faible revenu était de 59 ans seulement, contre 69 ans dans les pays à revenu intermédiaire et 78 ans dans les pays riches. Le taux de mortalité infantile était de 61 % dans les pays en développement et de 5 % dans les pays riches.

Ces problèmes de santé sont accompagnés d'une sous-scolarisation générale qui se traduit par des taux de fréquentation scolaire nettement inférieurs à ceux des pays industrialisés, malgré l'amélioration réalisée depuis les années 1960. En 1993, dans les pays en développement, 50 % des filles et 59 % des garçons du groupe d'âge pertinent étaient inscrits à l'école secondaire, contre près de 100 % dans les pays industrialisés. Au niveau postsecondaire, on comptait moins de 10 % des jeunes des pays en développement, contre plus de 50 % de ceux des pays industrialisés. Cette sous-scolarisation est à la fois une conséquence et un facteur du sous-développement : elle est tributaire de la pauvreté des ressources et de leur mauvaise utilisation (dans ces pays démunis, les dépenses militaires sont souvent supérieures à celles consacrées à l'éducation), mais elle est aussi un facteur de pauvreté, car le futur développement dépend largement de la formation des ressources humaines. En l'an 2000, dans les pays à faible revenu, le taux d'analphabétisme de la population de 15 ans et plus s'élevait à 37 %, contre 14 % dans les pays à revenu intermédiaire et presque rien dans les pays riches.

12.3.3 Des pays principalement agricoles

La structure économique (*voir l'encadré 12.2*) est l'un des principaux traits de démarcation entre les pays en développement et les pays industrialisés. Au début des années 1980, la population active* des premiers était concentrée dans l'agriculture tandis que, dans les seconds, elle se trouvait surtout concentrée dans le secteur tertiaire des services (*voir le tableau 12.4a*). Au début des années 2000, la répartition du PIB reflétait la même réalité ; la part des services dans le PIB des pays développés était plus élevée (*voir le tableau 12.4b*).

Encadré `12.2`

LA STRUCTURE ÉCONOMIQUE

L'activité économique peut être divisée en grands secteurs ; c'est cette division que l'on appelle la structure économique.

Secteur primaire

- Agriculture
- Pêches
- Forêts
- Mines

Il s'agit de la production des matières premières et de l'extraction de produits bruts.

Secteur secondaire

- Industries manufacturières
- Construction

Il s'agit de la transformation des matières premières (par exemple le bois) en produits intermédiaires (par exemple les pâtes) ou en produits finis (par exemple le papier), et de la construction résidentielle (maisons, etc.) et non résidentielle (écoles, ponts, routes, etc.).

Secteur tertiaire

- Transports, entreposage, communications, électricité, gaz et eau
- Commerce
- Finances, assurances, affaires immobilières
- Services socioculturels, commerciaux et personnels (enseignement, divertissement, restauration, etc.)
- Administrations publiques

C'est à partir de l'importance que revêtent ces activités dans la production et la population active que l'on qualifie la structure économique d'un pays. Ainsi, les pays en développement sont principalement à vocation agricole, alors que les pays développés sont industrialisés et fortement « tertiarisés ».

La structure économique des pays en développement s'explique en bonne partie par le faible taux de productivité agricole, qui est lui-même lié au sous-équipement technique (équipement mécanique, engrais et fertilisants). Petits paysans et ouvriers agricoles fournissent une main-d'œuvre abondante et bon marché aux grands propriétaires terriens. L'abondance et les faibles coûts de la main-d'œuvre n'incitent pas ces propriétaires terriens à mécaniser l'agriculture, ce qui retarde le développement de celle-ci. Chez les petits paysans, la pénurie de capital et le manque de formation limitent l'introduction d'un équipement moderne et plus productif.

Pour les pays industrialisés, au contraire, la très forte productivité agricole liée à la mécanisation de l'agriculture, à l'utilisation de fertilisants et d'engrais chimiques et à la formation des agriculteurs permet un déplacement de la population vers les villes ; et là, dans un premier temps, se construisent des entreprises industrielles exigeant une abondante main-d'œuvre (textile, vêtement), puis des entreprises de plus en plus mécanisées (aciéries, produits chimiques, machinerie). Le développement technologique réalisé dans l'industrie déplace à son tour la main-d'œuvre vers les secteurs des services et du commerce, qui croissent avec l'urbanisation, la mise sur pied d'infrastructures urbaines et l'établissement de services publics (santé, éducation, etc.) et privés (services personnels à l'entreprise, services financiers, etc.). Les économies se sont « tertiarisées » à un rythme rapide depuis 1945 ; le secteur occupait 44 % de la population active en 1960, 58 % en 1980, et environ 70 % au début de l'an 2000.

Cette différence de productivité* dans tous les secteurs, qui est due à l'avance technologique des pays industrialisés, est une cause majeure de la différence des niveaux de vie. À la fin du XXe siècle, les pays industrialisés affichaient un PNB par habitant 20 fois plus élevé que celui des pays en développement ; ils produisaient près de quatre fois plus que ces derniers avec une population cinq fois moins élevée.

12.4 ● La faiblesse de la productivité agricole

Le groupe déjà disparate des pays en développement est sur le point de se morceler davantage en des sous-ensembles de plus en plus différenciés. Toutefois, certains traits communs à la majorité de ces pays subsistent. Ainsi, les pays en développement sont des pays ruraux où la productivité agricole demeure très faible. À titre d'exemple, les rendements observés dans le tiers-monde sont jusqu'à six fois plus faibles que ceux des pays industrialisés pour ce qui est des cultures céréalières, de l'élevage bovin et de la production laitière.

Le retard technique est l'un des facteurs qui sont à l'origine de la faible productivité agricole des pays en développement. Les faits suivants expliquent en bonne partie ce retard : l'usage d'engrais y est faible ; l'utilisation de moyens de production modernes, comme les tracteurs, et le recours à des semences sélectionnées et mieux adaptées au sol y sont peu répandus ; les techniques d'irrigation sont peu développées et relativement inefficaces ; les terres arables sont sous-utilisées, ce qui amène les paysans à surexploiter les sols, qui s'usent plus rapidement. Le tableau 12.3 illustre certaines de ces faiblesses.

En 1984, parmi les pays du tiers-monde, seules les cinq économies à planification centrale d'Asie utilisaient des quantités d'engrais plus élevées que la moyenne mondiale. Tous les autres pays du groupe se trouvaient nettement au-dessous de la moyenne à cet égard, notamment les pays d'Afrique, le continent où la production alimentaire par habitant est la plus faible et où la surface cultivée est aussi relativement plus petite.

Tableau 12.3 Caractéristiques du développement agricole, 1984

Économies	Quantité d'engrais utilisée par hectare (en kilogrammes)	Surface cultivée brute par habitant (en hectares)
Monde	85,3	0,31
Amérique du Nord	93,2	0,90
Europe occidentale	224,3	0,25
Europe orientale et ex-URSS	122,1	0,71
Afrique	9,7	0,35
Proche-Orient[a]	53,6	0,35
Extrême-Orient[b]	45,8	0,20
Amérique latine	32,4	0,45
Économies à planification centrale d'Asie[c]	170,4	0,10

a. Groupe FAO comprenant l'Asie de l'Ouest, l'Égypte, la Libye et le Soudan.
b. Groupe FAO comprenant l'Asie du Sud et l'Asie du Sud-Est, à l'exception des économies à planification centrale d'Asie.
c. Groupe FAO comprenant les économies à planification centrale d'Asie : Chine, Corée du Nord, Kampuchea, Mongolie et Viêtnam.

Source : Données de la Food and Agriculture Organization (FAO), dans *Notre avenir à tous*, 1988, p. 142.

Le coût prohibitif du matériel de production (engrais, insecticides et machinerie agricole) importé des pays industrialisés est une cause de sa sous-utilisation; par ailleurs, le manque de formation agricole, lié au taux élevé d'analphabétisme dans les campagnes, représente un autre obstacle majeur. À ces deux facteurs vient se greffer le mauvais fonctionnement des circuits de distribution de la production agricole établis entre les régions productrices et le marché des consommateurs; un surplus dans une région productrice peut être gaspillé à cause d'un manque d'infrastructures de stockage, jumelé aux difficultés de transport.

Mais le développement agricole est surtout entravé par des facteurs d'ordre politique, économique et social. Ainsi, la grande majorité des producteurs agricoles sont des ouvriers sans terre ou des métayers (paysans qui louent des terres en échange d'une partie de leur récolte) très endettés. La concentration de la propriété du sol laisse sans terre des millions de paysans; complètement dépossédés, ces derniers se soucient peu de protéger la terre ou d'accroître les rendements agricoles. Au milieu des années 1970, en Amérique latine, 8 % des propriétaires terriens possédaient 80 % des terres ; au Brésil, 2 % des exploitations s'étendaient sur 58 % des terres cultivées, ce qui laissait plus de 10 millions de paysans sans terre ; au Honduras, 5 % des exploitations concentraient 56 % de la surface agricole. La situation est tout à fait semblable aux Philippines, en Inde et en Malaisie ; en ce début de siècle, la plupart de ces pays connaissent la même réalité.

Cette concentration de la propriété des terres, de même que l'écart des prix défavorables aux produits agricoles par rapport aux produits industriels, réduisent une large proportion des populations rurales à la sous-alimentation et à la misère. Ces conditions de vie poussent ces personnes à émigrer vers les villes, où elles vont s'entasser dans des bidonvilles qui s'étendent sur de vastes territoires en marge des agglomérations urbaines. À ce processus s'ajoute celui de l'industrialisation, qui contribue aussi à gonfler exagérément la population des grandes villes du tiers-monde.

Pollution de l'air, prolifération des quartiers insalubres, dépourvus de services publics (eau, égout, électricité) et souvent installés à proximité d'entreprises dangereuses ou d'un dépotoir municipal, sont le fruit amer de cette hypertrophie. Dans l'ensemble, les grandes villes du tiers-monde accaparent une proportion croissante des populations nationales. En 1990, par exemple, 56 % de la population urbaine haïtienne résidait à Port-au-Prince, tandis que 25 % des Mexicains vivaient à Mexico.

12.5 ● Les conditions du développement agricole

Pour arriver à promouvoir le développement de l'agriculture, les obstacles majeurs à franchir sont de nature politique, économique et sociale. La réforme agraire est une nécessité vitale pour un grand nombre de pays. Constituée d'un ensemble de mesures, elle consiste d'abord à remettre la terre à ceux qui la travaillent ; cette restructuration de la propriété au profit des paysans sans terre, ouvriers agricoles, métayers et fermiers (qui louent la terre contre paiement en argent) exige la volonté politique de tendre à sa réalisation et, souvent, la force requise pour la faire respecter. La réforme agraire est à l'origine de violents conflits dans les campagnes au Brésil, aux Philippines, au Guatemala, en Colombie et partout où la distribution des terres est extrêmement inégale. Les décisions légalement adoptées sont souvent mises de côté ou abandonnées sous la pression des grands propriétaires, qui recourent la plupart du temps à la force et à l'intimidation pour conserver leurs domaines. Au Brésil, par exemple, la réforme agraire votée par l'Assemblée constituante en 1986 a été réduite à néant par les efforts combinés de la répression armée (intimidation et meurtres d'organisateurs paysans) et du lobbying politique des grands propriétaires.

La réforme agraire ne consiste pas seulement en une répartition plus équitable des terres arables ; elle doit aussi viser à moderniser les techniques d'agriculture, faciliter l'accès au crédit nécessaire au financement des activités des petits propriétaires et veiller à l'organisation des réseaux de distribution des produits agricoles. En ce sens, elle représente une restructuration complète des activités agricoles et peut impliquer des formes de propriété diverses allant de la ferme familiale à la coopérative, et même jusqu'à la ferme collective dans les pays à planification centrale. La remise des terres aux producteurs agricoles représente une mesure de justice sociale, mais peut aussi contribuer à l'accroissement de la production agroalimentaire.

Selon une étude effectuée par l'Organisation pour l'alimentation et l'agriculture de l'ONU (nom français de la FAO), il suffirait, en Inde, de redistribuer 5 % des terres cultivées et de rendre l'eau plus accessible pour réduire de 30 % l'incidence de la pauvreté rurale[2].

De plus, les grandes entreprises qui dominent la production agricole sont souvent tournées vers les marchés extérieurs qu'elles alimentent en produits exotiques aux dépens des besoins des populations locales, tandis que l'approvisionnement des marchés locaux demeure surtout l'affaire des petites et moyennes propriétés.

Pour améliorer la sécurité alimentaire, d'autres mesures doivent accompagner la redistribution des terres. Ainsi, la construction de systèmes d'irrigation peut élargir le bassin des terres utilisables ; de plus, les terres non cultivées, que ce soit pour des raisons économiques (les grands propriétaires réservant certaines terres aux fins de spéculation) ou à cause de l'insuffisance des moyens techniques, peuvent être mises en valeur. La recherche agronomique portant sur les cultures vivrières* et sur l'alimentation des animaux d'élevage à l'aide de denrées produites sur place, de même que la rotation des cultures liée au souci de mieux s'adapter à l'environnement, peuvent accroître la productivité. Finalement, la vulgarisation agricole pratiquée au sein de la paysannerie permettrait au paysan d'accéder au progrès technologique, de l'assimiler et de l'intégrer à son travail quotidien.

Ce sont là des conditions essentielles au développement agricole dans les pays du tiers-monde, la clé de ce développement résidant dans la transformation de la propriété des terres arables.

---

2. A. Sasson, *Nourrir demain les hommes*, Paris, Unesco, 1986, p. 487.

12.6 ● Un exemple : le développement agricole à Taïwan

Plusieurs des mesures que nous venons de décrire ont été mises en place dans les années d'après-guerre à Taïwan, île de la mer de Chine, proche voisine de la Chine continentale. La figure 12.1 présente une carte de cette région. René Dumont (1987), spécialiste des questions agraires dans les pays en développement, a parlé de « sans-faute » économique pour décrire la performance économique du pays.

L'histoire de ce développement remonte aux lendemains de la Seconde Guerre mondiale. En 1945, après sa défaite militaire aux mains des Alliés, le Japon est forcé de quitter Taïwan, l'une de ses colonies d'Asie. En Chine continentale, la guerre civile fait rage et, en 1949, les troupes du Parti communiste s'emparent du pouvoir, chassant vers Taïwan les troupes nationalistes du Guomindang (parti politique chinois). Près d'un millier de réfugiés accompagnent le gouvernement de Tchang Kaï-chek, qui vient de tomber. Celui-ci s'empresse alors de proclamer son autorité sur cette île que les troupes communistes n'ont pas conquise.

Figure 12.1 Taïwan et la région

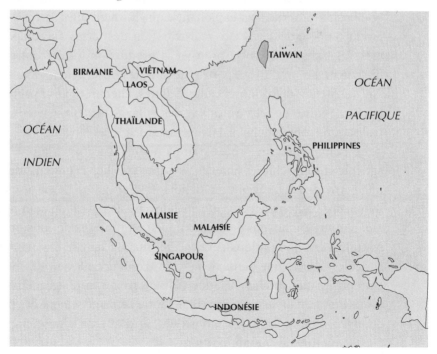

Dès lors, les nouveaux gouvernants bénéficient de l'aide massive des États-Unis, alliés de Tchang Kaï-chek dans la guerre civile. En retour de ses dollars et de son appui technique, le gouvernement américain exige des nouvelles autorités taïwanaises qu'elles appliquent la réforme agraire qu'il a conçue avec elles. Il cherche ainsi à s'allier les paysans, principaux acteurs de la révolution socialiste qui a triomphé sur le continent (Chine). Ceux-ci ont rejoint les armées communistes parce que le Guomindang n'a jamais appliqué la réforme agraire qu'il leur avait promise, pas même les mesures les plus modérées, telle la réduction du loyer de la terre à 37,5 % de la récolte principale. Ce fut une grave erreur politique qui a coûté le pouvoir aux grands propriétaires fonciers.

Ces grands propriétaires sont maintenant isolés sur l'île de Taïwan. Ils ont perdu sur le continent les terres qu'ils possédaient, le gouvernement communiste les ayant distribuées aux paysans sans terre et aux métayers. Ils n'ont donc rien à craindre d'une réforme agraire qui prône la remise des terres des grands propriétaires taïwanais aux paysans de l'île. Aussi acceptent-ils de se plier aux exigences américaines et ils amènent leur parti, le Guomindang, à appliquer la réforme agraire qu'ils ont eux-mêmes refusée sur le continent. L'ensemble des mesures gouvernementales réduit le nombre de métayers et d'ouvriers agricoles et augmente le nombre de propriétaires-exploitants, qui forment ainsi la majorité des producteurs agricoles. Cette redistribution des terres s'accompagne de mesures tarifaires visant à protéger la production locale contre l'envahissement des produits importés ; de plus, le gouvernement met sur pied l'infrastructure de communication (routes, chemins de campagne, voies ferrées, ponts), et l'électrification des villages devient généralisée. Ces réalisations sont largement financées par l'aide américaine.

L'ensemble de la réforme agraire a permis d'accroître la productivité agricole et d'enrichir les familles paysannes ; celles-ci ont ensuite investi une partie de leurs revenus en dehors de l'agriculture. Cela a suscité au sein même des campagnes une demande d'industrialisation pour répondre aux besoins en moyens de production et en produits de consommation courante des populations rurales. De plus, la hausse des rendements agricoles a libéré une partie de la main-d'œuvre en faveur de ces petites entreprises industrielles. L'industrialisation naissante a bénéficié de la protection tarifaire établie par l'État contre l'envahissement des produits étrangers, tant agricoles qu'industriels, ainsi que de la mise en place de l'infrastructure de communication.

La croissance de la production agricole a dépassé celle de la population, ce qui a entraîné une hausse de la consommation alimentaire par habitant. L'organisation du crédit agricole a aidé les paysans à s'approprier une technologie plus avancée, et on a formé des conseils agraires pour entreprendre la vulgarisation des techniques et des méthodes de gestion. L'approvisionnement en intrants a été facilité, et on a mis sur pied des réseaux de commercialisation de la production. De plus, l'État taïwanais a maintenu une politique systématique de protection des revenus agricoles en indexant les prix des produits agricoles par rapport à ceux des produits industriels.

La réforme agraire a aussi permis d'orienter la production d'abord vers la satisfaction des besoins de la population locale avant de l'exporter, contrairement à ce qui s'est passé dans de nombreux pays. Voilà pourquoi, bien qu'elle ait un potentiel agricole inférieur, la population de Taïwan est mieux nourrie que celle du Brésil, qui est pourtant l'un des plus importants producteurs agricoles au monde. Dans ce pays, les grands propriétaires contrôlent encore la grande majorité des terres agricoles, dont ils orientent la production vers les marchés extérieurs (café, cacao, sucre), privant la population locale d'espaces et de moyens d'approvisionnement en produits vivriers.

Le succès de la politique taïwanaise s'est traduit par une amélioration des conditions de vie, le revenu par habitant ayant été multiplié par six entre 1952 et 1987; la production agricole a triplé et celle de l'industrie a été multipliée par 50. En outre, dans cette société, on a réalisé un effort systématique de réduction des écarts de revenu tant entre la ville et la campagne qu'entre les différentes catégories de revenu, ce qui, pour René Dumont, demeure une caractéristique essentielle du «sans-faute» économique caractérisant l'expérience taïwanaise:

> Rappelons que, de 15 à 1 vers 1950, l'écart entre le revenu moyen des 20 % les plus riches et celui des 20 % les plus pauvres serait descendu en dessous de 5 à 1. Au Brésil, a contrario, un gouvernement militaire et totalitaire a «réussi», de 1966 à 1980, à doubler un écart analogue: déjà de 17 à 1, ils l'ont porté à 33 à 1[3].

Cela signifie qu'au Brésil, le revenu moyen des 20 % les plus riches représentait 66 % du PIB, alors que pour les 20 % les plus pauvres, il atteignait seulement 2 %.

---

3. R. Dumont et C. Paquet, *Taïwan, le prix de la réussite*, Paris, Éditions La Découverte, 1987, p. 153.

12.7 ● L'industrialisation

L'industrialisation* est un facteur déterminant du développement économique. Les pays développés, désignés par les organismes internationaux comme pays industrialisés, ont connu un cheminement commun. D'abord agricole, l'économie est marquée par une productivité anémique; elle se transforme progressivement avec l'apparition d'industries légères*, orientées vers la production de biens de consommation courante (vêtements, textile, cuir, chaussures), puis par la création d'industries lourdes* répondant à la demande de produits finis (industries chimiques, aciéries, etc.) et de moyens de production (machinerie et équipement industriel). L'industrialisation entraîne l'urbanisation; au début principalement rurale, la population devient majoritairement urbaine. La hausse des revenus, liée à la hausse de la productivité, les besoins croissants en infrastructure issus de l'urbanisation et la demande de services amènent ensuite la tertiarisation* de l'économie. D'abord occupée dans le secteur agricole, la population active se déplace vers l'industrie pour se concentrer finalement dans le secteur tertiaire.

La transformation de la structure économique est un trait dominant du développement. Il existe une forte corrélation entre la structure économique, le revenu par habitant et le développement social, particulièrement dans les domaines de la santé et de l'éducation. Plus la proportion de la population active dans l'agriculture est élevée, moins le revenu par habitant est élevé et plus les conditions de vie sont déficientes.

Tableau 12.4*a* Pourcentage de la population active selon les secteurs d'activité

	Agriculture 1965	1980	Industrie 1965	1980	Services 1965	1980
Pays à faible revenu (moins la Chine et l'Inde)	79	71	8	10	13	19
Chine et Inde	77	72	9	14	14	14
Pays à revenu intermédiaire						
inférieur	65	55	12	16	23	29
supérieur	43	29	23	31	32	40
Pays développés à économie de marché	5	3	40	35	48	58

Source : Banque mondiale, *Rapport sur le développement dans le monde*, 1988.

Depuis le milieu des années 1960, on observe une transformation majeure de la structure économique des pays en développement. Le tableau 12.4 illustre la diminution de l'importance de l'agriculture de même que la montée de l'industrie et du secteur des services. Une différenciation importante s'est opérée entre les différents pays en développement, certains pays désormais connus sous l'appellation « nouveaux pays industrialisés » dépassant la croissance industrielle des pays développés.

Tableau 12.4*b* Répartition du PIB selon les secteurs d'activité

	Agriculture 1980	2001	Industrie 1980	2001	Services 1980	2001
Pays à faible revenu	31	23	38	32	30	45
Pays à revenu intermédiaire	13	10	41	38	46	52
inférieur	18	12	45	41	37	46
supérieur	11	7	42	35	47	59
Pays développés à économie de marché	3	2	37	33*a*	59	65

a. Approximation.

Source : Banque mondiale, *Rapport sur le développement dans le monde,* 2003.

12.7.1 De nouveaux pays industrialisés

L'industrialisation du tiers-monde s'est concentrée en bonne partie dans certains pays asiatiques à revenu intermédiaire, ainsi qu'en Chine et en Inde et dans quelques pays d'Amérique latine. Ce sont ces pays (une vingtaine environ) que l'on appelle « nouveaux pays industrialisés » (NPI). Au cours des années 1960 et 1970, leur production industrielle a crû à des rythmes accélérés, largement supérieurs à ceux de la moyenne mondiale ; leurs exportations de produits manufacturés ont aussi augmenté rapidement. Certains de ces pays (la Corée du Sud, Taïwan, Hong-Kong et Singapour) ont réussi à s'imposer dans des branches industrielles jadis réservées aux seules puissances industrielles, tels l'automobile, les chantiers maritimes et la micro-électronique, par exemple.

Les pays inscrits au tableau 12.5 sont extrêmement diversifiés, tant sur le plan de la population que sur celui du niveau de vie. À première vue, rien ne semble relier la Chine, qui compte plus de 1,27 milliard d'habitants en 2001, et Singapour, qui n'abrite que 4 millions de personnes ;

non plus que l'on semble pouvoir relier cette même Chine, où le revenu moyen est de 890 $ US (mais plus de 4 000 $ si on applique la méthode de parité de pouvoir d'achat), et Hong-Kong, où ce revenu atteint 25 920 $ US. Mais tous trois ont connu une industrialisation rapide qui a transformé leur structure économique.

Tableau 12.5 Principaux NPI en 2001

Pays	Population (en millions)	PNB par habitant (en $ US)	Secteur manufacturier (en % du PIB)	Part[b] des produits manufacturés dans les exportations (en % du total)
Corée du Sud	48	9 400	41	91
Taïwan	22	17 394[a]	–	–
Hong-Kong (Chine)	7	25 920	14	95
Singapour	4	24 740	34	86
Thaïlande	61	1 970	40	76
Indonésie	214	680	47	57
Malaisie	24	3 640	50	80
Chine	1 272	890	52	88
Inde	1 033	460	27	79
Brésil	173	3 060	36	59
Mexique	99	5 540	27	83
Chili	15	4 350	34	16
Turquie	66	2 540	27	81
Pays industrialisés	955	26 710	19	83

a. 2000, en parité de pouvoir d'achat. Donc plus élevé en dollars courants.
b. 2000.

Sources: Banque mondiale, *Rapport sur le développement dans le monde*, 2003. *L'état du monde*, 2003.

Le potentiel de développement de ce groupe de pays est aussi fort différent : ainsi, la Chine, le pays le plus populeux de la Terre, est en voie de se hisser aux premiers rangs des grandes puissances économiques (*voir le chapitre 11*) ; quant à la Corée du Sud, dont il sera question à la sous-section 12.7.3, elle est devenue une véritable puissance industrielle.

En général, dans ces pays, le secteur manufacturier (secteur secondaire, excluant la construction) est beaucoup plus développé que dans les autres pays en développement. Depuis le milieu des années 1980, la croissance de la production manufacturière y a largement dépassé celle des pays industrialisés.

Cette évolution a transformé les nouveaux pays industrialisés en exportateurs de produits manufacturés. Au début, ces pays se contentaient d'exporter des textiles et des articles de confection (vêtements, chaussures, jouets, etc.), mais certains ont vite débordé ces secteurs traditionnels pour toucher à des domaines inattendus. Ainsi, la sidérurgie coréenne concurrence maintenant la sidérurgie japonaise, Taïwan a lancé sur le marché ses propres ordinateurs, et le Brésil a pénétré le marché des avions à court-courrier (les *Bandeirantes* des usines Embraer). La Corée du Sud s'est aussi imposée dans la construction navale et l'industrie automobile, et, au début du XXIe siècle, elle est en voie de percer le marché de l'électronique, chasse gardée des entreprises japonaises. Plusieurs entreprises de ces pays font maintenant partie des 500 premières firmes au monde; au début des années 1980, on en comptait déjà une soixantaine.

12.7.2 Des traits communs

Le processus d'industrialisation n'a pas emprunté partout la même voie; la Chine et l'Inde, par exemple, se sont appuyées d'abord sur un large marché intérieur tandis que d'autres pays, tels Hong-Kong, Singapour et la Corée du Sud, ont misé sur la promotion des exportations. Mais les NPI possèdent en propre plusieurs traits communs.

D'abord, le niveau de l'épargne intérieure y est généralement plus élevé que dans les autres pays en développement. Cette épargne peut ainsi financer les investissements dans les infrastructures (ponts, routes, énergie, etc.) et les activités directement productives (usines, fermes, etc.), et elle peut appuyer les efforts d'éducation essentiels au développement.

Sur le plan agricole, ensuite, ces pays ont en bonne partie choisi d'accroître la production par une utilisation intensive d'engrais; la moyenne par hectare y dépasse largement celle des pays en développement.

De plus, ces pays ont haussé considérablement le niveau de scolarité, tant dans l'enseignement primaire et secondaire que dans l'enseignement supérieur (postsecondaire et universitaire); en outre, ils ont réussi à contrôler la croissance démographique, qu'ils ont maintenue à des niveaux nettement inférieurs à ceux de l'ensemble des pays en développement.

Dans la majorité des cas, le rôle de l'État a été une composante majeure du développement et de l'industrialisation. Le gouvernement a soutenu la croissance de secteurs entiers, allant jusqu'à planifier l'ensemble de l'économie, comme en fait foi l'exemple de la Corée du Sud.

En général, les nouveaux pays industrialisés ont construit leurs avantages comparatifs sur les bas salaires, des temps de travail prolongés et la quasi-inexistence des protections sociales ; les coûts de production des marchandises nécessitant une main-d'œuvre abondante ont été fortement réduits. Dans les nouveaux pays industrialisés d'Asie, la qualification de la main-d'œuvre a été un autre facteur important ; ainsi, la scolarisation des ouvriers et des techniciens à Hong-Kong, à Taïwan et en Corée du Sud dépasse celle observée dans plusieurs pays développés. Ces populations mieux formées revendiquent d'ailleurs de meilleures conditions de vie et réclament la démocratisation de sociétés souvent autoritaires. La société sud-coréenne est le terrain d'une telle évolution.

Encadré 12.3

L'INÉGALITÉ ENTRE LES PAYS

L'inégalité entre les pays est mesurée de différentes façons. L'indice de GINI est celui le plus fréquemment utilisé pour mesurer la répartition des revenus à l'intérieur d'un pays. Il repose sur la répartition du revenu par quintiles. La population d'un pays est divisée en cinq groupes, allant des 20 % de la population les plus pauvres jusqu'aux 20 % les plus riches. Le coefficient de GINI rend compte de l'écart qui existe entre le pourcentage des revenus qui échoit à chacun des quintiles. Si la répartition est parfaitement égale, c'est-à-dire si chaque quintile reçoit exactement 20 % du revenu, l'indice de GINI est de 0 ; plus la répartition est inégale, plus l'indice se rapproche de 1.

La figure ci-contre illustre l'évolution de la répartition du revenu entre les pays. L'indice de GINI mesure ici l'écart qui existe entre le pourcentage des revenus de chacun des quintiles, de chaque 20 % de la population mondiale, allant des pays les plus pauvres aux pays les plus riches.

À partir de la fin des années 1970, l'indice de GINI diminue, traduisant une diminution de l'inégalité des revenus sur le plan mondial. Qu'est-ce qui explique ce phénomène ?

À partir du début des années 1980, un phénomène majeur se produit ; la Chine enregistre une forte progression dans l'échelle du PIB par tête.

Ce déplacement d'un cinquième de la population mondiale vers la moyenne des PIB par tête explique à lui seul la réduction globale des inégalités.

La Chine fait partie des pays les plus pauvres du quintile inférieur ; la croissance du revenu chinois par tête accroît la part du revenu mondial qui échoit aux 20 % les plus pauvres de la population mondiale. D'autres pays pauvres et très peuplés d'Asie ont également remonté l'échelle du PIB par tête à un rythme plus modéré : l'Indonésie, le Pakistan, le Bangladesh et l'Inde. La progression des nouveaux pays industrialisés d'Asie (Corée du Sud, Hong-Kong, Singapour et Taïwan) a contribué à ce processus. Au cours des années 1990, la tendance à la réduction des inégalités de revenu se maintient.

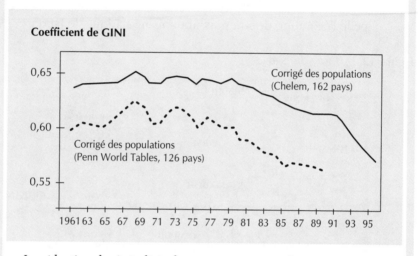

La réduction des inégalités des revenus est cependant accentuée, d'une part, par le retour de la croissance en Amérique du Sud et, dans une moindre mesure, en Afrique et, d'autre part, par un phénomène de nivellement par le bas lié à l'effondrement de la production de l'ex-URSS et des PECO (pays d'Europe centrale et orientale), dont le niveau de vie était relativement élevé auparavant.

Enrichissement de certains pays pauvres très peuplés et appauvrissement d'autres pays à revenu plus élevé se combinent pour diminuer l'indice de GINI. **Il ne s'agit donc pas d'un mouvement général de rattrapage des pays les plus pauvres.**

Cet indice de l'évolution de la répartition du revenu mondial ne tient pas compte de l'évolution de la répartition du revenu propre à chaque pays. Ainsi, dans les pays de l'OCDE, l'inégalité a recommencé à augmenter depuis 1975. C'est également le cas depuis le début des années 1990 dans certains pays de l'Asie de l'Est, tel le Viêtnam.

Source : L. Cadiou et P. Villa, « Mesurer les inégalités entre nations », *Problèmes économiques*, no 2.564, 15 avril 1998.

12.7.3 La Corée du Sud : le Japon des pays en développement

Parmi les nouveaux pays industrialisés qui ont émergé sur la scène mondiale dans les 30 dernières années, la Corée du Sud, représentée par la carte de la figure 12.2, est celui qui s'est le plus rapproché des pays industrialisés. Ce pays compte désormais parmi les puissances industrielles mondiales. En 2001, son PIB le plaçait parmi les 15 premiers pays à ce titre, et son revenu par habitant était l'un des plus élevés du tiers-monde. De 1965 à 1980, la croissance du secteur manufacturier y a été cinq fois plus élevée que celle des pays industrialisés, ce qui rappelle l'évolution de son puissant voisin asiatique, le Japon.

Figure 12.2 Corée du Sud

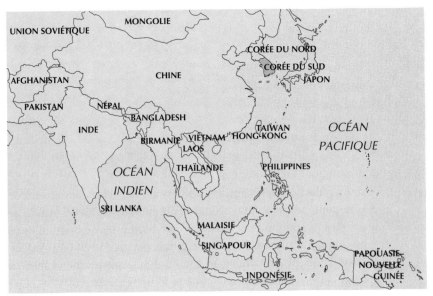

La Corée du Sud et le Japon partagent certaines caractéristiques : la stabilité et le niveau de leur croissance, l'importance du secteur manufacturier, des stratégies similaires d'imitation-rattrapage technologique et des transformations originales de cette technologie. Trois éléments principaux expliquent le développement de la Corée du Sud, éléments que l'on retrouve en bonne partie chez ses voisins asiatiques (Taïwan, Hong-Kong et Singapour) : le niveau moyen des salaires et celui de la protection sociale y sont nettement inférieurs à ceux des pays industrialisés ; l'économie est à la fois ouverte sur le marché mondial et fortement dépendante de celui-ci ; enfin, les décisions publiques (sauf pour Hong-Kong) ont été déterminantes tant pour l'orientation que pour la direction des activités économiques. À ces déterminants principaux, on peut ajouter les transferts de technologie en provenance des pays industrialisés, la sous-traitance des entreprises nationales vis-à-vis des firmes des pays développés, et l'aide américaine au début des années 1950.

L'aide américaine

Sur le plan historique, la Corée du Sud a bénéficié comme Taïwan d'une aide substantielle de la part des États-Unis, aide destinée à contrer les visées soviétiques et chinoises dans la région. L'aide américaine a représenté de 5 % à 10 % du PNB sud-coréen de 1950 à 1967, et a permis de financer plus de 30 % des investissements totaux. Après 1965, la guerre du Viêtnam et la demande américaine de fournitures militaires ont stimulé l'économie du pays et favorisé une croissance rapide de sa production manufacturière.

Une main-d'œuvre abondante et bon marché

La croissance démographique a fourni à l'industrie une main-d'œuvre abondante; de plus, la quasi-militarisation du travail a maintenu à la baisse les coûts horaires (salaires, primes, congés payés et autres charges sociales) dans le secteur manufacturier. Ces coûts étaient cinq à dix fois inférieurs à ceux des pays industrialisés. Cet avantage comparatif a contribué largement au succès des exportations, en permettant de fixer des prix particulièrement compétitifs; on a ainsi attiré au pays des capitaux d'investisseurs étrangers intéressés tant par les faibles coûts que par la productivité et la discipline des ouvriers.

Attirées par ces coûts, les entreprises étrangères ont parfois implanté dans ces pays les phases les plus simples du processus de production, tel l'assemblage de produits électroniques; le produit final ou intermédiaire a ensuite été réexporté vers le pays d'origine ou vers un pays tiers spécialisé dans une autre étape de la production. Des accords de licence (entente pour l'utilisation d'une technologie étrangère) ont été conclus et ont permis le transfert de certaines technologies vers le pays concerné; la construction automobile et l'industrie électronique sud-coréennes, en particulier, ont profité de tels échanges.

Le protectionnisme et la promotion des exportations

L'industrialisation sud-coréenne a reposé sur une politique de substitution des importations; la production nationale a été protégée par des tarifs élevés et a été systématiquement subventionnée par le gouvernement

(Taïwan et le Japon ont adopté des mesures semblables pour encourager leurs industries naissantes). Dans leur percée des marchés extérieurs, les industries exportatrices ont bénéficié d'un appui massif de l'État et ont profité d'une main-d'œuvre bon marché et extrêmement productive. Au début de l'an 2000, la Corée du Sud exportait 25 % de son PIB ; en outre, plus de 90 % de ses exportations étaient constituées de produits manufacturés, soit l'un des taux les plus élevés au monde.

Le rôle de l'État

Comme dans le cas du Japon, l'État sud-coréen a joué un rôle déterminant dans l'industrialisation du pays. Depuis 1962, le gouvernement définit les grands axes du développement et oriente les investissements. Au début des années 1960, quand il s'est agi de rendre la Corée du Sud autonome sur le plan alimentaire, c'est l'État qui a orchestré la création des industries d'engrais et de machinerie agricole. Puis, durant les années 1970, réagissant à la crise du pétrole (*voir le chapitre 13*), l'État a jeté les bases d'une nouvelle politique axée sur l'énergie nucléaire et sur la recherche de nouveaux débouchés à l'étranger.

Depuis 1962, un système de planification extrêmement contraignant fixe des objectifs macroéconomiques (production, consommation, investissement, exportation, importation) et sectoriels. Trois grands secteurs prioritaires ont été déterminés dans des plans quinquennaux ; 1972-1976 : construction navale ; 1977-1981 : pétrochimie ; 1982-1986 : industries nucléaire et électrique. La Corée du Sud, souvent citée comme exemple type en ce qui concerne le développement économique libéral, est sans nul doute le pays non socialiste le plus dirigiste et le plus étatisé, de même que l'un des pays les plus protectionnistes, trois éléments qui vont à l'encontre des principes du libéralisme économique.

L'envers de la médaille et la fragilité du modèle

La Corée du Sud s'est imposée comme rivale du Japon sur les marchés asiatiques grâce à des coûts salariaux inférieurs. Elle a subi par la suite la concurrence de nations voisines (Thaïlande, Malaisie et Chine) qui misent sur des activités semblables (assemblage, sous-traitance, etc.) et où les salaires sont encore plus faibles. Cette concurrence, couplée à la récession qui a frappé les pays industrialisés au début des années 1990, a transformé le surplus commercial sud-coréen en déficit de plusieurs milliards. La fragilité du modèle s'est manifestée de façon spectaculaire vers la fin de la décennie. La collusion entre l'État et les grands conglomérats, les *chaebols* (groupes industriels, commerciaux et financiers), qui sont maîtres de 75 % de l'économie, est devenue un frein au développement. Ces groupes ont connu de grandes difficultés financières, frappés de plein fouet par la crise asiatique de 1997-1998. L'État sud-coréen est plus endetté qu'on ne le pensait. Le montant réel de la dette de l'État est largement supérieur aux chiffres officiels. Les actifs des banques commerciales étaient également surévalués et leurs créances douteuses, résultat de mauvais placements, étaient sous-évaluées. Un plan de sauvetage de 57 milliards de dollars a été accordé au pays par des organismes internationaux (FMI, Banque mondiale, Banque asiatique de développement) et par des pays de l'OCDE.

Un des grands problèmes de la société sud-coréenne, qui l'empêche d'accéder au rang de pays développé, demeure la répartition inégale des fruits de la croissance. Des horaires de travail souvent déraisonnables, des cadences inhumaines, des salaires de misère, un encadrement militaire de la population en ville comme à la campagne, telles ont été les méthodes « efficaces » de la croissance. L'encadré 12.4 décrit les conséquences sociales de ce modèle.

Encadré 12.4

LES CONSÉQUENCES SOCIALES DU MODÈLE SUD-CORÉEN

Les conséquences humaines de ce modèle de développement, on les découvre, par exemple, dans les vieux faubourgs tels que Yongdung-Po. Là, pas d'installations ultra-modernes ni de technologies d'avant-garde, mais des ateliers parfois minuscules dans des bâtiments lépreux, des caves, des arrière-cours. Avec du matériel de fortune, on fabrique des tuyaux en plastique et des cylindres pour les imprimeries. Les ouvriers travaillent 9 heures par jour, soit 54 heures par semaine, ce qui correspondait à la durée moyenne du travail, en 1986, selon les statistiques officielles, même si la durée légale est de 48 heures.

Là, 70 salariés — essentiellement des femmes — travaillent à une cadence effarante pour produire 600 000 vêtements par an, principalement destinés à l'exportation. La moitié des ouvrières, issues de la campagne, dorment dans le dortoir de l'entreprise. Mais, dans d'autres petites « boîtes », c'est dans l'atelier même que dorment les salariés.

À Séoul, comme dans les autres villes, d'innombrables PME de ce type constituent le tissu sur lequel s'élève le « miracle économique » sud-coréen.

Source : *Croissance des jeunes nations*, n° 308, septembre 1988, p. 10-14.

Ces cadences, cette productivité qui font la fierté de la Corée du Sud, les travailleurs les ont payées chèrement. À la fin des années 1980, en plein miracle économique, le pays détenait le record mondial des accidents du travail. Chaque jour, 5 travailleurs trouvent la mort et 390 sont blessés au travail; de 1985 à 1987, selon les statistiques gouvernementales, 5 139 Sud-Coréens sont morts et 25 244 autres ont été gravement blessés dans un accident du travail[4]. Ce sont ces cadences, cette enrégimentation que la nouvelle génération, plus scolarisée, ne veut plus subir. C'est là un défi que la Corée du Sud devra relever au début de ce millénaire si elle veut un jour prendre son rang dans le groupe des pays développés.

Résumé Le concept de développement se rapporte à un phénomène qualitatif impliquant une transformation des structures économique, sociale et politique d'un pays.

Les pays en développement sont situés en Afrique, en Asie et en Amérique latine. La plupart ont été colonisés par des puissances étrangères. Le colonialisme y a laissé des séquelles qui minent le développement de plusieurs de ces pays.

Les pays en développement se caractérisent par une croissance démographique fort élevée, leur population représentant une part grandissante de la population mondiale. Les conditions de vie y sont largement inférieures à celles que l'on trouve dans les pays industrialisés. La sous-alimentation est un problème majeur et le niveau de scolarité y est encore faible, malgré certains progrès.

L'agriculture est l'activité dominante dans la plupart des États. Mais la réalité de ce groupe de pays est en train de changer; certains d'entre eux, une minorité de l'ensemble, connaissent une rapide industrialisation qui les différencie de la majorité du monde en développement. Sur le plan de la structure économique et du commerce extérieur, ces nouveaux pays industrialisés se rapprochent des pays développés.

Questions

1. Montrez comment le colonialisme a structuré l'économie des pays en développement. Illustrez vos propos à l'aide de l'encadré 12.1.

2. « L'accroissement du niveau de vie et l'alphabétisation des femmes peuvent influer sur la croissance démographique dans les pays en développement. » Commentez cette affirmation.

---

4. *La Presse*, 27 décembre 1988, p. B5.

3. Quelle a été l'influence de la Seconde Guerre mondiale sur le processus de décolonisation?

4. Décrivez les conditions sociales des pays en développement (santé, éducation).

5. En vous basant sur des données plus récentes (rapport de la Banque mondiale sur le développement dans le monde), montrez le lien qui existe entre la structure économique et le revenu par habitant des pays en développement.

6. Montrez l'influence de l'éducation sur le développement économique.

7. Choisissez un pays en développement d'Asie, d'Afrique ou d'Amérique latine; montrez l'évolution des conditions sociales, du PIB et du PIB par habitant depuis les 25 dernières années.

8. Décrivez l'évolution de la structure économique du Canada (ou du Québec) depuis les 25 dernières années (ou plus).

9. Depuis les années 1960, quel changement peut-on observer dans la structure économique des pays en développement?

10. Quels sont les principaux facteurs qui entravent le développement agricole de ces pays?

11. Expliquez quelques-unes des solutions susceptibles d'atténuer les problèmes agricoles du tiers-monde. Illustrez votre réponse en vous servant de l'exemple de Taïwan.

12. *a)* Qu'est-ce qui distingue les nouveaux pays industrialisés des autres pays en développement?
    b) Comment peut-on expliquer la montée de ces nouveaux pays industrialisés?

13. Choisissez un pays en développement d'Asie, d'Afrique ou d'Amérique latine; analysez la situation de son agriculture et décrivez des mesures susceptibles de favoriser son développement.

14. *a)* À l'aide de statistiques récentes (celles de la Banque mondiale ou autres), présentez les dernières transformations de la structure économique des pays en développement.
    b) Quels pays ont connu les changements les plus marquants?

Thèmes de réflexion

● La diversification du tiers-monde.
● Y a-t-il convergence ou divergence de développement entre les pays riches et les pays pauvres ?

Références bibliographiques

ACEMOGLU, D., « Causes profondes de la pauvreté », *Finances et Développement*, juin 2003, p. 27-30.

BANQUE MONDIALE, *Rapport sur le développement dans le monde.*

BERTHELOT, J. et DE RAVIGNAN, F., *Les sillons de la faim*, Paris, Éditions l'Harmattan, 1980.

CADIOU, L. et VILLA, P., « Mesurer les inégalités entre nations », *Problèmes économiques*, no 2.564, 15 avril 1998.

CHONCHOL, J., *Paysans à venir*, Paris, Éditions La Découverte, 1986.

COLOMBANI, O., *Paysans du Brésil : la lutte des « sans-terre »*, Paris, Éditions La Découverte, 1987.

COURTHÉOUX, J.-P., « L'économie du développement dans les années 1980 ou la fin des mythes », *Problèmes économiques*, no 2.160, 4 avril 1990, p. 30-32.

DUMONT, R. et PAQUET, C., *Taïwan, le prix de la réussite*, Paris, Éditions La Découverte, 1987.

FERRO, M. (sous la direction de), *Le livre noir du colonialisme, XVIe-XIXe siècle : de l'extermination à la repentance*, Paris, Robert Laffont, 2003.

GALEANO, E., *Les veines ouvertes de l'Amérique latine*, Paris, Éditions Plon, 1981.

GOLDSMITH, E., « Une seconde jeunesse pour les comptoirs coloniaux », *Le Monde diplomatique*, avril 1996, p. 18-19.

LAURIER, J.-L. et RÉGNIER, P., *La nouvelle Asie industrielle — Enjeux, stratégies et perspectives*, Paris, PUF, Publications de l'Institut universitaire des hautes études internationales, 1989.

PARTANT, F., *La fin du développement : naissance d'une alternative*, Paris, Éditions La Découverte, 1983.

PRITCHETT, L., « Quelle convergence ? Passé, présent et futur de la divergence », *Finances et développement*, juin 1996.

PROGRAMME DES NATIONS UNIES POUR LE DÉVELOPPEMENT, *Rapport mondial sur le développement humain*, 1996.

RUDEL, C., « Partager la terre en Amérique latine », *Croissance des jeunes nations*, septembre 1988, p. 15-22.

SASSON, A., *Nourrir demain les hommes*, Paris, Unesco, 1986.

SAVARD, A., « La Corée du Sud, médaille d'or de la croissance », *Croissance des jeunes nations*, septembre 1988, p. 10-14.

VACDES, A., « L'agriculture, grande sacrifiée dans les pays en développement », *Finances et développement*, mars 1995.

CHAPITRE 13

Les pays en développement dans la division internationale du travail

APRÈS AVOIR LU CE CHAPITRE, L'ÉLÈVE SERA EN MESURE :

- de situer les pays en développement dans la division internationale du travail ;
- de décrire l'évolution de leur commerce extérieur depuis les années 1960 ;
- de définir la dépendance commerciale et de montrer ses conséquences pour les pays qui en sont victimes ;
- d'expliquer les causes de la détérioration des termes d'échange des produits de base par rapport aux produits industriels ;
- de présenter des pistes de solution pour résoudre le problème du commerce extérieur des pays en développement.

Le chapitre 7, portant sur le commerce international, a introduit le concept de division internationale du travail, en liaison avec la théorie des avantages comparatifs. Celle-ci prône la spécialisation des pays dans la production de biens pour lesquels ils détiennent des avantages relativement aux autres pays. La théorie de Heckscher-Ohlin ajoute que les pays ont avantage à se spécialiser dans la production des biens qui utilisent intensément les facteurs de production dont ils disposent en grande quantité. Ainsi, les pays abondamment dotés de terres et de main-d'œuvre devraient se spécialiser dans la production agricole et dans certaines branches manufacturières à prédominance de main-d'œuvre, tels le textile et le vêtement.

Cette théorie s'accorde assez bien avec la division actuelle du travail sur le plan international et la spécialisation du commerce des pays en développement. Toutefois, les pays du tiers-monde qui ont connu un certain succès économique sont justement ceux qui ont réussi à échapper jusqu'à un certain point à cette spécialisation.

13.1 ● Une nouvelle division internationale du travail

L'ensemble des pays en développement occupe une place relativement mineure dans le commerce mondial. En 2001, 25 % de la valeur des exportations mondiales provenait de ces régions où se concentre plus de 80 % de la population mondiale; c'est une baisse considérable depuis 1950, alors que ces pays totalisaient 36 % des exportations mondiales. De plus, les pays à faible revenu, sauf la Chine et l'Inde, sont pratiquement exclus du commerce mondial, leurs exportations représentant moins de 1,0 % du total.

Parmi les 150 pays du tiers-monde, une vingtaine seulement monopolisent la quasi-totalité des exportations; il s'agit des nouveaux pays industrialisés (*voir le tableau 12.5*), des pays exportateurs de pétrole à revenu élevé (Arabie Saoudite, Koweït, Émirats arabes unis, Libye) et de quelques pays à revenu intermédiaire. On observe pourtant, depuis les années 1960, une transformation de la division internationale du travail; le tableau 13.1 illustre ce changement en présentant l'évolution des exportations et des importations des pays en développement.

En 1960, les pays en développement étaient fortement spécialisés dans l'exportation des produits primaires (produits agricoles, minéraux, métaux). En 1991, on constate un changement majeur: les exportations de produits manufacturés sont majoritaires; quant aux importations, les produits manufacturés constituent la grande majorité des achats. Exportateurs de produits agricoles et miniers (à l'exception d'une vingtaine d'entre eux), les pays en développement se procurent les biens manufacturés ou transformés dans les pays industrialisés, et ce, conformément aux principes de la théorie des avantages comparatifs.

Sur le plan des exportations, le changement survenu entre 1960 et 1991 est le résultat de la croissance industrielle des nouveaux pays industrialisés. Ceux-ci sont surtout compris dans la catégorie des pays à revenu intermédiaire (auxquels il faut ajouter la Chine et l'Inde). Cette catégorie a connu la plus éclatante transformation de la structure des exportations: la part des produits primaires y a décliné de 89 % à 42 %, tandis que celle des produits manufacturés a bondi de 11 % à 59 %. En 2001, la proportion des produits manufacturés dans les exportations des pays en développement s'élevait à 58 %.

Cette importante modification provient en bonne partie du déplacement de certaines industries des pays développés vers les pays en développement (textile, vêtement, usines d'assemblage, etc.). La production des établissements ainsi déplacés est ensuite exportée vers les marchés des pays industrialisés; dans le cas des usines d'assemblage, comme dans le secteur de l'électronique, où les matières usinées sont importées des pays développés, les produits finis y sont réexportés après quelques opérations simples exigeant une main-d'œuvre abondante (tel le montage des postes de radio dans certains pays asiatiques).

Tableau 13.1 Structure des exportations et des importations de marchandises (en pourcentage)

Groupe de pays	1960 Produits primaires	1960 Produits manufacturés	1991 Produits primaires	1991 Produits manufacturés	2001 Produits manufacturés
Exportations					
Pays à faible revenu (sauf la Chine et l'Inde)	91	9	68	32	–
Chine et Inde	53	47	25	75	–
Pays à revenu intermédiaire	89	11	42	59	–
Pays en développement	78	20	49	51	58
Importations					
Pays en développement	34	65	28	72	

N.B. : Les totaux peuvent différer de 100 %, car la Banque mondiale arrondit et pondère ses données.

Source : Banque mondiale, *Rapport sur le développement dans le monde,* 1990, 1993, 2003.

Ce phénomène explique aussi en bonne partie l'accroissement de la part des produits manufacturés dans les importations des pays en développement.

13.2 ● La dépendance commerciale

Malgré cette évolution, les structures commerciales des pays en développement sont encore précaires. La grande majorité de ces pays peuvent
être décrits comme étant commercialement dépendants. La dépendance
commerciale se caractérise par l'exportation vers un petit nombre de pays
d'une quantité limitée de produits, la plupart du temps exportés à l'état
brut. Au début des années 1990, il existait encore une cinquantaine de
pays pour lesquels un seul produit représentait plus de 30 %, ou deux
produits 50 %, du total des exportations de marchandises. Le tableau 13.2
illustre cette situation.

Tableau 13.2 Spécialisation des exportations par pays

Part de quelques produits dans les exportations de divers pays (en %)			
Pétrole brut		**Produits alimentaires**	
Nigeria	91,5	Ouganda (café)	96,1
Angola	90,1	Burundi (café)	82,9
Irak	89,7	Rwanda (café)	80,1
Oman	88,3	Somalie (bétail)	74,8
Iran	88,2	Cuba (sucre)	74,7
Libye	81,7	Rép. dominicaine (fruits)	67,4
Émirats arabes unis	73,0	Malawi (tabac brut)	66,1
Congo	72,7	Éthiopie (café)	61,5
Qatar	72,7	Salvador (café)	59,6
Arabie Saoudite	65,2	Cap-Vert (poisson frais)	54,8
Gabon	61,3	Fidji (sucre)	51,9
Minerais		Togo (engrais)	51,5
		Tchad (coton)	47,8
Niger (uranium)	83,2	Mozambique (poisson frais)	44,4
Zambie (cuivre)	82,6	Soudan (coton)	43,7
Nouvelle-Calédonie (nickel)	61,0	Ghana (cacao)	43,5
Liberia (fer)	51,1	Mauritanie (crustacés)	43,0
Mauritanie (fer)	39,0	Mali (coton)	42,6
Zaïre (cuivre)	38,1		

Source : CNUCED, *Handbook of International Trade and Development Statistics (1991)*, New York,
Nations unies, 1992.

La dépendance extrême de ces pays à l'égard des produits de base est une cause majeure de leur instabilité économique, des grandes variations de leurs revenus d'exportation et des pénibles conditions de vie de leurs populations. Les prix de ces produits sur les marchés mondiaux sont exposés à de fortes fluctuations à court terme; à long terme, ils ont tendance à baisser par rapport aux prix des produits manufacturés que ces pays importent. Cela occasionne une détérioration des termes d'échange des produits de base et un accroissement de l'endettement extérieur; en effet, ces pays sont obligés de recourir à des emprunts auprès d'organismes étrangers afin de financer leurs importations. La figure 13.1 décrit l'évolution des termes d'échange des produits de base par rapport aux produits manufacturés.

13.3 ● La détérioration des termes d'échange des produits de base

Les termes d'échange mesurent la valeur relative de deux biens ou groupes de biens. On peut ainsi exprimer la valeur des exportations d'un pays par rapport à celle des importations. La méthode de calcul est la suivante:

$$\frac{\text{Indice des prix des produits exportés}}{\text{Indice des prix des produits importés}} \times 100.$$

Dans le cas des produits de base par rapport aux produits manufacturés, la formule est:

$$\frac{\text{Indice des prix des produits de base}}{\text{Indice des prix des produits manufacturés}} \times 100.$$

La figure 13.1*a* traduit clairement la détérioration des termes d'échange des produits de base depuis le début du siècle dernier. Malgré certaines remontées, comme durant les années 1970, la tendance à la baisse est la caractéristique de cette période; d'environ 135 au début du siècle (avec un sommet de 185 pendant les années 1910, en pleine expansion économique, puis de 140 au cours des années 1970), l'indice des termes d'échange des produits de base avait fondu à 60 en 1992. Cela signifie que les prix des produits de base augmentent moins vite que ceux des produits manufacturés, quand ils ne baissent pas tout simplement de façon absolue.

La seule exception notable est la hausse spectaculaire des prix pétroliers (et de leurs termes d'échange) pendant les années 1970: ils ont quadruplé en 1973-1974 et de nouveau doublé en 1979, mais durant les années 1980 ils se sont effondrés; en 1989, ils atteignaient les niveaux les plus bas depuis 1973, leurs termes d'échange par rapport aux produits manufacturés étant en chute libre. Cette tendance s'est maintenue tout au long des années 1990 et au début des années 2000.

Figure 13.1a Prix réels des produits de base[a] non pétroliers[b], 1900-1992 (1980 = 100)

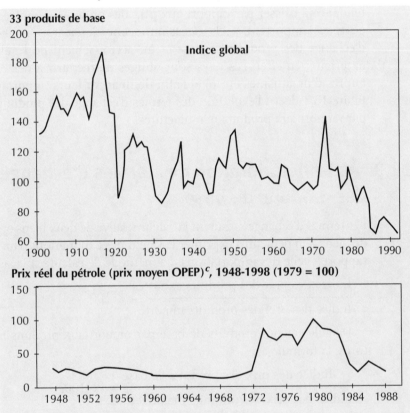

a. $\dfrac{\text{Indice des prix des produits de base}}{\text{Indice des prix des produits manufacturés}} \times 100.$

b. Les produits inclus sont les suivants :
   Boissons : café, cacao, thé ; **céréales :** maïs, riz, blé, graines de sorgho ; **graisses et huiles :** huile de palme, de coco, d'arachide, soja, copra, farine d'arachide et farine de soja ; **autres produits alimentaires :** sucre, bœuf, bananes, oranges ; **produits non alimentaires :** coton, jute, caoutchouc, tabac ; **bois de charpente :** bois en grumes ; **métaux et minéraux :** cuivre, étain, nickel, bauxite, aluminium, minerai de fer, plomb, zinc, phosphate naturel.

c. $\dfrac{\text{Indice du prix du pétrole}}{\text{Indice des prix des produits manufacturés}} \times 100.$

Sources : Banque mondiale, *Tendances du commerce et des prix des produits de base*, édition 1987-1988 ; *Rapport sur le développement dans le monde*, 1989. FMI, *Bulletin, Occasional paper n° 112*, 7 novembre 1994.

Figure 13.1*b* Prix réels des produits de base et prix réels du pétrole (1990 = 100)

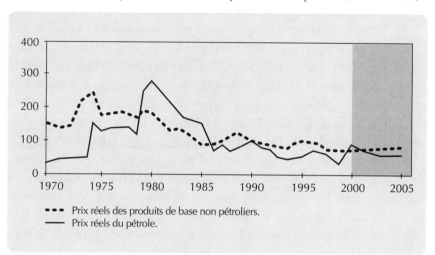

Dans les années 1970, le pétrole a profité temporairement de son caractère stratégique pour l'industrie et le transport dans les pays industrialisés, et du contrôle d'une part substantielle de la production par le cartel des pays exportateurs, l'OPEP (Organisation des pays exportateurs de pétrole). Toutefois, pendant les années 1980, les prix ont cessé de monter et la tendance s'est inversée à la suite des transformations survenues tant du côté de la demande que du côté de l'offre : la demande des pays industrialisés a été réduite substantiellement par des politiques systématiques (substitution industrielle, subventions à la conversion des systèmes de chauffage, voitures moins voraces, etc.) ; de plus, le cartel a perdu le monopole des exportations mondiales à la suite de la montée des producteurs hors cartel (Angleterre et Mexique, par exemple).

13.3.1 Les facteurs à l'origine de cette détérioration

Les principaux facteurs qui expliquent la baisse des prix des produits de base et la détérioration de leurs termes d'échange par rapport aux produits manufacturés sont les suivants.

Premièrement, du côté de l'offre, on a assisté à une forte augmentation de la production des produits miniers et des produits agricoles ; les progrès technologiques ont contribué à cette hausse dans les deux cas. En outre, dans le secteur agricole, les surfaces de terres cultivées ont augmenté dans plusieurs pays en développement tandis que, dans les pays industrialisés, les politiques agricoles (comme celles de l'Union européenne) ont eu pour effet de stimuler la production.

Deuxièmement, bon nombre de métaux traditionnels vendus par les pays en développement sont menacés par de nouveaux matériaux industriels. Les alliages, les plastiques et les composés à base de résine remplacent de plus en plus les métaux dans la construction automobile ; l'aluminium et les plastiques nécessaires au conditionnement des aliments et des boissons ont déjà réduit de moitié le marché de l'étain. Le poids du cuivre qui entre dans la fabrication d'une automobile a diminué des deux tiers depuis 1950, et les batteries classiques à l'acide et au plomb sont appelées à disparaître. De plus, au début des années 1980, les pays industrialisés recyclaient 48,2 % du plomb, 37,9 % de l'aluminium et 24,2 % de l'étain qu'ils avaient utilisés. Dans le domaine des communications, le câble en fibre de verre remplace de grandes quantités de cuivre dans les systèmes téléphoniques interurbains. En général, les produits de synthèse occasionnent une diminution régulière de 2 % par année des besoins en acier, en cuivre, en étain, en plomb et en zinc. Des pays comme la Bolivie (étain), la Zambie et le Chili (cuivre) seront frappés de plein fouet par ces changements[1].

Troisièmement, les débouchés pour les produits de base s'accroissent de moins en moins rapidement. Ainsi, la consommation de café par habitant aux États-Unis et en Europe est en diminution depuis plus de 20 ans. Qui plus est, les pays développés élèvent des barrières protectionnistes contre certains produits agricoles en subventionnant leur propre agriculture à coups de milliards ; cela rend leurs produits moins chers que certaines importations. Dans son *Rapport sur le développement dans le monde* de 1988, la Banque mondiale estime que les politiques sucrières des pays développés ont coûté aux pays en développement environ 7,4 milliards de dollars, et accru de 25 % l'instabilité des prix de leurs produits.

Quatrièmement, les marchés des produits de base sont contrôlés par les entreprises des pays consommateurs, et les prix y sont déterminés selon le principe de la spéculation boursière. À Londres est fixé le prix du caoutchouc, à New York celui des textiles (coton, lainage, jute) et à Chicago celui des céréales. Seuls les producteurs de pétrole ont pu, en s'alliant, fixer pendant un certain temps le prix de leur produit.

De plus, selon le mécanisme établi par les organismes des pays développés, la part du prix qui échoit aux pays producteurs est minime.

---

1. *Problèmes économiques*, « Les pays exportateurs de matériaux traditionnels menacés par les nouveaux matériaux industriels », n° 2.105, 28 décembre 1988, p. 30-31.

En 1983, par exemple, le prix du café récolté dans les champs de Colombie était ainsi réparti : les travailleurs agricoles étaient payés 0,03 $ la livre cueillie, tandis que d'autres opérations (transport, séchage, entreposage, etc.) réalisées dans le pays apportaient des revenus à divers travailleurs colombiens. En tout, environ 20 % du prix de la livre de café vendue en 1983 par un détaillant québécois (5 $ à l'époque) était partagé entre les salariés agricoles, les propriétaires fonciers, les marchands, les transporteurs et l'État colombien. Le reste, c'est-à-dire 80 % du prix, soit environ 4 $ sur 5 $, était réparti entre les assureurs, les courtiers, les commerçants ou les industriels des pays consommateurs[2] (de Van Houtte à Maxwell House). De plus, les fluctuations de prix y sont souvent transmises selon un mode différent : s'il s'agit d'une baisse, elle se répercute de haut en bas de la chaîne plus rapidement — et surtout plus précisément — que les hausses[3].

Devant cette désastreuse évolution, les pays producteurs et exportateurs de produits de base se sont concertés et ont proposé des mesures susceptibles de corriger la situation.

13.4 ● Les voies de l'avenir

En 1964, à l'initiative de 77 pays en développement, la Conférence des Nations unies pour le commerce et le développement (CNUCED) était créée. La CNUCED se définit comme un « cadre de négociation sur les problèmes du commerce international et du développement ». Son objectif est de favoriser une restructuration du commerce international sur des bases qui soient plus favorables à ses membres. Elle apporte une assistance technique aux pays en développement qui cherchent à promouvoir leurs échanges internationaux.

13.4.1 La stabilisation des termes d'échange

Dans le sens de ces objectifs, la sixième session de l'Assemblée générale des Nations unies a adopté, le 1er mai 1974, une déclaration concernant l'instauration d'un nouvel ordre économique international (NOEI), accompagnée d'un programme d'action. Parmi les 20 principes sur lesquels devraient reposer, selon cette déclaration, les nouveaux rapports économiques internationaux, on note le principe des prix justes, qui

---

2. En 1997, pour un kilo de café payé au détail 8,30 $, les producteurs ne touchaient que 0,44 $ (Conseil confédéral de la CSN, septembre 2003).
3. G. Guttierez, *Café,* film en 16 mm, Québec, Production Timana, 1983.

pose la question de l'indexation des prix des produits exportés par les pays en développement sur ceux des produits qu'ils importent, soit la stabilisation des termes d'échange ; ce principe pose aussi la question du droit aux débouchés de leurs produits sur les marchés des pays développés, et celle d'un traitement non discriminatoire de ces produits.

En 1976, la CNUCED adoptait le principe d'un programme intégré pour les principaux produits d'exportation des pays en développement, la création à cette fin d'un fonds commun de stabilisation et la constitution de stocks permettant de régulariser les prix.

Cette régularisation des prix comporte les modalités suivantes. On constitue d'abord un stock avec un produit de base ; lorsque le prix baisse, l'organisme régulateur, à partir d'un seuil de déclenchement « prédéterminé », intervient et achète une quantité donnée du produit, encourageant la demande et provoquant une hausse du prix, qui est ramené à son cours minimal. En sens inverse, l'organisme puise dans ce stock lorsque le prix dépasse un maximum déterminé. Ce processus nécessite l'accord des pays producteurs et des pays consommateurs ainsi que la constitution d'un fonds pour financer l'achat des stocks, leur entreposage et l'administration du projet.

La Conférence de Nairobi a proposé l'organisation de 18 accords internationaux (bananes, bauxite, bois tropicaux, cacao, café, caoutchouc, cuivre, coton, fer, fibres dures, étain, jute, manganèse, oléagineux, phosphates, sucre, thé, viandes), chacun doté d'un stock régulateur et de moyens financiers d'intervention sur les marchés.

Mais, de 1976 à 1986, sur les 18 accords prévus, un seul a vu le jour (il portait sur le caoutchouc et a cessé d'exister en 1985), faute d'entente entre les pays producteurs et les pays consommateurs. Les autres accords qui existaient avant la Conférence de 1976 (cacao, café, étain, sucre) n'ont pas été renforcés. Les pays industriels à économie de marché, États-Unis en tête, ne reconnaissent pas cette intervention dans le marché, la jugeant trop onéreuse financièrement et contraire aux principes des lois du marché.

En 1988, la CNUCED revenait à la charge et lançait un nouvel organisme, le Fonds commun pour les produits de base, qui dispose de deux comptes : le premier (470 millions de dollars) est destiné à stabiliser les prix des produits de base par l'achat de stocks régulateurs ; le second (250 millions de dollars) vise à financer la mise sur le marché de ces produits en les rendant plus compétitifs face aux produits synthétiques. C'est peu si on compare aux besoins établis en 1976.

13.4.2 La diversification et l'industrialisation

À long terme, le développement appelle une restructuration du commerce extérieur. La stabilisation des prix, utile à court terme, ne pourrait renverser la tendance qui se manifeste à long terme. Les pays du tiers-monde doivent diversifier leurs exportations et accroître leur part de produits manufacturés. Cela nécessite la transformation de leurs matières premières et de leurs produits agricoles, et l'écoulement, sur les marchés des pays industrialisés, de produits finis et semi-finis : par exemple, au lieu du coton, ces pays doivent exporter des chemises ; au lieu des fruits, des jus de fruits ; au lieu du bois brut, du bois ouvré.

Pour y arriver, les pays en développement doivent être exemptés des barrières tarifaires élevées par les pays développés. Celles-ci sont nulles sur les produits non transformés et s'accroissent avec le degré de transformation ; elles entravent ainsi le développement des activités manufacturières dans les pays producteurs de produits de base, amenant une spécialisation du travail et du commerce qui défavorise ces pays[4].

La diversification et la restructuration des exportations doivent s'accompagner d'un effort de coopération entre les pays en développement eux-mêmes, dans le sens d'une plus grande intégration de leurs économies. C'est une tendance que plusieurs de ces pays ont commencé à suivre. Ainsi, plusieurs traités ont été signés entre les pays d'Amérique latine, le MERCOSUR étant le plus important. En Afrique, par ailleurs, les tentatives de création d'une union du Grand Maghreb (une union douanière regroupant l'Algérie, la Libye, le Maroc, la Mauritanie et la Tunisie), prometteuses à la fin des années 1980, ont été entravées par les troubles politiques qui ont ébranlé certains pays de la région, l'Algérie notamment.

La nécessité, pour les pays du tiers-monde, de transformer leur commerce extérieur et, partant, leur structure économique, appelle la formation de tels espaces économiques régionaux. Cette coopération internationale n'est pas une initiative nouvelle ; elle a déjà existé et existe toujours sous plusieurs formes, tant en Afrique et en Asie qu'en Amérique latine (le chapitre 7, qui porte sur le commerce international, présente les formes d'association les plus importantes).

---

4. Par exemple, au début de l'an 2000, les États-Unis taxaient l'exportation de la tomate du Chili à 2,2 % pour le fruit brut, à 8,7 % pour la tomate séchée et à 11,6 % pour la sauce tomate.

13.4.3 Le commerce équitable

Les produits de base exportés par les pays en développement passent par de nombreux intermédiaires qui accaparent une partie des revenus, privant les producteurs de sommes importantes et accroissant à l'autre bout de la chaîne le prix payé par les consommateurs. Pour pallier ce problème, des magasins « alternatifs » ont ouvert en Europe d'abord, puis maintenant au Canada et au Québec. Les Magasins du monde regroupés sous la bannière Network of European Worldshop comptent plus de 1 200 boutiques dispersées dans 13 pays européens.

Ces magasins achètent le produit sans intermédiaires sur la base de principes économiques et politiques visant à accorder une plus grande part des revenus aux producteurs sans que les prix et la qualité en soient touchés. En Europe, plusieurs produits sont ainsi échangés entre des coopératives de production du tiers-monde et des magasins de pays développés : le sucre, le cacao, le thé, les bananes, le miel et le café. Au Canada et au Québec, on trouve pour le moment le café équitable écoulé dans certains cafés et acheté par des entreprises comme le Cirque du Soleil. Les entreprises qui œuvrent sur ce nouveau marché doivent être accréditées par un organisme dit « de commerce équitable ». Celui-ci s'assure que les principes économiques et parfois environnementaux qui guident ce type d'échanges sont respectés par l'entreprise.

Le commerce équitable repose sur la conscience des intérêts communs qui unissent les consommateurs des pays développés et les producteurs des pays en développement. Ces intérêts entraînent la nécessité d'organiser le commerce sur des bases différentes de celles du marché officiel. C'est une voie encore embryonnaire mais qui est appelée à se développer pour le bénéfice de tous. Ainsi, au début de l'an 2000, le réseau du commerce équitable s'étendait sur une quarantaine de pays.

Résumé Les pays en développement détiennent une part relativement peu importante du commerce international. Dans le passé, leurs exportations avaient tendance à être confinées aux produits bruts, tandis que leurs importations étaient majoritairement constituées de produits manufacturés.

Trois décennies auront transformé la division internationale du travail. À la fin des années 1980, plus de la moitié des exportations des pays en développement étaient constituées de produits manufacturés, ceux-ci provenant surtout des nouveaux pays industrialisés qui sont devenus de grands exportateurs de produits finis ou semi-finis.

Malgré cette évolution, de nombreux pays en développement demeurent dépendants sur le plan commercial, exportant un nombre limité de produits (parfois un ou deux seulement) vers un nombre limité de pays. Cette situation entraîne une instabilité de leurs recettes d'exportation, qui fluctuent au rythme du prix de certains produits agricoles ou miniers.

À long terme, ces produits de base voient leurs prix baisser dramatiquement par rapport à ceux des produits manufacturés, parce que leur position est désavantageuse sur le plan commercial: on leur substitue de plus en plus des produits de synthèse ou des alliages; leurs débouchés plafonnent, alors que l'offre et la demande sont souvent exposées à la spéculation sur les grandes places boursières des pays développés.

Pour pallier cette fragilité commerciale qui se traduit par des pertes financières élevées, les pays en développement revendiquent l'instauration d'un nouvel ordre économique international basé, entre autres, sur le principe de la fixation de prix justes pour leurs exportations. Des programmes de stabilisation des prix des produits de base ont parfois été instaurés, mais les tentatives visant à appliquer ces programmes se sont avérées jusqu'ici infructueuses.

À long terme, les pays en développement doivent diversifier leur production et leur commerce, et chercher à former de nouveaux espaces économiques qui regroupent certains d'entre eux.

Questions

1. Expliquez ce qu'est la division internationale du travail. Montrez comment elle s'est transformée depuis les années 1960.

2. Illustrez cette évolution à partir de l'exemple d'un pays en développement d'Asie, d'Afrique ou d'Amérique latine.

3. Soit les données suivantes:

	2000	**2010**
Prix d'un tracteur	50 000 $	100 000 $
Prix d'un kilo de café	8 $	12 $

a) Calculez les termes d'échange du café par rapport au tracteur. S'agit-il d'une amélioration ou d'une détérioration?

b) Quel devrait être le prix du café au kilo en 2010 pour maintenir les termes d'échange de l'an 2000?

4. Expliquez trois causes de la détérioration des termes d'échange des produits de base.

5. Présentez quelques solutions au problème des échanges internationaux des pays du tiers-monde.

6. Cherchez le prix d'un ou de deux produits de base et tracez un graphique de son évolution récente. Analysez vos résultats.

Thèmes de réflexion

● La division internationale du travail et les théories d'Adam Smith et de David Ricardo.
● Le commerce équitable.

Références bibliographiques

BANQUE MONDIALE, *Rapport sur le développement dans le monde.*

BANQUE MONDIALE, *Tendances du commerce et des prix des produits de base.*

CAZES, G. et DOMINGO, J., *Les critères du sous-développement: géopolitique du tiers-monde,* Paris, Boréal, 1987.

COMMISSION MONDIALE SUR L'ENVIRONNEMENT ET LE DÉVELOPPEMENT, *Notre avenir à tous,* Montréal, Éditions du Fleuve, 1988, p. 93-101.

FOTTORINO, E., « Dix ans après la Conférence de Nairobi : l'échec du programme de stabilisation des prix des matières premières se confirme », *Le Devoir,* 10 juillet 1986, p. 9.

GILL, L., *Économie mondiale et impérialisme,* Montréal, Boréal Express, 1983.

GIRAUD, P.-N., *L'économie mondiale des matières premières,* Paris, Éditions La Découverte, 1989.

GOMBAUD, J.-L., « Retour aux lois du marché, concurrence sauvage, chute des cours : à leur tour les producteurs de café perdent leurs filets », *Le Monde diplomatique,* novembre 1989, p. 20-21.

GUTTIEREZ, G., *Café,* film en 16 mm, 53 minutes, Québec, Productions Timana, 1983.

KOLKO, J., *Restructuring the World Economy,* New York, Pantheon Books, 1988.

LEMPERIÈRE, J., « Le développement des échanges commerciaux entre pays du tiers-monde », *Le Monde diplomatique,* mai 1985, p. 34-35.

OMC, *Bulletin.*

Problèmes économiques, « Les pays exportateurs de matériaux traditionnels menacés par les nouveaux matériaux industriels », no 2.105, 28 décembre 1988, p. 30-31.

TREMBLAY, O., « Les chevaliers du commerce équitable », *Le Devoir,* 9 mars 1999, p. B1.

La dette extérieure des pays en développement

APRÈS AVOIR LU CE CHAPITRE, L'ÉLÈVE SERA EN MESURE :

- d'évaluer la dette extérieure d'un pays ;
- d'expliquer l'origine de la crise de l'endettement ;
- de montrer le rôle des organismes internationaux dans le dossier ;
- de présenter les solutions qui ont été avancées pour résoudre le problème ;
- d'exposer les conséquences de l'endettement pour les pays du tiers-monde.

La dette du tiers-monde est l'une des problématiques majeures en ce début de siècle. En août 1982, cette question provoquait une crise et menaçait à la fois les pays endettés et les organismes créanciers — les uns, de quasi-faillites nationales, les autres, de graves difficultés financières. Déclenchée à la suite d'une décision du Mexique de cesser ses paiements aux banques commerciales, la crise s'est étendue à plusieurs pays, multipliant les sommes en jeu et accentuant l'instabilité du système financier mondial, de plus en plus perturbé par la volatilité des capitaux.

Dans ce chapitre, nous retraçons les origines de la crise et rappelons les facteurs qui l'ont engendrée. Puis, nous analysons le rôle du Fonds monétaire international dans le dossier et présentons les diverses solutions qui ont été proposées et, en partie, appliquées.

14.1 ● La dette extérieure

14.1.1 Une définition

La dette extérieure d'un pays équivaut à la différence entre la valeur des avoirs extérieurs détenus par ses résidents (créances sur l'extérieur ou prêts à l'étranger) et les avoirs du pays détenus par les étrangers (engagements vis-à-vis de l'extérieur ou emprunts à l'étranger) : c'est ce qu'on appelle la dette nette, par opposition à la dette brute qui ne concerne que le dernier aspect, c'est-à-dire les engagements extérieurs d'un pays.

La dette nette est un concept qui est surtout pertinent à l'analyse des pays développés et de certains pays du tiers-monde, comme les producteurs et exportateurs de pétrole, qui détiennent des créances sur l'extérieur. Pour les pays en développement non pétroliers, la dette est habituellement publiée en chiffres bruts et reflète leurs engagements vis-à-vis de l'extérieur.

De quoi sont composées les créances que les étrangers détiennent sur les pays endettés ? Ces créances existent sous trois formes :

1° les prêts directs entre gouvernements ou les prêts offerts par des organismes internationaux (FMI, Banque mondiale) ;

2° les obligations publiques ou privées placées sur les marchés étrangers ou sur le marché international des capitaux (euro-obligations) ;

3° les prêts des banques étrangères à un gouvernement, à une entreprise publique ou privée ou à d'autres banques du tiers-monde ; c'est à cette catégorie qu'appartiennent les eurocrédits* négociés par des syndicats bancaires, qui regroupent souvent plusieurs centaines de banques sous la direction de quelques-unes d'entre elles.

14.1.2 Les indicateurs

L'ampleur de la dette d'un pays est évaluée à partir de certains indicateurs qui la relient à l'économie du pays concerné ; les exportations de biens et de services constituent un élément déterminant de cette évaluation, car c'est en vendant à l'étranger qu'un pays remboursera la dette qu'il a contractée.

Le **ratio du service de la dette** mesure le service de la dette (capital et intérêt remboursés annuellement) par rapport à la valeur des exportations de biens et de services :

$$\frac{\text{Paiement en capital et intérêt}}{\text{Valeur des exportations}} \times 100.$$

Ainsi, un taux de 20 % signifie que, pour chaque tranche de 100 $ d'exportation, le pays consacre 20 $ au service de la dette.

Le **rapport de la dette aux exportations** mesure le montant de la dette par rapport à la valeur des exportations :

$$\frac{\text{Dette}}{\text{Valeur des exportations}} \times 100.$$

Ainsi, un taux de 200 % signifie que la dette représente le double des exportations de biens et de services du pays.

Le montant de la dette peut aussi être rapporté au produit intérieur brut ; le **rapport de la dette au PIB** est le suivant :

$$\frac{\text{Dette}}{\text{PIB}} \times 100.$$

Ainsi, un taux de 50 % signifie que la dette équivaut à la moitié de la production annuelle du pays.

14.2 ● La croissance de la dette extérieure

La dette des pays du tiers-monde remonte aux années 1950. Elle est alors le résultat des prêts accordés par des organismes internationaux (Banque mondiale, surtout) et des prêts accordés directement par les pays riches. À cette époque, la dette est relativement faible et ne concerne qu'une quarantaine de pays (surtout d'Amérique latine). Il y avait bien une dette extérieure avant les années 1950, mais la dette accumulée avait été annulée, au cours des années 1930, à la suite des défaillances généralisées des pays débiteurs d'Amérique latine (Brésil, Chili, Colombie, Argentine, Cuba). Durant la crise économique des années 1930, les importations des pays endettés ont été considérablement réduites ; les pays industrialisés ont annulé la dette de ces pays pour prévenir l'effondrement de leur propre économie, déjà fortement ébranlée par le rétrécissement de leur marché intérieur.

Au début des années 1970, la dette extérieure des pays en développement n'est que de 77,9 milliards de dollars ; elle représente alors 14,1 % du PNB de ces pays, et le service de la dette est de 14,7 %. Mais cette décennie verra se réaliser les conditions de la crise des années 1980. Le graphique de la figure 14.1 permet d'abord d'observer la montée de la dette entre 1971 et 1980. Bien que le nombre de pays inclus ait augmenté, la croissance de la dette demeure significative : elle est de 21 % en moyenne par année et sa valeur a plus que quintuplé durant la période (passant de 77,9 milliards de dollars à 426,1 milliards).

Figure 14.1 Dette extérieure des pays en développement, 1971-2000[a], années choisies

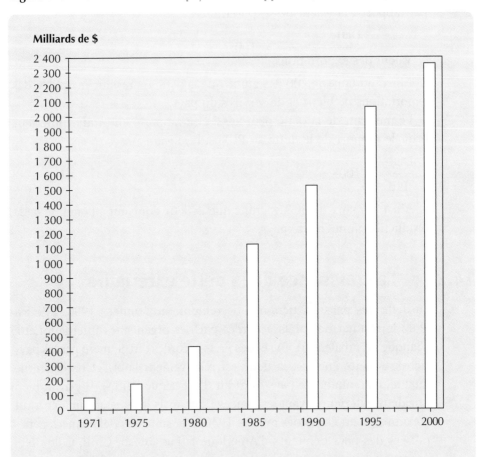

Milliards de $

a. À partir de 1981, le nombre de pays passe de 98 à 109. Dans les années 1990
se sont ajoutés les pays de l'Europe centrale et orientale et les anciennes
républiques de l'ex-URSS.

Source : Banque mondiale, *World Debt Tables*, 1996 ; *World Development Indicators*, 2003.

De 1981 à 2000, la dette extérieure totale des pays en développement
continue son ascension, passant de 755 milliards à 2 357 milliards de
dollars. Les chiffres deviennent astronomiques. Le poids relatif de la
dette s'est alourdi jusqu'à la fin des années 1980, pesant de plus en plus
fortement sur l'économie des pays qui en sont victimes ; depuis le début
des années 1990, il a commencé à diminuer. Le tableau 14.1 décrit l'évolution des indicateurs.

Tableau 14.1 Évolution des indicateurs de la dette (en pourcentage)

	1970a	1980	1998
Dette/exportation	108,9	132,2	150,0b
Service de la dette/exportation	14,7	21,4	18,4

a. Exclut la dette à court terme et les arriérés.
b. 1995.

Source : Banque mondiale, *World Debt Tables; World Development Indicators,* 2000.

Le ratio du service de la dette est passé, pendant les années 1970, de 14,7 % à 21,4 %; en 1998, il se fixait à 18,4 %. À la fin de 1998, les pays en développement endettés devaient consacrer au paiement des intérêts et du capital 18,40 $ pour chaque tranche de 100 $ d'exportations, contre 14,70 $ en 1970. Cette logique les oblige à exporter davantage, ce qui limite la part de la production nationale réservée à la consommation intérieure et détériore d'autant les conditions de vie de la population déjà sous-alimentée et faiblement scolarisée.

L'encadré 14.1 montre comment la situation d'endettement touche financièrement les pays débiteurs. On assiste en effet, depuis 1982, à une saignée des capitaux qui s'envolent par milliards vers les pays riches.

Encadré 14.1

DES SORTIES NETTES DE CAPITAUX VERS LES PAYS RICHES

Depuis le déclenchement de la crise de l'endettement, les flux financiers entre les pays développés et les pays du tiers-monde se sont inversés, ce qui a entraîné une saignée de milliards de dollars de ces derniers vers les pays riches. Entre 1982 et 1987, les sorties d'argent liées au service de la dette ont dépassé chaque année les sommes investies dans les pays endettés. En six ans seulement, les pertes nettes au titre des entrées et sorties d'argent des pays du tiers-monde ont atteint 287 milliards de dollars.

C'est là un cercle vicieux; les paiements au titre de la dette sont tellement élevés qu'ils accroissent annuellement les pertes en capitaux des pays débiteurs. Afin de pouvoir seulement les compenser, ces derniers sont obligés d'emprunter sur les marchés étrangers, où les institutions financières se montrent de plus en plus réticentes à leur accorder des prêts.

Les flux financiers du tiers-monde

(en milliards de $)							
	1982	1983	1984	1985	1986	1987	Total
Rentrées	116	97	88	84	82	85	552
Sorties (service de la dette)	132	132	132	152	144	147	839
Différence	−16	−35	−44	−68	−62	−62	−287

Source : *Financing and External Debt of Developing Countries,* 1987.

Une logique mathématique suicidaire

Deux économistes français[1] ont présenté un modèle mathématique rudimentaire pour montrer à quelles catastrophes des emprunts réguliers peuvent mener les pays endettés. Ce modèle part de trois paramètres : un pays obtient 1 000 $ de prêts par année sur une décennie ; les prêts sont remboursables sur une période de 20 ans ; le taux d'intérêt est de 10 %.

L'emprunt, source d'appauvrissement

	(en $) Service de la dette cumulée				
Année[a]	Emprunt (1)	Intérêts (2)	Amortissements (3)	Total (4)	Marge disponible (1) − (4)
1	1 000	100	50	150	850
2	1 000	195	100	295	705
3	1 000	285	150	435	565
4	1 000	370	200	570	430
5	1 000	450	250	700	300
6	1 000	525	300	825	175
7	1 000	595	350	945	55
8	1 000	660	400	1 060	−60
9	1 000	720	450	1 170	−170
10	1 000	775	500	1 275	−275

a. Selon les paramètres choisis, le seuil fatidique est la huitième année.

Source : Adaptation réalisée à partir de *Monthly Review,* New York, janvier 1984.

Le tableau ci-contre illustre les résultats désastreux de l'emprunt. En l'an 1, les intérêts (10 % × 1 000 $) et les amortissements (5 % × 1 000 $) dégagent une entrée nette de 850 $. En l'an 2, les intérêts s'élèvent à 195 $ (10 % × 1 000 $ + 10 % × 950 $) et les amortissements, à 100 $ (5 % × 2 000 $). À ce rythme, la somme nette disponible des pays débiteurs diminue chaque année et devient négative à la huitième année. Le service de la dette dépasse alors le nouvel emprunt. À ce stade, **le débiteur doit rechercher de nouveaux crédits uniquement pour honorer le service de ses dettes antérieures.**

1. F.F. Clairmonte et J. Cavanagh, « Comment le tiers-monde finance les pays riches », *Le Monde diplomatique,* septembre 1986, p. 14.

La dette touche les régions et les pays de façon inégale. L'Afrique sub-saharienne était débitrice de 12 % de la dette extérieure totale en 1991, mais sa dette extérieure représentait plus de trois fois la valeur de ses exportations, un poids intolérable. Au début des années 1990, les créanciers (publics à 78 %) de ces pays envisageaient d'annuler en partie, sinon en totalité, leurs créances sur ces derniers.

L'Amérique latine a été particulièrement touchée par la crise. La plupart des pays les plus endettés appartiennent à cette région ; les trois premiers débiteurs du tiers-monde, soit le Brésil, le Mexique et l'Argentine, sont d'ailleurs des pays latino-américains. C'est dans cette région surtout que le FMI a dépêché ses fonctionnaires ; aux trois pays cités plus haut, il faut ajouter le Venezuela, le Pérou, le Chili et la Bolivie qui, tous, ont fait l'objet d'une attention particulière depuis 1982. C'est principalement à eux que s'adresse, par exemple, le plan Brady soumis par les États-Unis au FMI.

Le tableau 14.2 indique la provenance des fonds prêtés aux pays les plus endettés. Comme on le voit, c'est le secteur privé qui possède la majorité des créances des 19 pays. En 1989, les banques commerciales détenaient 65,4 % du total des prêts accordés aux pays les plus sérieusement endettés.

Toutefois, la présence des institutions privées n'a pas toujours été aussi forte. Elle a évolué rapidement au cours des années 1970 ; en 1971, les crédits alloués aux pays du tiers-monde provenaient à 46 % de sources privées, contre 63 % en 1980. En volume, ces crédits ont été multipliés par 10 de 1971 à 1982, passant de 35,9 milliards de dollars à 359 milliards au moment du déclenchement de la crise.

Tableau 14.2 Dette extérieure des 19 pays en développement les plus endettés, 1989[a]

| | Total (en milliards de $) | De sources privées (en %) | Service de la dette (1989-1990)[b] (en milliards de $) | Taux de croissance annuel moyen (1982-1988) | |
				PIB (en %)	Consommation par habitant (en %)
Argentine	61,9	74,3	14,7	0,9	−0,1
Bolivie	5,8	12,2	1,0	−1,0	−2,7
Brésil	112,7	75,2	30,4	4,7	2,4
Chili	18,5	68,8	4,5	4,6	0,4
Congo	4,2	53,4	1,7	−0,7	−2,8
Costa Rica	4,6	47,4	1,4	3,8	3,5
Côte-d'Ivoire	14,0	61,6	4,2	0,5	−3,4
Équateur	11,5	51,1	3,9	2,2	−1,5
Honduras	3,4	22,3	0,7	2,8	−1,0
Hongrie	17,9	87,4	4,9	1,4	1,4
Maroc	20,8	26,2	5,6	4,1	0,9
Mexique	102,6	76,0	28,4	0,2	−1,5
Nicaragua	8,6	19,6	1,5	−0,7	−1,5
Pérou	19,9	43,0	4,4	2,1	0,6
Philippines	28,5	56,1	7,3	−0,2	−0,2
Pologne	40,1	31,2	12,5	4,5	3,8
Sénégal	3,6	15,5	0,8	2,5	−1,5
Uruguay	4,5	79,1	1,1	1,8	1,3
Venezuela	34,1	94,7	11,9	2,1	−2,1
Total	515,5	65,4	142,0	2,5	0,4

a. Dette extérieure totale, y compris les crédits du FMI.
b. Le service de la dette est calculé à partir de la dette à long terme et aux conditions de la fin de 1988.

Source : Banque mondiale, *World Debt Tables,* édition 1989-1990.

La majorité des banques engagées dans ces opérations financières sont américaines (les banques canadiennes y ont aussi engagé une partie croissante de leurs actifs). Jusqu'en 1982, ces banques ont réalisé à l'étranger un pourcentage de plus en plus élevé de leurs opérations et de leurs bénéfices, comme le montre le tableau 14.3.

Pour ces colosses de la finance américaine, les prêts accordés au tiers-monde représentaient les pieds d'argile. Les banques ont cru à des profits croissants, basés sur des créances garanties par des régimes musclés garants de la loi, de l'ordre et des bonnes affaires (Brésil, Argentine,

Mexique). Mais leurs prévisions ont raté la cible et les créances qui leur semblaient assurées sont toujours menacées de non-remboursement. Les principaux créanciers ont dû assainir leurs finances sous peine de graves problèmes financiers. Après 1982, les banques ont diversifié leurs portefeuilles de prêts ; elles ont porté à leur compte en créances douteuses une partie de leurs prêts au tiers-monde (il s'agit d'une mesure comptable qui reconnaît dans le bilan d'une banque la perte des sommes attachées à ces prêts). À la fin des années 1980, leur position était donc beaucoup moins vulnérable malgré les pertes élevées portées à leurs bilans.

Mais qu'est-ce qui a pu amener cette offre de crédits des banques commerciales et cette demande de fonds des pays du tiers-monde ?

Tableau 14.3 Croissance des bénéfices à l'étranger des principales banques américaines

Établissement*a*	Bénéfices à l'étranger (en millions de $)			Par rapport à l'ensemble des bénéfices (en %)		
	1970	1981	1982	1970	1981	1982
Citicorp	58	287	448	40	54	62
Bank of America	25	245	253	15	55	65
Chase Manhattan	31	247	215	22	60	70
Manufacturers Hanover	11	120	147	13	48	50
J.P. Morgan	26	234	283	25	67	72
Chemical New York	8	74	104	10	34	39
Bankers Trust New York	8	116	113	15	62	51
Total	167	1 323	1 563	22	55	60

a. Classement selon les actifs de 1982.

Source : *Le Monde diplomatique,* septembre 1986.

14.3 ● L'origine de la dette extérieure

On peut distinguer trois phases dans le processus qui a mené, au cours des années 1970, à l'accroissement de la dette.

D'abord, au début de la décennie, les cours des matières premières exportées par les pays en développement sont à la hausse. Au même moment, les banques commerciales disposent de milliards de dépôts provenant du développement des marchés de l'eurodollar* ; ces fonds doivent être placés rapidement sous peine de pertes en intérêt, tandis que le capital lui-même est rongé par la forte inflation qui règne à l'époque. Les taux

d'intérêt exigés sont faibles et les gouvernements des pays en développement ont besoin de capitaux pour financer leurs projets de développement
parfois grandioses, souvent mal planifiés. Cette conjonction d'une offre
abondante de liquidités et d'une demande des gouvernements de plusieurs pays double la dette extérieure des pays en développement entre
1970 et 1973.

Ensuite, vers la fin de 1973, l'Organisation des pays exportateurs de
pétrole (OPEP) quadruple presque le prix du baril vendu aux multinationales. Ce premier choc pétrolier aura une influence sur la dette
extérieure des autres pays en développement, et ce, de deux façons : il
élève la facture des importations, qui doivent être financées par d'autres
emprunts à l'extérieur, et il fournit aux banques commerciales des milliards de nouveaux dépôts à placer. De 1974 à 1980, les pays de l'OPEP
investiront 132 milliards de dollars dans les pays industrialisés sous
forme de placements immobiliers et d'achats d'entreprises, et déposeront
dans leurs banques 124 milliards de dollars. Ces dernières les recycle-
ront en prêts aux pays du tiers-monde non pétroliers pour compenser en
partie leur facture pétrolière. Entre 1973 et 1980, la dette extérieure de
ces pays sera multipliée par 3,7.

Finalement, les dirigeants des pays en développement, constatant la
hausse du cours de matières premières d'exportation entre 1973 et 1977,
calculent leurs projets d'investissement à partir des hauts prix qui existent alors ; mais ceux-ci vont brutalement retomber vers la fin des années
1970 (*voir la figure 13.1*), ce qui réduira les entrées de fonds nécessaires
aux paiements annuels d'une dette de plus en plus élevée[1]. Puis, vers la
fin de la décennie, deux autres éléments précipiteront la crise. Les pays
de l'OPEP haussent de nouveau le prix du pétrole, qui passe de 12,70 $
le baril à la fin de 1978 à 32 $ au début de 1981 ; ce deuxième choc pétro-
lier vient aggraver encore plus le déficit commercial des pays importateurs de pétrole. Puis, les États-Unis, cherchant à renforcer un dollar
vacillant, augmentent les taux d'intérêt, qui s'envolent vers des sommets
record (21,5 % en 1981). La charge des intérêts au service de la dette est
alourdie et la hausse du dollar américain renchérit les paiements que les
débiteurs doivent effectuer sur des prêts libellés en cette monnaie.

---

1. Les termes d'échange des pays en développement non pétroliers se sont détériorés de plus de 33% entre
   le niveau record de 1974 et le creux de 1981, ce qui représente des pertes de plusieurs milliards de
   dollars dans leurs échanges avec les pays industrialisés. (*Finances et développement,* juin 1988, p. 12.)

Tous ces éléments ont fait monter en flèche le service de la dette, qui a atteint 27,3 % de la valeur des exportations en 1982. Plusieurs pays ont alors été incapables d'effectuer leurs paiements. C'est le processus qui a amené le Mexique à suspendre ses paiements et à déclencher ainsi la crise de l'endettement.

Devant la gravité de la crise déclenchée en août 1982, les organismes créanciers et les pays débiteurs ont intensifié les négociations sur les façons de régler la dette et son service. Mais les deux parties étaient très inégalement structurées; les premiers, beaucoup mieux organisés que les seconds, étaient plus en mesure de défendre leurs intérêts.

14.4 ● Les pays débiteurs et les institutions créancières face à la crise

14.4.1 La coopération parmi les pays débiteurs

Isolés dans le traitement de leur dette extérieure avec les organismes créanciers, les pays débiteurs ont senti le besoin de se rapprocher quand les négociations avec ces organismes se sont intensifiées après 1982. Dès 1983, les pays latino-américains se sont rencontrés à Caracas, au Venezuela; puis en 1984, à Quito, en Équateur, 24 de ces gouvernements se sont consultés sur la possibilité de négocier en commun avec les organismes prêteurs. Mais l'accord isolé conclu par le Mexique avec le FMI, en 1984, a poussé ces pays à chercher chacun une solution particulière. La coopération allait être mise en veilleuse pour quelques années.

En novembre 1987, huit présidents de pays d'Amérique latine (Argentine, Brésil, Colombie, Mexique, Panama, Pérou, Uruguay, Venezuela) se sont engagés à travailler à un projet de marché commun et à une réduction du fardeau de la dette extérieure. Ils ont alors demandé que l'octroi des crédits par les banques commerciales soit indépendant des accords passés avec le FMI et la Banque mondiale.

Mais cette coopération instable et faiblement structurée que l'on observe parmi les pays débiteurs est loin de la concertation de leurs créanciers.

14.4.2 Le regroupement des organismes créanciers

Chez les créanciers, l'action commune est plus poussée et plus ancienne. Depuis 1956, le Club de Paris regroupe, sur une base informelle, les principaux créanciers publics (gouvernements et organismes internationaux); il intervient aux côtés du FMI et de la Banque mondiale lors des demandes de rééchelonnement. Le Club de Londres réunit quant à lui les créanciers privés (banques et autres institutions prêteuses) pour coordonner l'action des membres dans leurs rapports avec les pays endettés. Pour ces derniers, la nécessité d'une concertation plus avancée s'impose, vu le problème qui les oppose à ces regroupements structurés, sinon hautement coordonnés.

Les banques commerciales bénéficient surtout de la collaboration étroite du plus important organisme international, le Fonds monétaire international, qui est leur coordonnateur et leur représentant auprès des pays endettés.

14.5 ● Le rôle du Fonds monétaire international

Les objectifs du FMI (présentés au chapitre 5) consistent à promouvoir la coopération internationale, à faciliter l'accroissement du commerce international, à favoriser l'élimination des barrières qui limitent celui-ci et à financer temporairement les pays qui ont des difficultés de paiement. Les pays industrialisés, qui contrôlent le FMI avec plus de 60 % des quotes-parts, ont transformé son rôle en lui donnant une interprétation particulière : au cours des années 1970, cet organisme est devenu le « gendarme » du capital des banques commerciales.

Le FMI est intervenu dans les discussions et la mise en œuvre des arrangements concernant le refinancement de la dette entre les banques commerciales et les pays débiteurs. Il y participe comme consultant, y déléguant ses experts qui, par la suite, soumettent aux banques une analyse de la situation économique du pays avec lequel elles négocient. Les analyses du FMI ont été utilisées à de nombreuses reprises dans les délibérations qui ont eu lieu avec les pays débiteurs pendant la deuxième moitié des années 1970, qu'il s'agisse du Chili, du Pérou, de la Sierra Leone, du Soudan, du Togo, de la Turquie ou du Zaïre. Puis, au cours des années 1980, le FMI s'est fait le porte-parole des banques privées au Mexique, au Brésil, au Venezuela et en Argentine, soit les quatre pays les plus endettés du tiers-monde, ainsi que dans plusieurs autres pays où des négociations ont eu lieu. Depuis le début de l'an 2000, le processus se poursuit. Les négociations avec l'Argentine en 2003 demeurent le cas le plus spectaculaire dans lequel le FMI est intervenu.

Les experts du FMI essaient de dégager les besoins de financement extérieur du pays qui demande un refinancement ou un réarrangement du calendrier de ses paiements. De plus, afin de limiter l'octroi de nouveaux crédits, les banques et leur médiateur exigent que les débiteurs diminuent leurs importations et augmentent leurs exportations. Pour que ces objectifs soient atteints, le FMI présente au nom des créanciers un programme de redressement basé sur les mesures suivantes:

- la **réduction de la demande intérieure** par une diminution des dépenses publiques et une hausse d'impôts, ainsi que par un contrôle sur les salaires réels pour arriver à freiner la demande de produits importés et à augmenter la compétitivité des produits exportés;
- la **réduction du rôle de l'État** par la vente d'entreprises publiques à des actionnaires privés nationaux ou étrangers de façon à réduire la part du secteur public dans l'économie nationale, et par des compressions dans les dépenses publiques (santé, éducation, etc.) et dans les subventions aux produits de grande consommation;
- l'**ouverture des frontières** au capital et aux produits étrangers.

Le pays débiteur est appelé à appliquer le programme selon le calendrier préparé par le FMI. Si ce dernier considère que les intentions du pays sont fermes, il signera avec lui un «accord de confirmation» qui permet l'octroi d'un crédit destiné à couvrir la balance des paiements pour 18 mois, en général. Ce crédit, alloué par tranches et soumis au respect du programme, représente la «note» qui garantit la bonne conduite des débiteurs. C'est à partir de cette note que peuvent s'ouvrir les discussions sur la renégociation de la dette avec les banques privées.

Le FMI propose donc de ralentir la croissance économique des pays débiteurs et d'y renforcer la place du secteur privé par rapport à celle du secteur public. Il cherche, en fait, à reporter le fardeau de la dette sur les populations des pays endettés et, surtout, il tente d'y imposer un type précis de modèle de développement.

Ces mesures ont été mal accueillies au cours des années 1970, et des émeutes ont ébranlé les pays (Pérou, Égypte, Turquie, par exemple) où les gouvernements ont essayé d'imposer les réformes qui conditionnaient le refinancement de leur dette extérieure. Pendant les années 1980, des troubles semblables ont explosé en République dominicaine, en Bolivie, au Brésil, au Venezuela, en Argentine et en Jordanie, notamment.

Après 1982, étant donné la gravité de la situation, les interventions du FMI se sont accentuées, cet organisme étant devenu le coordonnateur des banques privées. À la fin des années 1990, le FMI a dû intervenir plus largement encore en Asie, au Brésil et en Russie afin de colmater les brèches du système financier international profondément déstabilisé par la volatilité des capitaux. L'orientation de ses plans de redressement ne faisait plus l'unanimité au sein de l'organisme et était critiquée par la Banque mondiale, l'institution sœur du système de Bretton Woods. «Il est temps d'aller plus loin que la stabilisation», d'engager un débat

« où l'arithmétique ne domine pas l'humanité, où le besoin de changements draconiens peut être compensé par la protection des intérêts des plus pauvres », disait James Wolfensohn, président de la Banque mondiale, à la fin de 1998.

14.6 ● Les principales solutions envisagées

La dette des pays du tiers-monde concerne, pour l'essentiel, des banques privées. Celles-ci ont fait appel à leur gouvernement et aux organismes internationaux pour les appuyer dans leurs négociations. L'intervention du FMI, lui-même financé par les États et contrôlé par les pays industrialisés, et l'appui des banques d'État des pays créanciers ont en quelque sorte amené la « socialisation » de la négociation avec les pays débiteurs. Curieuse contradiction, où les banques privées recourent de plus en plus aux services de leur État et d'une organisation internationale apparentée à un super-État, alors qu'elles tentent de réduire le rôle de l'État dans les pays endettés.

Au cours des années 1980, cette approche a permis d'éviter le pire ; les grandes banques ont pu assainir leurs bilans et réduire la part des créances douteuses dans leurs avoirs. Mais, en ce début de siècle, la crise de l'endettement est encore loin d'un règlement. C'est pourquoi, dans les pays endettés comme au sein des organismes privés ou publics, on a tenu de nombreuses conférences et discussions afin de trouver des solutions au problème, ou tout au moins d'atténuer les conséquences de la dette. Chaque partie préconise les mesures qui la toucheront le moins.

14.6.1 L'annulation de la dette

Dans les pays débiteurs, plusieurs organisations, en particulier les syndicats, ont revendiqué une annulation pure et simple de la dette[2]; on rejette la responsabilité de l'accroissement de celle-ci sur les dictateurs qui l'ont contractée, et on signale que les déficits de la balance courante* ont déjà permis de rembourser les pays créditeurs. Les gouvernements d'Amérique latine, où se concentre plus du tiers de la dette et dont les créanciers sont à plus de 70 % des banques étrangères, sont de plus en plus sensibles à la nécessité d'annuler la dette, au moins partiellement,

---

2. En juillet 1985, 330 syndicats de 29 pays d'Amérique latine et des Caraïbes réunis à La Havane, capitale de Cuba, demandaient l'annulation totale de la dette et la suspension immédiate des frais d'intérêt.

et de réduire les paiements annuels; mais cette position n'est pas partagée par les créanciers.

Par ailleurs, beaucoup de pays africains à faible revenu admettent la nécessité d'un allégement réduisant considérablement les créances étrangères (essentiellement auprès d'autorités officielles, nationales ou internationales); les montants concernés représentent une part relativement faible de la dette totale du tiers-monde et les banques privées ne s'y sentent pas menacées. Quelques pays industrialisés, dont le Canada, ont annulé leurs créances sur certains pays d'Afrique.

14.6.2 La renégociation de la dette

Dans le cas des pays à revenu intermédiaire (ceux d'Amérique latine, surtout), le consensus quant à la réduction de la dette n'est pas acquis. Les banques commerciales ne sont pas disposées à effacer une dette qui dépassait, en 1988, les 600 milliards de dollars. Ces banques étant des entreprises privées, elles doivent rendre des comptes à leurs actionnaires, et leur crédibilité ainsi que leur position financière seraient alors fortement ébranlées par un tel geste.

Comme on l'a vu dans le cas du Mexique, la crise est évitée par le rééchelonnement des créances, qui permet au moins d'épargner les intérêts impayés. Ici, la négociation peut prendre la forme d'un réaménagement des conditions de remboursement du prêt initial (nouvelles échéances, taux d'intérêt généralement différents). Le prêt peut aussi être refinancé : techniquement, cela consiste à émettre un nouveau prêt du montant de la dette exigible, celle-ci étant remboursée avec le produit de ce nouveau prêt. Ce principe ne fait que reporter les échéances à des dates ultérieures.

Le mouvement des rééchelonnements s'est développé au cours des années 1980. Tandis que 15 pays s'y étaient livrés de 1970 à 1979, six l'ont fait en 1980, 12 en 1981, neuf en 1982 et 15 en 1983; ces trois dernières années constituent la période cruciale de la crise de l'endettement. En 1987, plus de 20 pays avaient renégocié leur dette.

Pour les banques créancières, le rééchelonnement procure un répit face aux problèmes que ces mauvaises créances posent à leur stabilité financière. Les banques récupèrent les intérêts et le capital non payés, reportent les délais en espérant récupérer plus facilement les intérêts sans toutefois espérer le complet remboursement de leurs créances. De toute façon, aucun intervenant dans le dossier n'envisage encore cette perspective d'un remboursement de la totalité des créances.

14.6.3 Le plan Brady

En avril 1989, l'assemblée générale du FMI entérinait un plan américain, portant le nom du secrétaire au Trésor, Nicholas Brady. Ce plan vise :

- à réduire le montant de la dette extérieure des pays en développement par des «annulations planifiées» de leurs engagements envers les banques commerciales ;
- à réduire les taux d'intérêt sur ces engagements ;
- à favoriser l'octroi de nouveaux prêts bancaires.

Jusqu'alors, les mesures proposées cherchaient à protéger, en vue d'une éventuelle récupération, tout le capital engagé dans le tiers-monde par les banques privées. Le plan Brady introduit un nouvel élément : pour la première fois, on suggère aux banques d'encaisser certaines pertes afin de pouvoir être remboursées au moins en partie.

Les conditions d'accès au programme sont élaborées en collaboration avec le FMI et la Banque mondiale. Quatre orientations s'en dégagent :

- un recours accru au secteur privé et un moindre engagement de l'État ;
- un encouragement à l'investissement par une réforme de la fiscalité (réduction d'impôt pour les entreprises, par exemple) ;
- la stimulation des investissements étrangers ;
- la libéralisation des échanges commerciaux (moins de protection contre les produits étrangers).

Selon cette nouvelle approche, le pays qui accepterait de se plier aux exigences du FMI émettrait des obligations* en échange d'une tranche de sa dette, et la conversion se ferait avec une décote de 35 %. Une dette de 1 milliard de dollars serait ainsi convertie en une obligation du pays endetté valant 650 millions de dollars.

Le FMI et la Banque mondiale s'engageaient à fournir jusqu'à 25 milliards de dollars en vue de financer les rachats ou les conversions de dette en obligations.

En février 1990, le Mexique concluait avec une centaine de banques un premier accord dans le cadre de ce plan. L'entente portait sur des prêts bancaires s'élevant à 48,5 milliards de dollars américains. Les banques choisissaient parmi trois options. Certaines (représentant un capital de 20 milliards de dollars) annulaient une partie de leurs créances en achetant du Mexique des obligations décotées de 35 % ; cette première option permettait une économie de 7 milliards de dollars américains. D'autres (représentant un capital de 22,5 milliards de dollars) transformaient leurs créances en obligations de l'État mexicain porteuses d'un taux d'intérêt réduit des deux cinquièmes à 6,25 % ; cette deuxième option diminuait de 700 millions de dollars américains les paiements annuels d'intérêt. Enfin, quelques-unes acceptaient de débloquer de nouveaux crédits (6 milliards sur trois ans).

Pour garantir ses obligations, le Mexique convenait d'acheter des obligations du Trésor américain ; l'achat était financé par des emprunts de 5,8 milliards de dollars américains auprès du FMI, de la Banque mondiale et d'une banque d'État japonaise. Il devait également consacrer à la garantie de ses obligations 1,2 milliard de dollars américains de ses propres réserves. Et, condition essentielle, le Mexique acceptait de se plier aux normes imposées par le FMI.

Ces normes (réduction de la demande intérieure, diminution du rôle de l'État et ouverture aux capitaux et aux produits étrangers) ont mené directement à la crise de 1995 et à un autre plan de « sauvetage » financier du pays (50,8 milliards de dollars fournis par le FMI, la Banque des règlements internationaux, les États-Unis et trois banques privées). Cette fois, les conditions dictées par le FMI et les marchés financiers (réduction des dépenses publiques et de la masse monétaire, accélération des privatisations et perte d'indépendance de la Banque du Mexique) rabaissent le Mexique à l'état de « semi-colonie ».

Encadré 14.2

LA DETTE EN QUESTION

Venezuela : « shylocking » international

Les Vénézuéliens sont parmi les rares Latino-Américains à connaître une vie démocratique depuis plus de trente ans. Mais pourtant, c'est chez eux qu'a éclaté cette semaine une crise sanglante, où émeutes et répression ont fait des centaines de morts. [...]

Les émeutes ont été déclenchées par un événement en apparence anodin, la hausse du coût du transport en commun, qui fait passer un trajet d'autobus de cinq à sept cents. Mais, en fait, les citoyens se révoltaient contre l'asphyxie de leur pays.

Il y a dix ans, le Venezuela était un pays riche où tous les espoirs étaient permis, grâce au pétrole. Le brut vénézuélien assurait une entrée massive de devises et a permis d'accélérer investissements et industrialisation. Un tel boom prenait de l'argent et c'est ainsi que ce pays a accumulé une énorme dette internationale, maintenant évaluée à 33 milliards de dollars.

Tout s'est écroulé il y a quelques années quand les prix du pétrole se sont effondrés. Comme le pétrole comptait pour 90 % des exportations de ce pays, les devises qui alimentaient la croissance ont cessé d'affluer. Depuis, le Venezuela a réussi à payer ses créanciers, ou plutôt les intérêts de sa dette. Mais à quel prix ? Il a fallu dévaluer massivement la monnaie, le bolivar, ce qui a appauvri encore plus les citoyens, et sacrifier, faute de fonds, des projets de développement qui auraient pu remplacer l'industrie pétrolière en déclin. [...]

Pour s'en sortir, le nouveau président, Carlos Andres Pérez, ne peut pas, comme son prédécesseur, se passer de l'aide du Fonds monétaire international : il lui faut des capitaux pour sortir le pays de cette ornière. Mais le FMI ne prête pas les yeux fermés : il impose aux pays qui sollicitent son aide de très dures conditions pour que ceux-ci redressent leur situation financière. Pour le Venezuela, cela veut dire une réduction des dépenses budgétaires, la fin des subventions aux produits essentiels, une réduction des importations. Avant de toucher aux tarifs du transport en commun, le gouvernement a sensiblement relevé les prix des produits de base.

Les émeutes visent en fait le FMI. Et, encore une fois, cela nous force à nous interroger sérieusement sur les critères que le FMI impose à ces pays. Le prix exigé pour la santé financière compromet la justice et la démocratie, et même souvent le développement.

Mais le FMI n'est pas le seul en cause. Ces pays sont victimes d'une sorte de « shylocking » international : une dette qu'ils n'arrivent pas à rembourser et des paiements d'intérêts qui les privent des ressources dont ils ont besoin pour s'en sortir. Le Canada est complice, puisque nos banques font partie des importants prêteurs à l'Amérique latine.

Il faut régler ce problème de la dette. Déjà, dans les faits, on sait que ces milliards ne seront pas remboursés : dans leurs pratiques comptables, nos banques admettent même qu'elles n'en verront pas la couleur et mettent déjà des sommes de côté pour combler ce trou. Si tel est le cas, les pays industrialisés devront songer à rayer ces dettes une fois pour toutes, pour permettre aux pays endettés de repartir à zéro sans ce fardeau.

Source : A. Dubuc, *La Presse*, 3 avril 1989, p. B2.

14.6.4 La problématique de la dette à moyen et à long terme

Le plan Brady n'a pu résoudre la crise de l'endettement. Il a tout au plus reporté les échéances de quelques années. Certains pays, le Mexique notamment, ont vu leur dette diminuer, mais pour la plupart des pays débiteurs, le fardeau de la dette entrave le développement. La solution à court et à moyen terme exige une réduction des frais financiers et des niveaux d'endettement. L'encadré 14.1 montrait la saignée financière que les remboursements de capital et d'intérêt provoquent dans les pays endettés, les sorties nettes de capitaux entravant leur développement. De plus, les conditions imposées par le FMI et les banques commerciales taxent le niveau de vie des populations.

Dans plusieurs pays, la consommation par habitant diminue depuis 1982 (*voir le tableau 14.2*); les mesures imposées ont des conséquences dramatiques pour les couches de population déjà marginalisées de la campagne et des bidonvilles. Malgré la croissance économique des années 1990, des centaines de millions d'êtres humains sont acculés à une plus grande misère en raison, notamment, des politiques imposées pour couvrir les frais annuels de la dette.

La perspective de réduction des niveaux d'endettement n'est pas nouvelle. Les années 1930 ont déjà offert à cet égard un précédent historique, la dette extérieure des pays d'Amérique latine ayant été annulée en pleine crise économique. Cette politique a eu des effets spectaculaires, car elle a relancé la demande des pays latino-américains pour les exportations des pays créanciers; le volume des importations latino-américaines, qui avait baissé de 60 % entre 1929 et 1932, a augmenté de 94 % entre 1932 et 1937[3]. Les pays développés avaient alors un urgent besoin de ces marchés, au moment où leurs marchés intérieurs et extérieurs s'effondraient sous le poids de la crise.

La réduction de la dette par une annulation partielle, associée à d'autres mesures, ne constituera toutefois qu'un répit pour les pays débiteurs, tant qu'existeront les conditions qui sont à l'origine de la croissance des emprunts extérieurs. Le chapitre 13 a montré comment la spécialisation de nombreux pays du tiers-monde dans l'exportation de produits de base peut avoir des effets néfastes sur leurs revenus d'exportation; à long terme, les prix de ces produits tendent à diminuer par rapport à ceux des produits industriels. Cette évolution élargit les déficits commerciaux et force les pays exportateurs de produits de base à emprunter pour financer leurs importations. Au déficit commercial s'ajoutent alors les paiements de dividendes et d'intérêts qui creusent le déficit de la balance courante. Ces facteurs amènent plusieurs pays en développement à s'endetter; tant qu'ils persisteront, le phénomène de l'endettement extérieur s'y reproduira, avec ses risques de défaillance bancaire et de crise financière.

---

3. FMI et Banque mondiale, *Finances et Développement,* juin 1988, p. 13.

14.7 ● La légitimité de la dette

Faut-il payer la dette? Cette question, on peut s'en douter, reçoit une réponse différente selon le pays ou l'institution. Pour les banques commerciales, la dette doit être payée, car elle constitue un engagement contracté selon les règles de la finance internationale. Pour certains spécialistes, le non-paiement d'une partie ou de la totalité de la dette ne pourrait que nuire à ceux qui s'en prévaudraient, car toute source de crédit ultérieur serait coupée pour un long moment. Les organismes et les pays créanciers ont les moyens d'empêcher les débiteurs d'en arriver à une telle extrémité; des actions légales peuvent être entreprises, des représailles commerciales peuvent être exercées, telle la fermeture des frontières aux produits du pays qui refuse de payer sa dette. Au XIXe siècle, on a même vu des pays recourir à l'action militaire directe et à la conquête de territoires pour compenser le non-paiement de prêts accordés[4]; cette probabilité est moins grande aujourd'hui, mais il reste la possibilité de déstabiliser un gouvernement qui se montre inflexible.

Dans les pays débiteurs, l'attitude est évidemment différente de celle des banques commerciales; plusieurs organisations et même certains gouvernements demandent une reconsidération de la dette.

Comment expliquer une telle contestation d'un accord passé légalement entre deux parties? La légitimité de la dette est remise en question par des couches importantes des populations des pays endettés. Dans plusieurs pays, la population n'a délégué à personne le pouvoir de contracter en son nom des emprunts qu'elle doit aujourd'hui rembourser en limitant sa consommation et son niveau de vie. Dans d'autres cas, on justifie le non-paiement de la dette en disant « qu'elle a déjà été payée » par la spoliation dont les pays ont été victimes, par les pertes dues à la détérioration des termes d'échange, des rapatriements de profits, etc.

14.7.1 Le cas du Brésil

Le cas du Brésil peut servir d'exemple. En effet, en 1964, les militaires antinationalistes ont arraché le pouvoir à un gouvernement élu démocratiquement, puis ont suspendu la démocratie pendant plus de 20 ans.

---

4. La politique de la canonnière a constitué au siècle dernier la réponse des grandes puissances (Angleterre et France, par exemple) au non-paiement des dettes. C'est ainsi que l'Angleterre a profité de l'occasion pour s'emparer de l'Égypte *manu militari*.

Avant leur accession au pouvoir, entre 1948 et 1961, l'économie brésilienne avait crû à un rythme annuel de 7 %; sous leur dictature, elle a augmenté de 8,9 % par année de 1968 à 1980. Cette croissance a été financée, contrairement à la précédente, par des capitaux extérieurs, ce qui a amené le pays dans le fossé de l'endettement. En 1973, la dette extérieure atteignait 6,2 milliards de dollars, soit une valeur égale à celle des exportations de biens et de services; en 1982, après 18 années de régime militaire, elle dépassait 80 milliards, soit le quadruple de la valeur des exportations[5].

En outre, la croissance que cet endettement a financée a été réalisée au profit d'une minorité. Sous la botte des militaires, la concentration des revenus s'est considérablement accentuée; le Brésil est devenu le pays où le revenu est le plus inégalement réparti. La surface cultivable par habitant y est supérieure à celle dont disposent les Américains, mais le pays ne réussit pas à nourrir correctement sa population. La misère, la famine même, et de hauts taux de mortalité infantile caractérisent la moitié nord du Brésil, véritable tiers-monde au cœur de ce pays-continent. La dette extérieure touche directement la population de cette région (le Nord-Est surtout); les conditions de vie s'y détériorent, le Brésil étant forcé de financer ses paiements annuels par des exportations croissantes de produits agricoles (café, sucre, cacao) dont la production est stimulée, tandis que les cultures vivrières (riz, haricots, manioc) ne reçoivent ni crédits ni assistance technique.

On peut se demander à qui a profité ce progrès des premières années du régime des généraux. Ces millions d'hommes, de femmes, d'enfants marginalisés, qui vivent en dehors de la croissance et de la richesse accumulée par une minorité, devraient-ils se saigner pour rembourser une dette dont ils n'ont jamais eu l'occasion de profiter? Aussi une fraction élevée de la population remet-elle en question la légitimité de la dette qui a fait du Brésil le pays le plus endetté du tiers-monde.

La doctrine de la dette « odieuse », illustrée ici, énonce que la dette souveraine encourue sans le consentement des populations et sans bénéfices pour elles ne doit pas être transférée à l'État successeur, en particulier si les créanciers avaient connaissance de cet état de fait (*voir Kremer, M. et S. Jayachandran, « La dette "odieuse" »*, 2002).

---

5. C. Furtado, « Dette extérieure : quel type de renégociation ? », *Le Monde diplomatique,* août 1983, p. 16.

Résumé   La dette des pays en développement s'est multipliée au cours des années 1970, et le fardeau des pays endettés s'est alourdi à un point tel que, durant les années 1980, certains pays se sont déclarés incapables d'effectuer leurs paiements. La crise de l'endettement a été déclenchée en août 1982 quand le Mexique a cessé ses paiements aux banques commerciales.

Cette crise a été amenée par une frénésie d'emprunts réalisés au début des années 1970 à partir des fonds offerts par les banques commerciales; celles-ci cherchaient à recycler les pétrodollars placés par les pays exportateurs de pétrole. Puis, la hausse des prix pétroliers a élevé la facture des pays non producteurs, forçant ces derniers à emprunter pour régler leurs achats. Enfin, les dirigeants des pays en développement se sont livrés, au milieu des années 1970, à des emprunts massifs pour financer des investissements qui n'ont pas toujours été profitables.

Depuis le début de la crise, les organismes créanciers et les pays débiteurs ont négocié le paiement de la dette. Le Fonds monétaire international est devenu le coordonnateur officiel des banques commerciales lors des négociations. Il offre une aide financière aux pays qui s'engagent à respecter certaines conditions portant sur l'orientation de leur politique économique.

Plusieurs solutions ont été proposées pour régler la crise de l'endettement, allant de l'annulation de la dette, en partie ou en totalité, à la renégociation des échéances et des intérêts payés, et au programme associé au plan Brady. Au début de l'an 2000, bien que la situation des banques créancières se soit stabilisée, celle de nombreux pays débiteurs ne s'est pas améliorée. Les remboursements ont été seulement reportés à des dates ultérieures. Cependant, la perspective d'annuler une partie de la dette contractée auprès des banques commerciales est envisagée sérieusement.

Questions

1. À partir de quels critères indicateurs peut-on mesurer la dette extérieure d'un pays? Illustrez votre réponse par un exemple.

2. Expliquez l'origine de la dette extérieure des pays en développement en isolant ses principaux facteurs.

3. Montrez le rôle joué par le FMI dans la crise de l'endettement ; décrivez les conditions qu'impose cet organisme pour accorder son aide financière.

4. Présentez les principales mesures du plan Brady.

5. Choisissez un pays du tiers-monde et analysez sa situation du point de vue de la dette depuis le début des années 1970.

6. Présentez les derniers développements dans le dossier. Y a-t-il eu d'autres plans ou programmes de règlement ? Si oui, précisez leurs caractéristiques et comparez-les aux plans précédents.

7. « La dette extérieure des pays en développement est une réalité légale, mais elle n'est pas toujours légitime. » Interprétez et commentez cette affirmation.

8. Quelles solutions peut-on envisager à plus long terme pour résoudre le problème de l'endettement des pays du tiers-monde ?

Thème de réflexion

● La dette extérieure et le développement des pays débiteurs.

Références bibliographiques

ARNAUD, P., *La dette du tiers-monde*, Paris, Éditions La Découverte, 1984.

BANQUE MONDIALE, *Rapport sur le développement dans le monde*.

BANQUE MONDIALE, *World Debt Tables*.

CLAIRMONT, F.F. et CAVANAGH, J., « Comment le tiers-monde finance les pays riches », *Le Monde diplomatique,* septembre 1986, p. 14.

CLERC, D., *Les désordres financiers*, Montréal, Éditions Saint-Martin / Paris, Syros Alternatives, 1988.

Finances et développement, « Stratégies de la dette », juin 1988.

FURTADO, C., « Dette extérieure, quel type de renégociation ? », *Le Monde diplomatique,* août 1983, p. 16.

GEORGE, S., *Jusqu'au cou : enquête sur la dette du tiers-monde*, Paris, Éditions La Découverte, 1988.

KREMER, M. et S. JAYACHANDRAN, « La dette "odieuse" », *Finances et Développement,* juin 2002, p. 36-39.

LAZARE, F., « Dette : les faux-semblants du plan Brady (L'accord du Mexique diminuera très peu ses remboursements) », *Le Devoir,* 14 février 1990, p. 12.

L'HÉRITEAU, M.-F., « Endettement et ajustement structurel : la nouvelle canonnière », *Revue Tiers-Monde,* tome 23, no 91, juillet-septembre 1982.

NOREL, P. et SAINT-ALARY, E., *L'endettement du tiers-monde,* Montréal, Éditions Saint-Martin/ Paris, Syros Alternatives, 1988.

RIEGLING, K.P., « Les nouveaux modèles de financement de la dette », *Finances et développement,* mars 1988, p. 6-9.

RUDEL, C., « Mourir à crédit », *Croissance des jeunes nations,* février 1988, p. 15-22.

STIGLITZ, J., *La Grande Désillusion,* Paris, Éditions Fayard, 2002.

CHAPITRE 15 Les théories du développement

OBJECTIFS

APRÈS AVOIR LU CE CHAPITRE, L'ÉLÈVE SERA EN MESURE :
- de présenter les principaux courants théoriques portant sur la question du sous-développement ;
- de comparer les analyses et les solutions présentées ;
- d'interpréter les problèmes des pays en développement à partir de différentes théories.

Les théories du développement (ou du sous-développement) s'inscrivent dans le champ plus général des théories économiques. Ce sont des abstractions de la réalité ; elles rassemblent ce qui est commun et cherchent à dégager les lois générales qui expliquent les phénomènes. Depuis les années 1950, deux grands courants ont fourni des explications et des solutions au problème du sous-développement : le courant libéral et le courant radical. Le présent chapitre présente la contribution d'auteurs importants rattachés à chacune de ces deux tendances et décrit une autre voie associée à la critique du modèle « industrialiste ».

Nous ne prétendons pas faire le tour du savoir dans le domaine en présentant les théories retenues, que nous avons choisies parce qu'elles ont marqué jusqu'à un certain point les débats sur la question et aussi à cause de leur caractère synthétique. C'est le cas, par exemple, de la théorie des étapes de W.W. Rostow, et de la théorie de la dépendance et de l'exploitation de Charles Bettelheim. Sans faire l'unanimité chez les théoriciens qui partagent l'une et l'autre tendances, ces théories reflètent bien les grandes positions exprimées.

15.1 ● Le courant libéral

Le courant libéral présente le sous-développement comme étant un retard ; il considère que les pays sous-développés sont à une étape de développement antérieure à celle déjà atteinte par les pays développés.

15.1.1 La théorie des étapes

W.W. Rostow a présenté cette théorie dans un ouvrage paru au début des années 1960 et intitulé *Les étapes de la croissance économique*[1]. Dans cet ouvrage, Rostow cherche à démontrer comment les pays aujourd'hui développés sont passés du stade de la société traditionnelle à celui de la consommation de masse. Ce cheminement comporte cinq étapes. Une fois la société traditionnelle ébranlée, le pays ou la région traverse une période où s'établissent les conditions de la croissance, préalables au décollage (*take off*) ; puis survient le décollage lui-même qui, sur sa lancée, se transforme en essor vers la maturité ; cette étape mène, après un certain temps, à l'ère de la consommation de masse.

Point de départ de l'analyse de Rostow, la société traditionnelle est, selon ce dernier, arriérée sur le plan des idées ; son système de valeurs étant fondé sur le fatalisme, elle refuse l'application de la science à la production. Sa productivité est très faible dans les principaux secteurs économiques : l'agriculture et l'industrie. La société traditionnelle se caractérise par la stagnation sur les plans économique, social, politique et scientifique.

Cette étape est suivie de la période préalable au décollage, où les conditions de la croissance sont progressivement mises en place ; l'innovation technologique y est mieux accueillie. L'idée d'un progrès économique possible se répand ; un État centralisé et efficace se constitue ; l'éducation s'élargit ; de nouveaux types d'entrepreneurs apparaissent et le commerce s'étend ; les institutions économiques se transforment et favorisent le progrès, c'est-à-dire la croissance économique.

Puis vient la phase du décollage, « période intermédiaire pendant laquelle les anciens blocages et les anciennes résistances à une croissance continue sont finalement vaincus ». Les transformations issues de la période précédente se poursuivent. Pendant une période allant de une

---

1.   W.W. Rostow, *Les étapes de la croissance économique*, Paris, Édition du Seuil, 1963.

à trois décennies, les investissements croissent rapidement et peuvent passer de 5 % à 10 % du PNB ; les structures économiques, politiques et sociales se transforment, et un taux de croissance régulier peut être soutenu.

La création d'un État centralisé est une condition déterminante du décollage, un tel État ayant pour fonction d'appuyer les stimuli qui proviennent du secteur privé. La croissance économique dépend des activités d'un ou de plusieurs grands secteurs qui exercent un leadership sur l'ensemble de l'économie. Ainsi, durant la révolution industrielle du XVIIIᵉ siècle, les textiles ont joué en Angleterre le rôle de secteur dirigeant.

La société qui a finalement « décollé » continue son essor vers la maturité, qu'elle atteint environ 60 ans après le commencement du décollage. L'épargne et l'investissement doublent ; la société acquiert la maîtrise de la plupart des technologies les plus avancées ; elle peut produire tout ce qu'elle veut, du moins dans la sphère de spécialisation choisie.

Vient ensuite l'ère de la consommation de masse, pendant laquelle les secteurs de pointe de l'économie se déplacent vers les biens de consommation durables (appareils électroménagers, automobiles, etc.) ; le secteur des services se développe et une grande partie de la population parvient à un niveau de vie élevé qui lui permet de se procurer les biens durables et de consommer les services, d'où l'expression « consommation de masse ».

Le nœud du changement se situe à l'étape 3, constituée par le décollage ; celui-ci suppose les changements de structure préalables et ouvre la voie, par la hausse du taux d'investissement, à un système de croissance qui possède les forces internes de sa propre croissance.

D'après Rostow, les pays développés ont atteint, en 1960, l'étape 5 (États-Unis) ou l'étape 4 (Canada, Japon, Royaume-Uni, France). Les pays sous-développés sont à l'étape 2 ou à l'étape 1. Pour se développer, ils doivent s'inspirer du cheminement des pays industrialisés. Ils doivent ainsi favoriser l'émergence d'une classe d'entrepreneurs capables de stimuler l'économie et créer un État centralisé qui appuie les stimuli provenant du secteur privé.

Conseiller du président américain, Rostow écrit sa thèse dans le contexte de la guerre froide qui oppose le camp américain au camp soviétique. Il propose aux nouveaux États indépendants d'Afrique et d'Asie la voie des économies de marché, où les États-Unis représentent le stade le plus avancé. Rostow suggère à ces nouveaux États de s'ouvrir au capital étranger et d'instaurer un régime fiscal (taxes et subventions) qui favorise les investisseurs privés, nationaux et étrangers.

Malgré les critiques formulées par rapport au caractère imprécis de ses étapes et à l'absence d'explications quant aux transitions d'une étape à l'autre, le modèle de Rostow reste dominant. Le vocabulaire économique utilise encore fréquemment les expressions « retard », « décollage », « rattrapage », « maturité », directement tirées de ce modèle.

15.1.2 Le développement à partir d'une main-d'œuvre illimitée

Plusieurs auteurs partagent la thèse libérale tout en apportant au sous-développement une explication différente. Parmi eux, W.A. Lewis[2] soutient qu'il existe dans de nombreux pays sous-développés d'importants groupes de travailleurs inemployés dans le secteur traditionnel ou de subsistance (agriculture, artisanat); et lorsque ces travailleurs se trouvent à être employés, soutient Lewis, leur productivité est quasi nulle et leurs revenus sont à peine suffisants pour combler leurs besoins essentiels.

Paysans, travailleurs saisonniers, petits commerçants, artisans et femmes au foyer forment une armée de réserve capable de répondre à la demande du secteur moderne (la grande industrie, en général d'origine étrangère). Le secteur moderne pourrait se développer en attirant à lui ce surplus de main-d'œuvre dont les salaires se maintiendraient à un bas niveau. La croissance industrielle pourrait ainsi être favorisée, ce qui entraînerait une hausse des profits. Comme ceux-ci sont pour l'essentiel épargnés, puis réinvestis, cela élèverait le rythme d'accumulation du capital (construction de nouvelles usines, nouvel équipement) dont dépend le développement.

15.1.3 Le *big push*

D'autres auteurs[3] font reposer le processus de développement sur un effort massif, une sorte de grande poussée initiale. Il s'agirait, avec l'aide de l'État, de faire démarrer plusieurs secteurs à la fois de façon à créer une demande, un marché pour les produits industriels. Pour ces auteurs, il serait peu pertinent de construire une usine de chaussures dans une

---

2. W.A. Lewis, « Economic development with unlimited supplies of labour », dans A.N. Agarwala et S.P. Singh, *The Economics of Underdevelopment,* London, Oxford, New York, Oxford University Press, 1968, p. 400-449.
3. R. Nurske, « Some international aspects of the problems of economic development », dans A.N. Agarwala et S.P. Singh, *The Economics of Underdevelopment,* London, Oxford, New York, Oxford University Press, 1968, p. 255-271. P.N. Rosenstein-Rodan, « Problems of industrialization of Eastern and South Eastern Europe », dans A.N. Agarwala et S.P. Singh, *The Economics of Underdevelopment,* London, Oxford, New York, Oxford University Press, 1968, p. 245-255.

économie où le marché des chaussures est anémique. Il serait mieux indiqué de susciter des investissements dans différents secteurs, dans l'infrastructure (barrages, routes, etc.) ou dans les activités directement productives (industries de la chaussure, du vêtement, de l'alimentation, etc.).

On crée par un tel processus un potentiel d'énergie utilisable par les entreprises manufacturières et un pouvoir d'achat pour les chaussures, les vêtements et autres produits industriels. Le rôle de l'État consiste à financer directement certains projets en les prenant en main lui-même, ou indirectement en subventionnant l'entreprise privée. Ce processus se rattache aux théories dites de la « croissance équilibrée ».

15.1.4 La croissance déséquilibrée

D'autres auteurs, tel A.O. Hirschman[4], proposent une « croissance déséquilibrée ». Selon ce modèle, un investissement dans des activités directement productives (industries manufacturières) entraîne la mise sur pied d'infrastructures (énergie, routes, voies ferrées, etc.) pour approvisionner les usines et permettre le transport des marchandises ; ou bien, inversement, la construction de telles infrastructures facilite l'établissement d'entreprises manufacturières qui peuvent être implantées une fois les sources d'énergie et les voies de communication installées. Ce modèle propose, au lieu de l'investissement massif suggéré par le modèle précédent, de centrer le développement sur l'une des deux composantes essentielles constituées par les infrastructures ou les activités directement productives ; selon ce modèle, le déséquilibre qui s'ensuit stimule les investissements dans l'autre type d'activité, d'où le nom de « croissance déséquilibrée ».

15.1.5 Un modèle basé sur la promotion des exportations

Le modèle prôné par les organismes internationaux (FMI, Banque mondiale) dirigés par les pays développés est axé sur l'ouverture au marché mondial et sur une présence minimale de l'État, tourné vers le développement du secteur privé. Il s'agit essentiellement de suivre les lois du marché en faisant reposer le développement sur les avantages comparatifs propres à chaque pays, surtout une abondance de main-d'œuvre

---

4. A.O. Hirschman, *The Strategy of Economic Development,* New Haven, 1958.

efficace et peu coûteuse. Ce modèle s'inspire de la réussite des NPI asiatiques, comme la Corée du Sud (à l'État pourtant fortement interventionniste), puis l'Indonésie et la Thaïlande, pays où la main-d'œuvre était encadrée par des lois et pratiques souvent antidémocratiques (par exemple, liberté d'association et d'expression sérieusement limitée). Ces économies connurent une longue période de croissance tirée par les exportations avant que la crise financière de 1997-1998 ne révèle les contradictions de leur développement extraverti et de leur régime politique.

15.2 ● Le courant radical

Le courant radical présente la situation des pays du tiers-monde comme le produit historique du développement d'un grand nombre d'économies nationales. Selon ce courant, le développement de ces économies s'est fait aux dépens de pays et de régions dont le développement a ainsi été bloqué. Charles Bettelheim a synthétisé cette théorie dans un texte intitulé « La problématique du sous-développement[5] ».

15.2.1 La théorie de la dépendance et de l'exploitation

D'après Bettelheim, la notion de retard, une des bases essentielles du courant libéral, n'est pas scientifique. Selon cet économiste, on ne peut prétendre, comme le fait W.W. Rostow, que les pays « sous-développés » se trouvent à une étape antérieure à celle atteinte par les pays développés. Bettelheim affirme qu'une telle comparaison est fausse ; selon lui, les structures sociales et l'environnement économique des pays que l'on appelle aujourd'hui « sous-développés » ne sont pas analogues à ceux des pays européens des XVIIe et XVIIIe siècles. À l'époque, les pays industrialisés n'étaient pas dans la même situation que celle des pays d'Asie, d'Afrique et d'Amérique latine aujourd'hui économiquement dépendants, qui sont envahis par les capitaux étrangers et dont l'économie est déformée, basée sur quelques secteurs hypertrophiés liés à des marchés étrangers et soumise aux intérêts d'un ou de plusieurs groupes de puissances économiques.

---

5. C. Bettelheim, *Planification et croissance accélérée*, Paris, Petite collection Maspero, 1970, p. 26-44.

Aussi, selon Bettelheim, l'analyse des pays « sous-développés » ne doit pas faire du prétendu sous-développement une chose en soi, mais elle doit au contraire replacer ces pays « dans le réseau des liens de dépendance et d'exploitation dans lesquels ils sont insérés[6] », cette situation étant à l'origine de leur blocage économique.

La dépendance dans laquelle sont placés les pays sous-développés se situe à deux niveaux : elle est politique et économique. Ces pays ont longtemps été placés dans un état de dépendance coloniale qui a ruiné leurs économies et soumis leur développement aux intérêts des métropoles. Une fois décolonisés, la plupart des nouveaux États ont été l'objet d'une forme nouvelle de dépendance qualifiée de néocoloniale. Celle-ci est liée aux rapports économiques étroits que les nouveaux pays sont tenus de maintenir avec l'ancienne métropole ou une puissance économique montante (à la place de l'Espagne, l'Angleterre puis les États-Unis en Amérique latine). Par ailleurs, elle est renforcée par la corruption du groupe politique dirigeant et sa soumission aux intérêts étrangers.

Sur le plan strictement économique, la dépendance revêt deux formes principales : elle est à la fois commerciale et financière. Comme l'écrit Bettelheim, la dépendance commerciale « se manifeste par le fait que le volume et le montant du commerce extérieur d'un pays sont étroitement dépendants des exportations vers un nombre limité de pays (très souvent vers un seul pays), d'un nombre également très limité de produits, le plus souvent exportés à l'état brut ou presque brut[7] ». La dépendance financière est le fait des capitaux étrangers provenant des pays développés qui orientent la production selon leurs intérêts ; ces capitaux étrangers servent surtout à développer les secteurs d'extraction de produits bruts (mines, agriculture, forêts) qui seront exportés et transformés dans les pays développés.

Cette double dépendance mène à une double exploitation. Sur le plan financier, les capitaux étrangers donnent lieu à des profits élevés qui sont rapatriés en bonne partie ; ces sorties de dividendes accroissent la dette extérieure des pays dominés. Quant aux capitaux réinvestis sur place, ils accroissent la propriété étrangère qui sera à l'origine de futurs profits. Sur le plan commercial, l'exploitation est le résultat d'un échange

---

6. *Ibid*, p. 31.
7. *Ibid*, p. 33.

inégal. D'une part, « les produits vendus par les pays industriels aux pays exploités sont en effet très généralement vendus au-dessus de leur valeur[8] », ce qui permet d'obtenir des taux supérieurs de profit sur le capital investi. D'autre part, les pays développés achètent à un prix inférieur à leur valeur les produits des pays dépendants, y diminuant de ce fait les taux de profit. Ces mécanismes se traduisent par une détérioration des termes d'échange pour les pays dépendants.

Cet état de dépendance et d'exploitation est la source même de la tendance au blocage du développement qui caractérise ces pays. Ces facteurs externes sont renforcés par des facteurs intérieurs aux pays. L'accumulation de capital y est trop faible à cause des profits qui en sortent, mais aussi à cause d'une utilisation inefficace du surplus économique (épargne publique et privée). Certains facteurs politiques contribuent à ce ralentissement du développement; le maintien au pouvoir de groupes parasitaires, à la fois soutenus par le capital étranger et soumis à lui, nuit considérablement à l'évolution des économies nationales.

Comme solution, le courant radical propose qu'après avoir acquis l'indépendance politique, aujourd'hui réalisée en majeure partie, les nouveaux États visent à acquérir l'indépendance économique. Celle-ci consiste à étendre à la sphère économique la souveraineté formellement acquise; l'expropriation et la nationalisation du capital étranger de même que la modification des rapports commerciaux avec les puissances dominantes sont des conditions essentielles de ce processus.

15.2.2 L'accumulation à l'échelle mondiale

Comme le courant libéral, le courant radical est représenté par de nombreux économistes qui apportent leurs nuances et leurs précisions. Samir Amin[9], par exemple, a exposé une histoire du développement du capitalisme en termes de puissances dominantes (le Centre) qui accumulent du capital et s'enrichissent par l'exploitation de régions ou de pays dominés (la Périphérie). Il distingue trois phases dans le processus de l'accumulation du capital à l'échelle mondiale :

1° la phase mercantiliste* (1500-1770);
2° la phase industrielle et concurrentielle (1770-1870);
3° la phase impérialiste* (1870-1930).

---

8. *Ibid.*, p. 36.
9. S. Amin, *L'accumulation à l'échelle mondiale*, Paris, Anthropos, 1970.

À chacune de ces périodes correspondent des fonctions spécifiques assignées à la Périphérie, selon les besoins d'accumulation du Centre.

Au cours de la première phase décrite par Amin, le rôle de la Périphérie (principalement l'Amérique pour les produits, secondairement l'Afrique pour les esclaves) est de favoriser l'accumulation de capital-argent par la bourgeoisie commerçante européenne (Venise, la Hanse, puis l'Espagne, le Portugal, ensuite la Hollande et l'Angleterre). Les relations commerciales constituent alors l'élément fondamental du système capitaliste en formation ; d'où les grandes navigations, le commerce triangulaire*, l'essor des comptoirs* et des grandes plantations. Les commerçants européens se procurent les produits du Nouveau Monde par l'échange simple, le pillage et l'organisation d'une production mise en place à cette fin dans les régions aux riches sous-sols et aux terres fertiles.

Au cours de la deuxième phase, à la suite de la révolution industrielle, cette fonction de la Périphérie perd de son importance, car le centre de gravité du capitalisme se déplace du simple commerce à l'industrie. Le Centre (la Grande-Bretagne d'abord, puis l'Europe continentale et l'Amérique du Nord, et plus tard le Japon) exporte vers la Périphérie des produits manufacturés de consommation courante (textiles, par exemple). La Périphérie fournit pour l'essentiel des matières premières et des produits agricoles ; ceux-ci permettent de diminuer le coût de la force de travail dans les pays du Centre, et les matières premières permettent de réduire le coût des autres éléments de la production[10]. Les taux de profit peuvent ainsi être maintenus à la hausse malgré les lourds investissements nécessités par l'industrialisation (Taux de profit = Masse des profits / Capital investi × 100). Grâce à la réduction des coûts industriels, les profits augmentent et compensent l'accroissement du capital investi que l'industrialisation nécessite.

La troisième phase est caractérisée par l'exportation de capital vers la Périphérie et les jeunes pays en formation (Canada, États-Unis). Les entreprises du Centre (Europe, puis États-Unis et Japon) font des prêts et implantent des usines dans les pays de la Périphérie (Afrique, Amérique latine, Asie). L'exportation des capitaux ne remplace pas celle des marchandises ; au contraire, elle va la stimuler. La Périphérie devient exportatrice de produits fournis par des entreprises capitalistes modernes à très haute productivité : pétrole, produits miniers bruts ; les produits

---

10. Les produits agricoles réduisent le coût de la nourriture, ce qui diminue les coûts de main-d'œuvre que doivent assumer les capitalistes. Le coton ou le fer importés réduisent quant à eux les montants que doivent engager les industriels pour le financement des moyens de production.

agricoles sont aussi fournis par des plantations capitalistes modernes (avec employés salariés et machinerie). À ce stade, la domination du Centre sur le commerce de la Périphérie entraîne pour cette dernière la détérioration des termes d'échange (Prix des exportations / Prix des importations × 100).

L'accumulation à l'échelle mondiale est la cause du développement inégal qui caractérise l'économie mondiale. Le sous-développement et le développement sont ainsi indissolublement liés dans un même processus. Telle est la thèse de fond de ce courant.

* * *

L'analyse et les solutions présentées par le courant radical sont, comme on peut le constater, diamétralement opposées à celles du courant libéral. Ce dernier propose en effet aux pays en développement de suivre le cheminement des pays développés à économie de marché et de s'intégrer au marché mondial. Le courant radical, pour sa part, critique les mécanismes du marché mondial qui sont la source de l'inégalité du développement entre les pays et propose une voie opposée au marché, qui peut aller jusqu'au socialisme*.

15.3 ● Une autre voie

Une troisième voie présente une critique des courants libéral et radical.

15.3.1 La critique du modèle « industrialiste »

L'industrialisme est le système selon lequel l'industrialisation est le but ultime de toute société; il utilise à cette fin toutes les mesures susceptibles de promouvoir l'industrialisation, y compris celles qui entravent le développement de l'agriculture et détruisent les bases des sociétés paysannes.

Cette poursuite de l'industrialisation à tout prix se retrouve à un certain degré dans les deux courants décrits plus haut. Que ce soit dans le courant libéral, où elle est soumise aux lois du marché, ou dans le courant radical, où elle relève d'une planification d'ensemble, l'industrialisation est le principal critère du développement économique.

Le troisième courant, qui, à certains égards, se rapproche du modèle radical, conteste une telle conception. D'après ses représentants, le processus de développement qui privilégie l'industrialisation au détriment de l'agriculture exerce sur celle-ci plusieurs formes de pression négatives. Ainsi, pour financer l'industrialisation, on demande au secteur agricole :

- d'être une source de production de denrées pour l'exportation vers les pays industrialisés, afin de dégager des devises destinées à couvrir les besoins d'importation qu'exige le développement ;
- de répondre aux besoins alimentaires des populations urbaines et aux besoins de matières premières agricoles (coton, par exemple) dont la demande augmente rapidement avec l'industrialisation, l'urbanisation et la croissance démographique ;
- d'être une réserve de main-d'œuvre pour les entreprises des grandes villes industrielles afin de maintenir à la baisse les salaires et les coûts de production industriels ;
- d'être une source de surplus destinés à financer l'industrialisation, les dépenses de l'État et le niveau de vie des populations urbaines ; ces surplus s'obtiennent par l'impôt, les taux d'intérêt appliqués aux paysans, et le maintien de prix agricoles et de prix industriels défavorables aux paysans.

L'application du modèle « industrialiste » accroît les écarts de revenus entre les populations rurales et les populations urbaines au détriment des premières. La pauvreté grandissante qui sévit dans les campagnes incite les paysans à émigrer vers les villes où ils s'entassent dans des bidonvilles, aux portes, sinon au cœur même, des cités industrielles (comme à Mexico).

En guise de solutions à l'industrialisme, cette troisième voie propose de démocratiser les campagnes et d'y réduire les inégalités de revenus par une redistribution des terres et la réforme agraire ; les écarts entre les prix agricoles et les prix industriels doivent diminuer, et les producteurs agricoles doivent recevoir un soutien économique et technique sous forme de crédits, d'assistance technique et de formation générale ; les campagnes doivent être dotées d'infrastructures essentielles (routes, irrigation, etc.).

Le développement agricole à Taïwan, présenté au chapitre 12, comporte l'application de plusieurs de ces mesures. René Dumont, spécialiste des questions agraires, en particulier dans les sociétés du tiers-monde, est l'un des plus éminents porte-parole de cette tendance ; Jacques Chonchol, un ancien ministre de l'Agriculture au Chili, a aussi contribué au développement de cette thèse dans son livre intitulé *Paysans à venir* (1986). Des organismes internationaux (Unesco, Organisation pour l'alimentation et l'agriculture) ont aussi publié des ouvrages favorables à cette approche.

Résumé   La création de nouveaux États à travers le processus de décolonisation a donné lieu à de nombreuses études sur la question du sous-développement. Plusieurs auteurs se sont penchés sur le sujet et ont proposé des explications accompagnées de solutions au problème.

Deux grands courants sont apparus durant les années 1950 et 1960. Le courant **libéral** regroupe les thèses favorables à l'économie de marché. Celles-ci définissent généralement le sous-développement comme un retard dans le processus de développement, retard que l'on suggère d'effacer par une intégration plus poussée à l'économie mondiale et par la croissance d'activités industrielles mises au point par des entrepreneurs. W.W. Rostow a synthétisé cette approche avec sa théorie des étapes. D'autres théoriciens ont formulé des modèles spécifiques pour promouvoir le développement : croissance équilibrée, croissance déséquilibrée ou développement réalisé à partir des ressources illimitées en main-d'œuvre qui peuvent être mises à la disposition des grandes entreprises industrielles.

Pour les représentants du courant **radical**, les pays du tiers-monde ne sont pas en retard par rapport aux pays développés. Selon ces théoriciens, on ne peut comparer la situation des pays aujourd'hui sous-développés à celle qui caractérisait, il y a 100 à 200 ans, les pays aujourd'hui développés. Les pays sous-développés ont évolué en même temps que les pays développés, mais ils ont été soumis à une dépendance politique, puis économique, par rapport à ces derniers ; cette dépendance est à l'origine d'une exploitation qui a amené le blocage de leurs économies. La solution au sous-développement réside dans l'acquisition de l'indépendance politique et économique, et dans une profonde transformation des sociétés du tiers-monde allant dans le sens des intérêts de la majorité de la population.

Une troisième voie critique le caractère « industrialiste » des théories du développement qui proposent l'industrialisation aux dépens du développement agricole. Ce courant suggère un processus qui tienne compte également des intérêts des sociétés paysannes.

Questions

1. Décrivez comment W.W. Rostow définit le concept de sous-développement.

2. Décrivez la théorie de la dépendance (telle qu'elle a été présentée par Charles Bettelheim) et montrez en quoi elle se démarque de la théorie précédente (thèse de Rostow et du courant libéral).

3. Quelles ont été, pour les pays en développement, les conséquences du modèle « industrialiste » ? Illustrez votre réponse en prenant le cas d'un pays en développement.

4. Présentez une autre théorie du développement et montrez ses liens avec les théories exposées dans le chapitre ainsi que les différences.

5. Analysez, à l'aide d'une des théories, la situation d'un pays en développement.

Thème de réflexion

● La mondialisation de l'économie et la théorie du développement.

Références bibliographiques

AGARWALA, A.N. et SINGH, S.P., *The Economics of Underdevelopment,* 4e éd., London, Oxford, New York, Oxford University Press, 1968.

AMIN, S., *L'accumulation à l'échelle mondiale,* Paris, Anthropos, 1970.

AMIN, S., *Le développement inégal,* Paris, Éditions de Minuit, 1973.

BETTELHEIM, C., *Planification et croissance accélérée,* Paris, Petite collection Maspero, 1970.

CHONCHOL, J., *Paysans à venir,* Paris, Éditions La Découverte, 1986.

DUMONT, R. et PAQUET, C., *Taïwan, le prix de la réussite,* Paris, Éditions La Découverte, 1987.

HIRSCHMAN, A.O., *The Strategy of Economic Development,* New Haven, 1958.

NOREL, P., « L'évolution conflictuelle des politiques de développement », *Le Monde diplomatique,* mai 1987, p. 25.

PARTANT, F., *La fin du développement : naissance d'une alternative,* Paris, Éditions La Découverte, 1983.

ROSTOW, W.W., *Les étapes de la croissance économique,* Paris, Éditions du Seuil, 1963.

CONCLUSION

La théorie économique et la mondialisation de l'économie

Après la Seconde Guerre mondiale, les relations économiques internationales se sont développées à un rythme accéléré. La croissance du commerce international, l'augmentation des exportations de capital et la création d'un marché monétaire international ont contribué à cette évolution, et le processus de production s'effectue maintenant à l'échelle de la planète. La transformation de la réalité économique amenée par ces phénomènes influe nécessairement sur les théories qui rendent compte de cette réalité. Les conséquences de la mondialisation s'étendent aux phénomènes politiques, sociaux, culturels et écologiques.

Les théories économiques présentées dans les manuels reposent sur des hypothèses qui permettent d'isoler les relations entre différents phénomènes afin de mieux expliquer le lien causal qui les unit. Par exemple, on supposera que l'économie est « fermée », c'est-à-dire qu'elle est sans relations avec le reste du monde. La mondialisation de l'économie rend cette hypothèse difficile à soutenir ; dans un modèle « fermé », la compréhension des faits est limitée, alors que la levée de cette hypothèse, soit l'ouverture du modèle aux relations internationales, permet de rendre compte des relations de cause à effet entre les phénomènes.

Vers un nouveau système monétaire international ?

Parmi les questions qui se posent sur le plan international, celle du futur système monétaire international retiendra l'attention dans cette première décennie du XXIᵉ siècle. La chute du système de Bretton Woods a projeté l'ordre monétaire international dans un état de crise ; la rupture avec l'ancien ordre est consommée depuis longtemps sans que de nouvelles règles n'aient encore pris le relais.

Le flottement de la monnaie internationale par excellence, le dollar américain, a semé une profonde instabilité dans le domaine des changes. Les fortes fluctuations du dollar ont alerté les dirigeants des pays industrialisés ; le Groupe des Sept a instauré des rencontres régulières afin de limiter les variations du dollar sur le marché des changes. Le dollar n'est plus la seule monnaie internationale avec l'or et, s'il demeure la principale, il doit composer avec le yen japonais et, désormais, l'euro. Des zones monétaires se créent autour de ces monnaies, suivant en quelque sorte l'évolution des économies qui les soutiennent.

Devant cette décentralisation de l'économie et dans l'incertitude causée par l'élévation d'une monnaie nationale au rang de monnaie internationale, des idées depuis longtemps énoncées refont surface. La formule proposée par l'économiste britannique John Maynard Keynes à la Conférence de Bretton Woods est parfois mise de l'avant.

Keynes suggérait la création d'une monnaie fiduciaire* basée sur la confiance et reposant sur une entente entre ses utilisateurs ; cette monnaie ne devait être liée à aucun pays en particulier. Le bancor* serait émis par une autorité monétaire mondiale, comme le FMI, qui jouerait ainsi le rôle de banquier du monde. La valeur de cette monnaie pourrait être définie par rapport à un panier de monnaies, à l'exemple du DTS ou de l'ECU, et elle devrait être convertible en tout temps.

C'est là une des hypothèses concernant un nouvel ordre monétaire international. Toutefois, au début du XXIᵉ siècle, la création de plusieurs pôles autour d'une monnaie pivot constituera la règle.

La carte économique mondiale en voie de changement

Un nouvel ordre monétaire international repose sur l'évolution des différentes économies. Le début du XXIᵉ siècle laisse déjà voir d'importantes modifications dans le rapport des forces économiques. En Europe de l'Ouest, le marché unique de 1993 et l'arrivée de l'euro ont accru la puissance économique de la région. Et l'Europe de l'Est subit depuis quelques années des transformations encore plus radicales.

La fin des années 1980 aura marqué l'histoire européenne et celle du monde entier. On assiste dans les pays de l'Europe centrale et orientale à un bouleversement d'une ampleur inattendue qui aura des répercussions encore difficiles à prévoir. L'économie planifiée cède tant bien que mal la place à l'économie de marché. Issu de l'ex-URSS elle-même, ce mouvement de libéralisation a rapidement gagné les pays voisins alors membres du Comecon : la Hongrie d'abord, ensuite la Pologne et la République démocratique allemande, puis, successivement, la Tchécoslovaquie, la Bulgarie et la Roumanie.

Ces événements peuvent ouvrir un immense marché de quelques centaines de millions d'habitants. Plusieurs pays de la région rejoindront l'Union européenne en 2004. Parmi les économies en transition vers le marché, la Chine connaît une montée spectaculaire vers les sommets de l'économie mondiale.

Les pays en développement : des changements majeurs nécessaires

Une partie de cet ouvrage a été consacrée aux pays en développement, qui formeront bientôt les quatre cinquièmes de la population mondiale. Ces pays sont concentrés géographiquement en Afrique, en Asie et en Amérique latine. Depuis les années 1960, une vingtaine d'entre eux se sont transformés en pays industrialisés ; mais, puisqu'ils se démarquent sous plusieurs aspects des pays industrialisés, on les appelle « nouveaux pays industrialisés ». Leur développement économique est moins avancé et, chez la plupart d'entre eux, le développement social souffre de carences majeures.

Toutefois, la majorité des pays en développement ne peuvent être qualifiés de « nouveaux pays industrialisés » ou de « pays quasi industrialisés ». Ils demeurent plutôt confinés à un rôle traditionnel, celui de producteurs de matières premières, agricoles et minérales, répondant aux besoins des pays industrialisés. Une partie considérable de la population y est privée du minimum vital. Le minimum alimentaire nécessaire au développement physiologique n'est pas assuré aux citoyens, ce qui, sur le plan de la santé, les place dans des situations précaires.

Dans les années 1970, l'ensemble des pays en développement préconisait l'instauration d'un nouvel ordre économique international pour résoudre une partie de leurs problèmes ; la stabilisation des prix des produits de base par rapport à ceux des produits manufacturés pourrait diminuer leurs déficits commerciaux en réduisant leurs besoins d'emprunt. À plus long terme, une transformation plus poussée de leurs produits d'exportation s'impose ; celle-ci accroîtrait la part de la valeur ajoutée qui échoirait aux agents économiques de leurs pays.

Dans plusieurs pays du tiers-monde, la question vitale demeure la redistribution des terres agricoles, accompagnée de mesures visant à améliorer les rendements de la production et sa commercialisation. La concentration de la propriété de la terre prive des millions de paysans de moyens de production, et limite la quantité des terres réservées aux cultures vivrières au profit de celles réservées aux cultures d'exportation. Cette question, d'abord économique, a des répercussions politiques importantes. Elle est à l'origine de nombreux conflits, sinon de guerres civiles. Les grands propriétaires s'opposent par la violence aux réformes préconisées même par des institutions internationales comme la Banque mondiale ; cela suscite l'émergence d'organisations paysannes et politiques qui remettent en question l'ordre établi et maintenu de force par les grands entrepreneurs agricoles et industriels.

Le chômage dans les pays industrialisés

Bien que, dans l'ensemble, les pays industrialisés aient une situation beaucoup plus favorable que celle des pays en développement, leurs économies n'en sont pas moins traversées par un problème majeur : le chômage de millions de travailleurs. Depuis les années 1970, ce fléau des sociétés développées n'a cessé de croître. Et même l'expansion qui a suivi la récession de 1982 n'a pas réussi à ramener le chômage à des taux comparables à ceux qui existaient dans les années 1960. Au contraire, pour les pays de l'OCDE, ces taux étaient, à la fin des années 1990, trois fois plus élevés qu'en 1969, et, pour les années 1980, la moyenne était presque trois fois plus élevée que celle des années 1960. Le chômage permanent a de graves conséquences sur le plan social et sur le plan de la santé : stress et dépression, maladies liées à la malnutrition, alcoolisme et toxicomanie, troubles psychologiques graves et violence urbaine associée à la délinquance.

Le chômage n'est pas seulement la conséquence du fonctionnement spontané du marché. Il dépend aussi des politiques « systématiques » que les États ont pratiquées depuis le milieu des années 1970 dans leur campagne anti-inflation. Même si le chômage est inhérent à l'économie de marché, il pourrait se situer à un niveau inférieur si les gouvernements visaient l'objectif du plein emploi. La question du plein emploi se pose dans les pays industrialisés avec d'autant plus d'acuité que, depuis les années 1970, les phases d'expansion ont laissé de côté des millions d'individus. Au début des années 2000, le chômage demeure un problème majeur dans les économies industrialisées, tout comme dans le reste du monde.

La croissance et l'environnement : le développement durable

Depuis quelques années déjà, les abus environnementaux sont dénoncés sur la place publique ; des forums nationaux et internationaux soulèvent la gravité de la détérioration de l'écosystème*. Au début des années 1970, un rapport publié par le Club de Rome (regroupement de spécialistes de divers domaines et d'anciens hommes d'État) critiquait l'impératif de la croissance à tout prix, qui impose une pression insoutenable sur l'écosystème ; le rapport proposait de mettre une halte à la croissance. Cette proposition a été rapidement mise de côté.

Mais, dans les années 1980, l'aggravation des problèmes environnementaux a suscité de nombreuses réactions parmi les spécialistes, puis parmi le public en général. En 1983, l'Assemblée générale des Nations Unies votait la mise sur pied de la Commission mondiale sur le développement et l'environnement. Sous la direction de Mme Harlem Gro Brundtland, alors première ministre de la Norvège, des représentants des pays développés à économie de marché, des pays de l'Est et des pays en développement se sont penchés sur la question.

Dans son rapport[1] publié en 1988, la Commission expose le défi que notre planète doit relever.

Il existe des tendances qui menacent la planète et plusieurs des espèces qui l'habitent, dont l'espèce humaine. Chaque année, en bonne partie à cause de l'intervention humaine, six millions d'hectares de terres arables deviennent désertiques, et onze millions d'hectares de forêts sont détruits.

Les pluies acides portent atteinte à d'énormes étendues de terre et d'eau au-delà de toute récupération. L'utilisation de combustibles fossiles (comme le pétrole), par le dégagement des gaz carboniques, provoque le réchauffement de la Terre (des changements internes au Soleil y contribuent également). Cet effet de serre pourrait faire augmenter les températures moyennes de la planète de telle façon que, d'ici une cinquantaine d'années, le relèvement du niveau des mers pourrait submerger certaines villes côtières et perturber gravement la production agricole mondiale. D'autres gaz d'origine industrielle menacent d'appauvrir la

---

1. Commission mondiale sur l'environnement et le développement, *Notre avenir à tous*, Montréal, Éditions du Fleuve, 1988 (traduction de l'Union québécoise pour la conservation de la nature).

couche d'ozone qui protège des rayons ultra-violets du Soleil ; cela pourrait multiplier le nombre de cancers tant chez les humains que chez les animaux, et perturber la chaîne alimentaire dans les océans.

Les problèmes d'environnement et ceux du développement sont étroitement liés. La désertification de l'Afrique entraîne chaque année la mort de millions de personnes. L'exploitation effrénée de la forêt amazonienne par les grands propriétaires terriens risque de détruire le « poumon de la planète ».

Selon la Commission, les menaces qui pèsent sur l'écosystème sont pratiquement hors de contrôle. Afin de redresser la situation, la Commission propose une coopération internationale pour relever le niveau de vie des pays les plus pauvres touchés par la désertification et pour favoriser la régénération de leur milieu de vie (par l'implantation de systèmes d'irrigation, la rotation des cultures, etc.).

Globalement, les solutions de la Commission résident dans le contrôle de la croissance des populations, l'implantation de politiques agricoles subordonnées aux principes de la conservation des sols, et la protection des espèces menacées pour préserver la diversité biologique de la planète ; les politiques énergétiques doivent être axées sur les économies d'énergie, et les activités industrielles ne devraient plus mettre en danger l'eau, la terre, l'atmosphère, la vie animale et végétale.

L'approche du développement durable, qui est compatible avec la protection de l'écosystème, est l'un des grands défis mondiaux. Elle remet en question la « surcompétition » technique, économique et financière entre les grandes puissances et les firmes multinationales, qui valorisent le profit et la conquête des marchés sans considération aucune pour l'équilibre biologique. Le développement durable est en soi un modèle de développement qui peut constituer une solution.

En 1992, les Nations Unies ont tenu une conférence mondiale sur l'environnement. Les orientations dégagées sont censées lier les États qui les ont signées. Mais elles restent vagues et se limitent à préconiser, sans objectifs précis, une réduction des émissions de dioxyde de carbone et de méthane, gaz qui produisent l'effet de serre et réchauffent le climat. La convention sur la biodiversité (qui vise la protection des espèces et des ressources de la planète) est plus contraignante, car elle comporte l'obligation pour un entrepreneur de dédommager un pays dont il exploite les ressources énergétiques.

En 1994, le Fonds pour l'environnement, un programme expérimental issu de la Conférence de Rio, devenait permanent. Doté de deux milliards de dollars américains fournis par les pays membres, le FEM fournira aux pays en développement des dons et une aide en faveur de programmes visant à protéger l'environnement mondial. À la Conférence de Kyoto en 1997, un protocole sur le contrôle des émissions de gaz à effet de serre a été signé. Les pays développés entendent prendre des mesures pour réduire l'émission de ces gaz. En 2003, le protocole de Kyoto visant à réduire les gaz à effet de serre était signé par un nombre suffisant de pays qui s'engageaient chacun à réduire leurs émissions de gaz d'ici 2008-2012 ; seuls les États-Unis, le plus important émetteur de ces gaz, refusent encore de signer l'entente.

ANNEXE

Pays inscrits à la Banque mondiale

PNB par habitant, 2001, méthode Atlas et PPA					
Rang	Économie	Méthodologie Atlas (en dollars américains)	Rang	Économie	Évaluation PPA du PNB par habitant (PPA É.-U. = 100)
1	Luxembourg	41 770	1	Luxembourg	48 080
2	Liechtenstein	** a	2	Liechtenstein	** a
3	Suisse	36 970	3	États-Unis	34 870
4	Japon	35 990	4	Bermudes	** a
5	Norvège	35 530	5	Suisse	31 320
6	Bermudes	** a	6	Norvège	30 440
7	États-Unis	34 870	7	Islande	29 830
8	Danemark	31 090	8	Îles Caïmans	** a
9	Îles Caïmans	** a	9	Belgique	28 210
10	Islande	28 880	10	Danemark	27 950
11	Saint-Marin	** a	11	Canada	27 870
12	Hong-Kong, Chine	25 920 a	12	Irlande	27 460
13	Suède	25 400	13	Japon	27 430
14	Monaco	** a	14	Autriche	27 080
15	Singapour	24 740 a	15	Saint-Marin	** a
16	Royaume-Uni	24 230	16	Pays-Bas	26 440
17	Pays-Bas	24 040	17	Hong-Kong, Chine	26 050
18	Autriche	23 940	18	Monaco	** a
18	Finlande	23 940	19	Australie	25 780
20	Allemagne	23 700	20	Allemagne	25 530
22	Belgique	23 340	21	France	25 280
23	Irlande	23 060	22	Finlande	25 180
24	France/b	22 690	23	Singapour	24 910 a
26	Canada	21 340	25	Suède	24 670
29	Australie	19 770	26	Royaume-Uni	24 460
30	Italie	19 470	27	Italie	24 340
31	Koweït	18 030 a	29	Polynésie-Française	23 340 a
34	Polynésie-Française	17 290 a	32	Nouvelle-Calédonie	21 820 a
36	Israël	16 710 a	33	Chypre	20 780 a,c

PNB par habitant, 2001, méthode Atlas et PPA					
Rang	Économie	Méthodologie Atlas (en dollars américains)	Rang	Économie	Évaluation PPA du PNB par habitant (PPA É.-U. = 100)
38	Nouvelle-Calédonie	*15 060 a*	35	Espagne	20 150
39	Bahamas	*14 960 a*	38	Israël	*19 330 a*
39	Espagne	14 860	39	Nouvelle-Zélande	19 130
41	Macao, Chine	*14 580 a*	41	Koweït	*18 690 a*
45	Nouvelle-Zélande	12 380	43	Macao, Chine	*18 190 a*
46	Chypre	*12 370 a*	44	Slovénie	18 160
47	Grèce	11 780	45	Corée	18 110
49	Portugal	10 670	46	Grèce	17 860
50	Slovénie	9 780	48	Portugal	17 270
51	Corée	9 400	50	Malte	*16 530 a, c*
52	Bahreïn	*9 370 a*	51	Bahamas	*16 400 a*
53	Barbade	*9 250 a*	53	Barbade	*15 020 a*
54	Antigua-et-Barbuda	9 070	54	République tchèque	14 550
55	Malte	*9 120 a*	55	Bahreïn	*14 410 a*
59	Arabie saoudite	*7 230 a*	57	Hongrie	12 570
60	Seychelles	*7 050 a*	59	Saint-Kitts-et-Nevis	11 730
61	Argentine	6 960	60	Argentine	11 690
62	Saint-Kitts-et-Nevis	6 880	61	Slovaquie	11 610
64	Palau	6 730	62	Arabie saoudite	*11 390 a*
67	Uruguay	5 670	65	Seychelles	*** a*
68	Mexique	5 540	67	Maurice	10 410
68	Trinité-et-Tobago	5 540	69	Palau	*** a*
70	République tchèque	5 270	70	Estonie	10 020
71	Hongrie	4 800	71	Antigua-et-Barbuda	9 870
72	Venezuela	4 760	72	Afrique du Sud	*9 510 a*
73	Croatie	4 650	73	Chili	9 420
74	Chili	4 350	74	Pologne	9 280
75	Pologne	4 240	75	Trinité-et-Tobago	9 080
76	Liban	4 010	76	Botswana	8 810
77	Sainte-Lucie	3 970	77	Mexique	8 770
78	Costa Rica	3 950	78	Uruguay	8 710
79	Estonie	3 880	79	Russie	8 660
80	Maurice	3 830	80	Croatie	8 440
81	Grenade	3 720	81	Malaisie	8 340
82	Slovaquie	3 700	82	Costa Rica	8 080
83	Malaisie	3 640	83	Biélorussie	8 030
84	Botswana	3 630	84	Lettonie	7 870
85	Lettonie	3 300	85	Lituanie	7 610
86	Panama	3 290	86	Brésil	7 450
87	Lituanie	3 270	87	Roumanie	6 980
88	Gabon	3 160	88	Grenade	6 720

PNB par habitant, 2001, méthode Atlas et PPA					
Rang	Économie	Méthodologie Atlas (en dollars américains)	Rang	Économie	Évaluation PPA du PNB par habitant (PPA É.-U. = 100)
89	Brésil	3 060	89	Namibie	6 700 *c*
89	Dominique	3 060	90	Turquie	6 640
91	Belize	2 910	91	Thaïlande	6 550
92	Afrique du Sud	2 900	92	Tunisie	6 450
93	Jamaïque	2 720	93	Kazakhstan	6 370
94	Saint-Vincent-et-les-		94	Iran	6 230
	Grenadines	2 690	95	Colombie	5 984
95	Turquie	2 540	96	Bulgarie	5 950
96	République	2 230	97	Venezuela	5 890
	dominicaine		98	République	5 870
97	îles Marshall	2 190		dominicaine	
98	Micronésie	2 150	99	Panama	5 720
99	Fidji	2 130	100	Guinée-Équatoriale	5 640
100	Tunisie	2 070	101	Gabon	5 460
101	Salvador	2 050	102	Samoa	5 450
102	Maldives	2 040	103	Belize	5 350
103	Pérou	2 000	104	Saint-Vincent-et-les-	
104	Thaïlande	1 970		Grenadines	5 250
105	Namibie	1 960	105	Sainte-Lucie	5 200
106	Colombie	1 910	106	Algérie	5 150 *c*
107	Iran	1 750	107	Fidji	5 140
107	Jordanie	1 750	108	Dominique	5 040
107	Russie	1 750	109	Cap-Vert	4 870 *c*
110	Roumanie	1 710	109	Micronésie	** *a*
111	Macédoine	1 690	111	Macédoine	4 860
111	Suriname	1 690	112	îles Marshall	** *a*
113	Guatemala	1 670	113	Swaziland	4 690
114	Algérie	1 630	114	Pérou	4 680
115	Bulgarie	1 560	115	Liban	4 640
116	Égypte	1 530	116	Turkménistan	4 580
116	Tonga	1 530	117	Maldives	4 520 *c*
119	Samoa	1 520	118	Salvador	4 500
120	Kazakhstan	1 360	119	Paraguay	4 400 *c*
121	bande de Gaza	1 350	120	Philippines	4 360
122	Cap-Vert	1 310	121	Chine	4 260
123	Paraguay	1 300	123	Ukraine	4 150
123	Swaziland	1 300	124	Jordanie	4 080
125	Bosnie-Herzégovine	1 240	125	Albanie	3 880
125	Équateur	1 240	126	Guatemala	3 850
127	Albanie	1 230	127	Tonga	** *a*
128	Biélorussie	1 190	128	Égypte	3 790

PNB par habitant, 2001, méthode Atlas et PPA					
Rang	Économie	Méthodologie Atlas (en dollars américains)	Rang	Économie	Évaluation PPA du PNB par habitant (PPA É.-U. = 100)
129	Maroc	1 180	128	bande de Gaza	** *a*
130	Philippines	1 050	130	Guyana	3 750
130	Vanuatu	1 050	131	Maroc	3 690
132	Syrie	1 000	132	Jamaïque	3 650
133	Turkménistan	990	133	Bosnie-Herzégovine	** *a*
135	Bolivie	940	134	Sri Lanka	3 560
136	Yougoslavie	*940 a*	135	Syrie	3 440
137	Honduras	900	136	Suriname	3 310 *c*
138	Chine	890	138	Équateur	3 070
138	Djibouti	890	139	Azerbaïdjan	3 020
140	Guyana	840	140	Yougoslavie	**
141	Kiribati	830	141	Indonésie	2 940
141	Sri Lanka	830	142	Arménie	2 880
143	Ukraine	720	143	Géorgie	2 860
144	Congo	700	144	Kirghizistan	2 710
144	Guinée-Équatoriale	700	144	Vanuatu	2 710 *c*
146	Indonésie	680	146	Lesotho	2 670 *c*
147	Azerbaïdjan	650	147	Kiribati	** *a*
148	Bhoutan	640	148	Ouzbékistan	2 470
149	Côte-d'Ivoire	630	149	Honduras	2 450
150	Géorgie	620	149	Inde	2 450
151	Papouasie-Nouvelle-Guinée	580	151	Moldavie	2 420
151	îles Salomon	580	152	Bolivie	2 380
153	Cameroun	570	153	Zimbabwe	2 340
154	Arménie	560	154	Papouasie-Nouvelle-Guinée	2 150 *c*
155	Lesotho	550	155	Viêtnam	2 130
155	Ouzbékistan	550	156	Djibouti	2 120
157	Angola	500	157	Ghana	1 980 *c*
158	Haïti	480	157	Guinée	1980
158	Sénégal	480	159	Pakistan	1 920
158	Zimbabwe	480	161	Mongolie	1 800
161	Inde	460	162	Gambie	1 730 *c*
161	Yémen	460	163	Bangladesh	1 680
163	Pakistan	420	163	Mauritanie	1 680
164	Viêtnam	410	163	îles Salomon	1 680 *c*
165	Guinée	400	166	Cameroun	1 670
165	Mongolie	400	167	Comores	1 610 *c*
168	Comores	380	167	Laos	1 610 *c*
168	Moldavie	380	167	Soudan	1 610
170	Bangladesh	370	170	Sénégal	1 560

PNB par habitant, 2001, méthode Atlas et PPA					
Rang	Économie	Méthodologie Atlas (en dollars américains)	Rang	Économie	Évaluation PPA du PNB par habitant (PPA É.-U. = 100)
171	Bénin	360	171	Angola	1 550 *c*
172	Mauritanie	350	172	Bhoutan	1 530
173	Kenya	340	173	Cambodge	1 520 *c*
174	Gambie	330	174	Côte-d'Ivoire	1 470
174	Soudan	330	175	Haïti	1 450 *c*
176	Zambie	320	175	Népal	1 450
177	Laos	310	177	Togo	1 420
178	Ghana	290	179	Ouganda	1 250 *c*
178	Nigéria	290	180	Sao Tomé e Principe	** *a*
181	Kirghizistan	280	181	République centrafricaine	1 180 *c*
181	Sao Tomé e Principe	280			
181	Ouganda	280	182	Tadjikistan	1 150
184	Cambodge	270	184	Bénin	1 030
184	République centrafricaine	270	185	Burkina Faso	1 020 *c*
			185	Kenya	1 020
184	Tanzanie/*d*	270	187	Mozambique	1 000 *c*
184	Togo	270	187	Rwanda	1 000
188	Madagascar	260	189	Érythrée	970 *c*
189	Népal	250	190	Tchad	930 *c*
190	Rwanda	220	191	Madagascar	870
191	Burkina Faso	210	193	Nigeria	830
191	Mali	210	195	Mali	810
191	Mozambique	210	197	Zambie	790
194	Tchad	200	198	Niger	770 *c*
196	Érythrée	190	198	Yémen	770
197	Malawi	170	200	Éthiopie	710
197	Niger	170	200	Guinée-Bissau	710
197	Tadjikistan	170	203	Malawi	620
200	Guinée-Bissau	160	204	Burundi	590 *c*
203	Sierra Leone	140	205	Congo	580
205	Burundi	100	206	Tanzanie/*d*	540
205	Éthiopie	100	207	Sierra Leone	480
	Afghanistan	*e*		Afghanistan	**
	Samoa-Occidentales	*f*		Samoa-Occidentales	**
	Andorre	*g*		Andorre	**
	Aruba	*g*		Aruba	**
	Brunei	*g*		Brunei	**
	îles Anglo-Normandes	*g*		îles Anglo-Normandes	**
	Congo	*e*		Congo	**
	Cuba	*h*		Cuba	**

PNB par habitant, 2001, méthode Atlas et PPA			
Économie	Méthodologie Atlas (en dollars américains)	Économie	Évaluation PPA du PNB par habitant (PPA É.-U. = 100)
îles Féroé	*g*	îles Féroé	**
Groenland	*g*	Groenland	**
Guam	*g*	Guam	**
Irak	*h*	Irak	**
île de Man	*f*	île de Man	**
Corée	*e*	Corée	**
Liberia	*e*	Liberia	**
Libye	*f*	Libye	**
Mayotte	*f*	Mayotte	**
Myanmar	*e*	Myanmar	**
Antilles néerlandaises	*g*	Antilles néerlandaises	**
Nicaragua	*e*	Nicaragua	**
Mariannes-du-Nord	*g*	Mariannes-du-Nord	**
Oman	*f*	Oman	**
Puerto Rico	*f*	Puerto Rico	**
Qatar	*g*	Qatar	**
Somalie	*e*	Somalie	**
Émirats arabes unis	*g*	Émirats arabes unis	**
îles Vierges	*g*	îles Vierges	**
Toutes économies	**5 140**	**Toutes économies**	**7 570**
Économies à revenu faible	430	Économies à revenu faible	2 040
Économies à revenu intermédiaire	1 850	Économies à revenu intermédiaire	5 710
tranche inférieure	1 240	tranche inférieure	5 020
tranche supérieure	4 460	tranche supérieure	8 730
Économies à revenu faible/ intermédiaire	1 160	Économies à revenu faible/ intermédiaire	3 930
Économies à revenu élevé	26 710	Économies à revenu élevé	27 680

** Non disponible

Les chiffres en italique sont les estimations les plus récentes pour 1999 et 2000.

a. Données non disponibles pour 2001; rang approximatif.

b. Les données incluent les départements outre-mer.

c. Estimations.

d. Données de la Tanzanie continentale.

e. Pays à faible revenu (745 $ ou moins).

f. Tranche supérieure des pays à revenu intermédiaire (2 976 $ à 9 205 $).

g. Pays à revenu élevé (9 206 $ et plus).

h. Tranche inférieure des pays à revenu intermédiaire (746 $ à 2 975 $).

Source : Banque mondiale, *World development indicators database,* août 2002.

GLOSSAIRE

Actif
Ce qui est possédé par un individu, une entreprise, un pays.

Adjudication
Processus par lequel les gouvernements accordent leurs contrats au plus offrant.

Antidumping
Voir **Droit antidumping.**

Appréciation (réévaluation)
Hausse de la valeur d'une monnaie nationale par rapport à la monnaie d'autres pays. On emploie « appréciation » quand le taux de change est flottant et « réévaluation » quand il est fixe.

Balance commerciale
Différence entre les exportations et les importations de marchandises.

Balance courante
Somme de la balance commerciale et de la balance des invisibles.

Balance des invisibles
Différence entre les exportations et les importations d'un pays au chapitre des services, des revenus de placement et des transferts (*voir* **Invisibles**).

Balance des paiements
Comptabilité des transactions économiques intervenues entre les résidents d'un pays et ceux du reste du monde.

Bancor
Monnaie internationale proposée par J.M. Keynes à la Conférence de Bretton Woods (1944).

Capitalisme

Forme d'organisation économique basée sur la propriété privée des moyens de production.

Capitalistique

Se dit d'un secteur d'activité où l'on utilise intensément le capital par rapport au facteur travail.

Commerce triangulaire

Système commercial par lequel une métropole (l'Angleterre, par exemple) achetait des esclaves d'Afrique (avec des produits manufacturés) pour les revendre dans les colonies (les Amériques) en échange de métaux précieux et de denrées agricoles.

Communisme

Système caractérisé par la propriété collective des moyens de production et d'échange, ainsi que par la disparition des classes sociales et de l'État.

Compétitivité

Capacité de soutenir la concurrence et de produire à meilleur coût des marchandises de qualité supérieure.

Compte courant

Voir **Balance courante**.

Comptoir

Installation commerciale d'une entreprise privée ou publique dans une région éloignée; dans les colonies, ces installations avaient pour rôle le transfert des richesses locales vers la métropole.

Contingentement

Fixation par l'État d'une quantité de marchandises que l'on peut importer, exporter, produire ou consommer pour une période donnée. On parle plus fréquemment de « contingentement à l'importation ».

Convertibilité

Possibilité, pour une monnaie, de devenir l'objet d'une transaction de conversion. Le dollar canadien est convertible, car il peut être échangé à un taux connu contre d'autres devises.

Créance

Actif détenu par un individu, une entreprise, un pays.

Croissance démographique

Accroissement de la population, comprenant la croissance naturelle (naissances moins décès) et le solde migratoire (immigration moins émigration).

Croissance économique

Accroissement de la production d'une économie.

Culture vivrière

Culture dont les produits sont destinés à l'alimentation des habitants d'un pays. Elle se démarque de la culture d'exportation, dont les produits sont destinés à la vente à l'étranger.

Dépréciation (dévaluation)

Baisse de la valeur d'une monnaie nationale par rapport à la monnaie d'autres pays. On emploie « dépréciation » quand le taux de change est flottant et « dévaluation » quand il est fixe.

Devises

Ensemble de moyens de paiement libellés en monnaies étrangères. Ces moyens de paiement peuvent être des billets de banque, des chèques de voyage, des dépôts bancaires, etc. Ils permettent de régler des dettes relatives aux transactions internationales.

Droit antidumping

Pénalité douanière imposée contre le dumping d'un pays tiers (*voir* **Dumping**).

Droit compensatoire

Pénalité douanière appliquée contre les produits dont la fabrication est subventionnée par le gouvernement du pays exportateur.

Droits de tirage spéciaux (DTS)

Monnaie émise par le Fonds monétaire international et financée par les sommes que les pays membres y déposent.

Dumping

Ensemble de pratiques et de mesures qui consistent à vendre des produits à l'étranger à un prix inférieur à celui pratiqué dans le pays d'origine, parfois au-dessous du prix de revient de ces produits.

Économie d'échelle

Réduction du coût unitaire de production à mesure que la production augmente.

Économie de marché

Économie dans laquelle la détermination des prix et l'affectation des ressources sont établies par l'interaction des offreurs et des demandeurs.

Économie planifiée

Économie dans laquelle la détermination des prix et l'affectation des ressources dépendent d'un plan d'ensemble établi selon certains critères.

Écosystème

Unité écologique de base formée par le milieu vivant et les organismes animaux et végétaux qui y vivent.

ECU (*European Currency Unit*)

Monnaie émise par le Fonds européen de coopération monétaire à partir des montants que les pays de la Communauté économique européenne y déposent.

Engagement

Passif dû par un individu, une entreprise, un pays.

État-providence

Expression popularisée après la Seconde Guerre mondiale et faisant référence au rôle accru de l'État dans la vie économique des citoyens.

Euro

Nom de la monnaie unique de l'Union européenne.

Eurocrédit

Prêt à terme en eurodevises consenti à partir de dépôts en euromonnaies par plusieurs banques réunies en un syndicat.

Eurodevise (euromonnaie)

Devise (ou monnaie) déposée dans des banques ou autres institutions financières situées à l'extérieur des pays émetteurs de la devise (monnaie). Un dollar américain placé dans une banque en Suisse est un eurodollar.

Eurodollar

Voir **Eurodevise**.

Euromarché

Marché où se transigent les eurodevises, les euro-obligations et les eurocrédits.

Firme multinationale

Entreprise qui contrôle des unités de production situées dans plusieurs pays.

Forces productives

Éléments nécessaires à la production, constitués généralement par les moyens de production (matières premières, machinerie, bâtiments, etc.), la force de travail et la technologie.

Fordisme

Stratégie économique élaborée par Henry Ford, le fondateur des usines du même nom, et basée sur l'augmentation de la productivité des travailleurs ainsi que sur la hausse de leur pouvoir d'achat.

Hégémonie

Leadership exercé sur le plan économique à partir d'une avance technologique et industrielle. Ce terme s'emploie aussi pour désigner une domination politique et militaire.

Impérialisme

Stade de développement du capitalisme qui est caractérisé par la domination des monopoles sur la vie économique et qui est associé à l'exportation des capitaux.

Industrialisation

Phénomène associé à la croissance de l'industrie manufacturière.

Industrie légère

Secteur caractérisé par une utilisation intensive de la main-d'œuvre.

Industrie lourde

Secteur où le stock de capital fixe (bâtiments, machinerie, etc.) par employé est élevé.

Inflation

Augmentation des prix. Se mesure généralement par le taux de croissance de l'indice des prix à la consommation.

Invisibles

Biens intangibles (services d'assurance, de gestion, transport et voyages) et jeux d'écriture comptable (intérêts, dividendes, transferts).

Mercantilisme

Politique commerciale qui préconise l'exportation des produits nationaux et limite les importations de produits étrangers dans le but d'accumuler des réserves d'or.

Monnaie fiduciaire

Monnaie basée sur la confiance des utilisateurs, sans gage métallique. Le dollar canadien est une monnaie fiduciaire fondée sur la confiance accordée à l'autorité qui l'émet, la Banque du Canada.

Monopole

Marché dominé par une seule entreprise. Le terme désigne aussi un marché dominé par quelques entreprises rattachées les unes aux autres par des liaisons financières et des administrateurs communs.

Multinationale

Voir **Firme multinationale.**

Néolibéralisme

École de pensée économique axée sur la réduction du rôle de l'État et l'augmentation de la liberté d'entreprise.

Obligation

Titre d'emprunt à long terme par lequel un emprunteur s'engage à payer un montant d'intérêt donné pendant une période déterminée, et à rembourser le prêt (le capital) à l'échéance.

Oligopole

Marché dominé par un petit nombre d'entreprises dont quelques-unes, au moins, sont suffisamment importantes pour exercer un contrôle sur les prix.

Oligopolistique

Voir **Oligopole.**

Passif

Dette d'une entreprise, d'un individu ou d'un État.

Pétrodollar

Dollar lié à la vente de pétrole par les pays producteurs.

Plan Marshall

Plan d'aide américain visant la reconstruction de l'Europe à la fin de la Seconde Guerre mondiale. Ce plan porte le nom du général George Marshall, chef d'état-major américain en Europe durant le conflit et secrétaire d'État du président Truman en 1947-1948.

Population active

Population âgée de 15 à 64 ans, qui occupe un emploi ou est activement à la recherche d'un emploi.

Productivité

Mesure qui établit un rapport entre la quantité produite et l'ensemble des ressources utilisées. Productivité = Production / Ressources utilisées.

Quota (système de)

Système de contrôle de la production qui fixe des plafonds à la production nationale et des limites quantitatives aux importations. Dans le domaine agricole, ces limites sont remplacées par des tarifs élevés qui diminuent progressivement.

Réserves officielles

Liquidités détenues par les banques centrales et le FMI.

Révolution industrielle

Période caractérisée par le passage de l'économie artisanale à l'économie industrielle, dont l'organisation productive est associée à l'émergence des usines. L'artisanat a été remplacé par la manufacture comme forme d'organisation du travail productif ; puis, l'introduction du machinisme a créé l'usine.

Salaire réel

Salaire pondéré par l'indice du coût de la vie. Donne la valeur d'un salaire en fonction des biens et des services qu'il peut acheter d'une année à l'autre.

Socialisme

Système économique caractérisé par l'appropriation collective des principaux moyens de production et par la planification d'ensemble de la production. Le socialisme est la phase historique qui précède le communisme (*voir* **Économie planifiée**).

Structure économique

Structure de la population active (ou du PIB) selon les grands secteurs de l'activité économique (primaire, secondaire et tertiaire).

Système de quota

Voir **Quota.**

Taux de change

Prix d'une monnaie nationale par rapport aux autres monnaies.

Taux de chômage

Rapport entre le nombre de chômeurs et la population active (personnes occupées et personnes à la recherche active d'un emploi).

$$\text{Taux de chômage} = \frac{\text{Chômeurs} \times 100}{\text{Population active}}.$$

Taxe sur la valeur ajoutée (TVA)

Taxe indirecte prélevée à chaque étape de la production d'un bien ou d'un service. La TVA est facturée au consommateur lors de l'achat et équivaut à un pourcentage déterminé du bien ou du service acheté. Au Canada, la TVA ou son équivalent, la TPS (taxe sur les produits et services), est de 7 % (1er janvier 1991).

Tertiarisation

Phénomène associé à l'augmentation du pourcentage de l'emploi et de la production provenant du secteur tertiaire.

Tiers-monde

Expression qui désigne les pays en développement. Analogie avec le tiers état de la Révolution française, qui regroupe ceux qui n'appartiennent ni au clergé ni à la noblesse. Le tiers-monde regroupe les pays qui n'appartiennent ni au monde « occidental » ni au camp socialiste.

Références bibliographiques

BRÉMONT, J. et GEDELMAN, A., *Dictionnaire économique et social,* Paris, Hatier, 1981.

GREENWALD, D., *Dictionnaire économique,* 3e éd., Paris, Économica, 1987.

LANGLOIS, J.-P., *Dictionnaire économique québécois,* Montréal, Publications Transcontinental,

INDEX